U0128653

清 史 論 集

(十四)

莊 吉 發 著

文 史 哲 學 集 成
文史哲出版社印行

國家圖書館出版品預行編目資料

清史論集 / 莊吉發著. -- 初版. -- 臺北市：文
　史哲，民 86 –
　　冊；　公分. -- (文史哲學集成 ; 388–)
　含參考書目
　ISBN 957-549-110-6(第一冊：平裝) .--ISBN957-549-
111-4(第二冊：平裝) .--ISBN957-549-166-1 (第三冊：
平裝) .--ISBN957-549-271-4 (第四冊：平裝) .-- ISBN
957-549-272-2(第五冊：平裝) .--ISBN957-549-325-7
(第六冊：平裝) .--ISBN957-549-326-5(第七冊：平裝)
.--ISBN957-549-331-1(第八冊：平裝) .--ISBN957-
549- 421-0(第九冊：平裝) .--ISBN957-549-422-9(第十
冊:平裝).--ISBN957-549-512-8(第十一冊:平裝).-- ISBN
957-549-513-6(第十二冊:平裝) .--ISBN957-549-551-9 (
第十三冊:平裝) .--ISBN957-549-576-4(第十四冊:平裝)
1.中國-歷史-清(1644-1912) -論文，講詞等

627.007　　　　　　　　　　　　86015915

文史哲學集成 ㊲

清 史 論 集 (古)

著　　者：莊　　　吉　　　發
出版者：文　史　哲　出　版　社
http://www.lapen.com.tw
登記證字號：行政院新聞局版臺業字五三三七號
發行人：彭　　　正　　　雄
發行所：文　史　哲　出　版　社
印刷者：文　史　哲　出　版　社
　　臺北市羅斯福路一段七十二巷四號
　　郵政劃撥帳號：一六一八○一七五
　　電話 886-2-23511028・傳真 886-2-23965656

實價新臺幣 四五○元

中華民國九十三年 (2004) 十月初版

著財權所有・侵權者必究
ISBN 957-549-576-4

清史論集
(古)

目　次

清史論集

出版說明

　　我國歷代以來，就是一個多民族的國家，各民族的社會、經濟及文化等方面，雖然存在著多樣性及差異性的特徵，但各兄弟民族對我國歷史文化的締造，都有直接或間接的貢獻。滿族以邊疆部族入主中原，建立清朝，一方面接受儒家傳統的政治理念，一方面又具有滿族特有的統治方式，在多民族統一國家發展過程中有其重要地位。在清朝長期的統治下，邊疆與內地逐漸打成一片，文治武功之盛，不僅堪與漢唐相比，同時在我國傳統社會、政治、經濟、文化的發展過程中亦處於承先啓後的發展階段。蕭一山先生著《清代通史》敘例中已指出原書所述，爲清代社會的變遷，而非愛新一朝的興亡。換言之，所述爲清國史，亦即清代的中國史，而非清室史。同書導言分析清朝享國長久的原因時，歸納爲二方面：一方面是君主多賢明；一方面是政策獲成功。《清史稿》十二朝本紀論贊，尤多溢美之辭。清朝政權被推翻以後，政治上的禁忌，雖然已經解除，但是反滿的情緒，仍然十分高昂，應否爲清人修史，成爲爭論的焦點。清朝政府的功過及是非論斷，人言嘖嘖。然而一朝掌故，文獻足徵，可爲後世殷鑒，筆則筆，削則削，不可從闕，亦即孔子作《春秋》之意。孟森先生著《清代史》指出，「近日淺學之士，承革命時期之態度，對清或作仇敵之詞，旣認爲仇敵，即無代爲修史之任務。若已認爲應代修史，即認爲現代所繼承之前代。尊重現代，必並不厭薄於

所繼承之前代，而後覺承統之有自。清一代武功文治、幅員人
材，皆有可觀。明初代元，以胡俗爲厭，天下旣定，即表章元世
祖之治，惜其子孫不能遵守。後代於前代，評量政治之得失以爲
法戒，乃所以爲史學。革命時之鼓煽種族以作敵愾之氣，乃軍旅
之事，非學問之事也。故史學上之清史，自當占中國累朝史中較
盛之一朝，不應故爲貶抑，自失學者態度。」錢穆先生著《國史
大綱》亦稱，我國爲世界上歷史體裁最完備的國家，悠久、無間
斷、詳密，就是我國歷史的三大特點。我國歷史所包地域最廣
大，所含民族分子最複雜。因此，益形成其繁富。有清一代，能
統一國土，能治理人民，能行使政權，能綿歷年歲，其文治武
功，幅員人材，旣有可觀，清代歷史確實有其地位，貶抑清代
史，無異自形縮短中國歷史。《清史稿》的旣修而復禁，反映清
代史是非論定的紛歧。

　　歷史學並非單純史料的堆砌，也不僅是史事的整理。史學研
究者和檔案工作者，都應當儘可能重視理論研究，但不能以論代
史，無視原始檔案資料的存在，不尊重客觀的歷史事實。治古史
之難，難於在會通，主要原因就是由於文獻不足；治清史之難，
難在審辨，主要原因就是由於史料氾濫。有清一代，史料浩如煙
海，私家收藏，固不待論，即官方歷史檔案，可謂汗牛充棟。近
人討論纂修清代史，曾鑒於清史範圍旣廣，其材料尤夥，若用
紀、志、表、傳舊體裁，則卷帙必多，重見牴牾之病，勢必難
免，而事蹟反不能備載，於是主張採用通史體裁，以期達到文省
事增之目的。但是一方面由於海峽兩岸現藏清代滿漢文檔案資
料，數量龐大，整理公佈，尙需時日；一方面由於清史專題研
究，在質量上仍不夠深入。因此，纂修大型清代通史的條件，還
不十分具備。近年以來，因出席國際學術研討會，所發表的論

文，多涉及清代的歷史人物、文獻檔案、滿洲語文、宗教信仰、
族群關係、人口流動、地方吏治等範圍，俱屬專題研究，題爲
《清史論集》。雖然只是清史的片羽鱗爪，缺乏系統，不能成一
家之言。然而每篇都充分利用原始資料，尊重客觀的歷史事實，
認眞撰寫，不作空論。所愧的是學養不足，研究仍不夠深入，錯
謬疏漏，在所難免，尚祈讀者不吝教正。

二〇〇四年九月　莊吉發

四海之內皆兄弟：歷代的秘密社會

一、前　言

　　歷史記載，最主要的是人物事蹟，歷史學就是以人物作爲主要的研究對象。但社會包含許多個人，歷史研究的注意力不能僅集中在少數上層社會的人物身上，而忽略下層社會的廣大群衆。所謂秘密社會，就是指下層社會中各種非公開活動的組織團體而言；因其生態環境、思想信仰、組織形態、社會功能，彼此不同，各有其特殊條件，所以研究中國秘密社會問題，必須分爲秘密宗教與秘密會黨兩個範疇。

　　秘密宗教源於民間的各種信仰，並雜糅儒道的思想而創立教派，是屬於多元性的信仰結構。當佛教與道教盛行後，逐漸發展成爲公開的信仰，爲社會各階層所接受，也得到官方的承認。秘密宗教以下層社會的群衆爲基礎，師徒輾轉傳習，勸人焚香念經，祈求消災邀福；或教人坐功運氣，希冀卻病延年。惟各教派並未得到官方的承認，而成爲一種秘密性質的不合法組織，遭受官方的取締，不能公開活動，只能在下層社會裏滋生發展。秘密會黨則是下層社會的異姓結拜組織，以異姓結拜的方式，倡立會黨。會中彼此以兄弟相稱，藉規條盟誓，以約束會員，強調義氣千秋，以強化內部組織；其起源與中國南方的社會、經濟及地理背景，有極密切的關係。大體上，地狹民稠、人口壓力較嚴重的地區，或五方雜處的開發中地區，會黨林立，結盟拜會的案件，層見疊出；並非起於一地，也不是始於一時，更非創自一人。

　　秘密宗教藉教義信仰，師徒輾轉傳授，以建立縱的統屬關係；秘密會黨則藉閒談貧苦及患難相助，而邀人入會，會員分頭吸收新弟兄，以維持橫的散漫關係。秘密宗教與秘密會黨初起之時，各有其社會功能，並未含有政治意識；其後由於社會經濟的變遷、地方吏治敗壞、人口壓力益趨嚴重、人民生計更加艱難等因素，秘密宗教與秘密會黨遂益形活躍，且往往因地方官處理不善，而轉化成為含有濃厚政治意味的群眾運動。

二、秘密宗教的由來

　　原始宗教主要是起源於各地的自然崇拜，古代祠畤，就是自然崇拜的中心。《楚辭》「九歌」是代表南方的自然崇拜，秦的四畤是代表西方的自然崇拜，燕齊的八神將及方仙教是代表東部沿海的自然崇拜。秦始皇併吞六國後，各地方的自然崇拜都成為秦帝國祠祀的一部分。漢代初年，各種祠祀繼續存在，包括梁巫、晉巫、河巫、南山巫等①。漢武帝即位後，由於崇信神仙，陰陽災異之說更加盛行；而求仙採藥的方士，多自託為道家，使道家逐漸走向宗教之路。到東漢末年，道家的宗教色彩更為濃厚。漢桓帝曾派中常侍左悺到苦縣為老子立祠，宮中也立有黃老祠。這類祠祀漸漸被巫師所利用，因此，道家於求仙煉丹之外，又加添了傳統的巫術，諸如祈雨、厭詛、捉鬼、以符水治病等法術②。由於迷信思想流佈越來越廣，終至民間有道教會的產生。

　　共同的信仰與利益是維繫社會組織的中心力量。道教會就是依附民間信仰而創立的宗教，以東漢順帝時張陵所創的五斗米道為濫觴。張陵曾在蜀中鵠鳴山學道，造作符書，為人治病降魔，收徒傳習，從學弟子各出米五斗，時人稱之為「米賊」。張陵傳子衡，衡傳子魯。張魯自稱「師君」③，為人治病時，不用醫

藥，但令病人處在靜室裏思過。道中信徒在各地設有義舍，以供旅人住宿；又置義米肉，由行人量腹取用。其教不設長吏，而由祭酒治理，深得下層社會的信仰。與張陵同時的，又有琅邪郡道士于吉，自稱得神書百餘卷，叫做《太平青領道》，又名《太平經》，內容多陰陽災異之說。靈帝時，鉅鹿郡人張角，根據《太平經》創立太平道，令信徒跪拜悔過，使用符咒治病，並差遣弟子分赴四方，招引信徒；十餘年間，擁有徒眾十數萬人，徧佈於青、徐、幽、冀、荊、揚、兗、豫八州。他將手下徒眾編爲三十六方，大方萬餘人，小方六、七千人，各立首領。東漢末年，經過二次黨錮之禍，宦官益形放肆，各州郡遭受閹黨的荼毒，吏治敗壞，地方殘破不堪，民不聊生，張角遂倡言「蒼天已死，黃天當立，歲在甲子，天下大吉。」④計劃於靈帝中平元年（184）三月初五日起事；因預謀敗露，張角馳勅四方，提前於二月起兵，各地徒眾，頭裏黃巾，同時並起，時人稱之爲黃巾，又叫做蟻賊。張角自號天公將軍，其弟張寶號地公將軍、張梁號人公將軍，旬日之間，天下響應，聲勢浩大，京師震動。亂平後，太平道消滅，而張魯尙雄據巴蜀、漢中，維持秩序，將近三十年之久。太平道與五斗米道都是屬於巫覡的範疇，亦即存在於民間的原始信仰。巫覡爲人禱祝，自謂能見鬼神，個人日常生活中諸如生老病死、婚喪喜慶的儀式，也都須由巫覡來主持。但巫覡是屬於萬有信仰的類型，旣沒有一個中心信仰的主神，也缺乏一座固定的廟宇，更不具備一套傳統的經典⑤。

　　儒、釋、道三家雖不同於秘密宗教，卻爲民間秘密宗教提供了思想上或信仰上的內容。秘密宗教就是起源於民間的原有信仰，並雜糅儒釋道的思想而產生的教派。秘密宗教旣依附儒釋道而流佈於下層社會，因此討論佛教的傳入中土及道教的興起，都

是探討秘密宗教的起源時必須涉及的問題。儒家思想具有宗教教義中最基本的慈悲性與平等性，也具有宗教家救世救人的理想與能力；但儒家與宗教不同，宗教理論是建立在上帝與諸神的信仰，儒家思想則信仰自心；宗教寄託於來世及天國，儒家思想則希望在現世實現其理想，所以它已超越了宗教的需要，卻不能代替宗教的功用⑥。印度初期的佛教，其精義主要爲四聖諦、五戒及八正道⑦，教義簡單切近。但佛教徒後來一面容納古印度原有的多神教，一面又吸收輪迴與果報的舊說。當阿育王（Asoka）皈依三寶，並派遣高僧四出傳教後，佛法盛行，佛教遂成爲世界性的宗教。佛教傳播愈遠，其流品愈雜，吸收的迷信成分愈多。東漢初年，佛教雖已正式傳入中土，不過當時社會安定，佛教並不盛行。及東漢末年，戰亂頻仍，一般民衆對現實人生大感失望，精神上又缺乏慰藉，自然要轉移到未來世界與空中天國去尋找寄託。佛教既談禍福休咎、因果報應，而其生死輪迴之說，尤深植人心，其基本教義亦在教人解脫生死、離苦得樂，故人民爲消災祈福，以求福祐，乃爭相皈依三寶，佛教逐漸吸收了許多博學之士。士大夫研習佛法，哲理的探求，遠超過宗教的信仰，遂使佛教更適合於上層社會的信仰。佛教輸入中土的初期，爲適應當時的環境，曾經依附原始宗教，以求發展，遂具有崇拜神像及咒術的傾向。等到佛教浮現到社會上層後，始逐漸揚棄方術及迷信成分。

　　當佛法宏揚於中土之際，流行於民間爲人治病的舊有巫覡方術，亦逐漸發展成爲具有宗教形態的道教。道教的創立，其經典儀式，多取法於佛教；其修眞養性的途徑，則多蹈襲《易經》、《老子》、《莊子》的義理，或以煉丹服食爲事，或以經咒醮禱爲務。東南沿海地區，受當地民間信仰的影響，道教尤爲昌盛。

自從北魏太武帝應崔浩之請，改信道教，並奉道士寇謙之爲天師後，道教漸盛行於北方。不過，道教與佛教同樣受到歷朝君主的尊崇與護持而成爲正統的宗教，至於一般民眾所接受的，只是佛教輪迴果報的粗淺思想及道教運氣靜坐、誦習經咒的方術。流行於民間的自然信仰與這些思想道術互相融合後，乃逐漸發展成爲各色各樣的秘密宗教。

傳說釋迦佛滅度前曾留下一句話：將來會有彌勒佛出世，紹繼佛位，在龍華樹下說法，廣度眾生。南北朝是一段分裂混亂的時期，飽受兵燹的民眾，無不祈求太平；彌勒佛降臨後的極樂世界，就是眾生夢寐以求的宿願。梁武帝時，東陽郡烏傷縣人傅大士創立彌勒教，預言世界即將大亂，自稱是「彌勒菩薩分身世界」，降生此世，濟度眾生，奉者若狂⑧，信徒都是素冠練衣的善男信女。由於徒眾日增，勢力龐大，常起而干政；至傅大士死後四十年，即隋煬帝大業六年（610），終於發生建國門之變⑨。朝廷嚴捕教徒，株連千餘戶，但此教仍秘密傳播於民間。及唐武后延載初年，摩尼教開始傳入內地，爲了適應新的環境，它曾依附佛教而發展。唐玄宗開元年間，以摩尼教妄稱佛教，加以取締，禁止公開傳播。五代時，摩尼教徒在陳州起事失敗後，其餘黨逃往福建。宋代以降，摩尼教又稱明教；他們相信黑暗就要過去，光明即將到來，光明必然戰勝黑暗。此後，明教又由福建流傳到浙江、淮南、江西一帶，僅以溫州一地而言，就有明教齋堂四十餘處。

南宋高宗紹興三年（1133），吳郡延祥院僧茅子元吸收佛教的教義創立白蓮菜，自稱白蓮導師；徒眾茹素念佛，戒殺生、避葷酒、懺悔修行，佛教正宗視其爲異端。宋室詔禁白蓮菜，茅子元被流放到江州；白蓮菜遂轉入地下活動，逐漸與彌勒教、明教

融合爲一體。到了元代，白蓮菜演變爲白蓮會，信徒與日俱增。河北灤城人韓山童，自其祖父以來，世爲白蓮會的教主，到韓山童時，將白蓮會混入彌勒教的教義，改稱白蓮教，倡言「彌勒降生，明王出世」⑩，以招收徒衆。韓山童揚言天下將要大亂，彌勒佛降生，河南、江淮地區的民衆都翕然信從。韓山童並冒稱爲宋徽宗的八世孫，當爲中國主，與其黨劉福通等殺白馬、黑牛，誓告天地，密謀起事，被官府發覺，差役到處捕拏教徒，劉福通等就在至正十一年（1351）五月，糾集各地白蓮教徒與修築黃河河堤的工人，抗拒官兵。教徒頭裹紅巾，作爲記號，號稱紅巾，又叫紅軍。未幾，紅巾攻破潁州，連陷汝寧、光州、息州。韓山童被殺以後，紅巾的勢力，並未稍戢。至正十五年（1355）二月，劉福通等迎立韓山童之子韓林兒爲帝，號小明王，建都亳州，國號宋，改元龍鳳。白蓮教徒在下層社會中本來就擁有廣大的群衆，又自稱爲宋室後裔，更增加其號召力；各地起兵群雄，多奉小明王號命，終於形成大規模的反元運動。

　原始宗教主要爲貧病之人消災治病，太平道與五斗米道都是屬於原始宗教，同時也是民間的一種互助團體。明教盛行的原因，主要是由於不肉食，費省而足，且同教相親相卹⑪，彼此互助，大家湊錢來幫助新加入的貧苦教友，每月朔望，各出錢四十九文，彙交教主，作爲教內的經費，一家有事，教友齊心合力，有錢出錢，有力出力，充分發揮互助合作的精神⑫。秘密宗教起初都是農村的民間信仰團體，各教派人數不多，其後由於勢力日益增大，又逢天災人禍，生計艱難、民不聊生，在宗教信仰的激勵下，遂鋌而走險，揭竿起事。

三、秘密宗教的重要派別

流佈於下層社會的秘密宗教雖始自東漢末年，然而元明以來隨著社會經濟的變遷，秘密宗教更爲盛行，衍生轉化，教派林立。明初，白蓮教蔓延於湖北、江西、四川、陝西、山東等地。明太祖雖起自紅巾，曾奉小明王號令，惟於奪取金陵後，即公開脫離紅巾，並攻擊白蓮教徒「誤中妖術，荼毒萬狀」，即位後遂正式下令查禁白蓮教。其後白蓮教的勢力更大，形成嚴重的社會問題。明代中葉以降，流民成爲嚴重的社會問題；白蓮教與流民互相結合，對明朝政權構成了極大的威脅。武宗正德年間，白蓮教的勢力，不僅以流民爲基本群眾，同時還蔓延於西南少數民族地區及漠北邊境的蒙古地區。正德十年（1515），雲南烏蒙芒部普法晉自稱蠻王，揚言彌勒出世，舉兵起事。漠北的白蓮教徒多半是流民，他們爲了躲避朝廷的搜捕，而逃往蒙漢混居的邊境開墾荒地，建立村落城鎮。神宗萬曆初年，薊州人王森居住直隸灤州石佛王，傳習白蓮教，自謂曾得妖狐異香，號稱聞香教主，其信徒有大小傳頭及會主等名目，徒眾輸納金錢，叫做朝貢，飛竹籌報機事，一日數百里。萬曆二十三年（1595），王森被捕監禁，經賄賂釋放後，轉入京師，結交外戚太監，行教自如。其徒李國用另立教派，使用符咒召鬼，兩教相仇，發生教案。萬曆四十二年（1614），王森再度被捕，五年後瘐死獄中。其子王好賢及信徒徐鴻儒等繼續傳教，徒眾多達二百餘萬人；畿輔、山東、山西、河南、陝西、四川等地，信徒尤夥⑬。各地信徒擁立徐鴻儒爲總教主，稱爲中興福烈帝⑭，建元大乘興聖。熹宗天啓二年（1622）五月，徐鴻儒舉兵，攻陷山東鄆城等縣。及徐鴻儒失敗後，白蓮教徒仍然在山東等地暗中活動。清世祖順治三年

（1646）六月，頒詔查禁白蓮教，惟因白蓮教傳佈已久，滋蔓難圖。山東壽張縣人王倫兄弟，俱爲白蓮教餘黨。王倫傳習清水教，敬奉眞武，稱天爲「無生父母」，素習煉氣拳棒，也替人醫治疾病。信徒中凡學習煉氣不吃飯者稱爲「文徒弟」，而演習拳棒者則稱「武徒弟」；凡經傳授咒語：「千手攔、萬手遮，青龍白虎來護著，求天天助，求地地靈，鎗礮不過火，何人敢當？」就不怕鎗礮刀箭。王倫揚言將有四十五天劫數，唯有入道運氣、不吃飯者始能避過劫數；又謂天下開黃道者有七十二家，將由一家來收元，王倫是眞紫微星，就是收元之王。乾隆三十九年（1774）八月，因縣民出首邪教，官府將行查拏，遂聚衆起事，襲占壽張縣城，執殺知縣，進破陽穀、陷堂邑，分趨臨清、東昌，欲阻漕運，旋爲清軍所敗，王倫自焚死。

　　川陝地區，經過明季張獻忠等大肆屠戮及清軍平亂等長久戰爭的結果，地廣人稀，故能容納其他各省的過剩人口⑮。而東南沿海各省，由於戶口日增，食指益繁，至乾嘉年間，人口壓力更加嚴重，民人爲衣食所迫，逐相繼遷徙川陝地區覓食傭工種地，其中有不少的移民是來自安徽的白蓮教徒。清高宗乾隆末年，安徽阜陽縣人張效元自幼學習混元教，其兄張鎮被捕後，張效元即接管教務，其另一兄張效增亦拜張效元爲帥。張效增前往四川後，又收劉成玉爲徒，輾轉傳習混元教，俱尊張效元爲總教主。教徒入教之後，每人給與黃綾一塊，書寫經咒，帶在身邊，凡有災難，相傳都可避過，又謂教中符咒可避鎗箭。信徒以身穿青藍衣服，頭頂三尺藍布、腰纏三尺藍布爲外號；以傳誦歌詞「天上佛、地上佛、四面八方十字佛，有人學會護身法，水火三災見時無」作爲內號。並揚言嘉慶元年（1796）三月初十日是辰年辰月辰時，定起黑風，殺人無算，只有入教的信徒可以免災。因從教

者眾多，官府查拏緊急，書吏衙役從中需索，遂致官逼民反，川陝楚三省教徒同時響應。清廷採用堅壁清野的策略，並令地方辦理團練鄉勇，歷時七、八年，費帑二百萬兩，始告平定。

羅教是羅祖教的簡稱，是由羅姓祖上所傳。教中藏有《三世因由》一書，記載初世羅成、二世殷繼南、三世姚文宇的事蹟，即所謂羅教三祖。羅成，又名羅英，化名爲羅清，是山東萊州府即墨縣人，生於明英宗正統七年（1442），在古北口修道，以悟空爲法名，於武宗正德年間創立羅教，後來無爲教亦尊之爲祖師。世宗嘉靖六年（1527），羅清坐化，前後行道十三年⑯。羅清是佛教臨濟宗人，羅教就是從臨濟宗轉化出來的一個教派⑰。羅教二世殷繼南是浙江處州府縉雲縣人，生於羅清坐化後十五年，自幼信奉羅教，傳習無爲卷，法號普能，自稱羅祖轉世。萬曆四年（1576），率弟子登天臺山，宣揚教義，集眾三千餘人，地方官將殷繼南等捕送處州府監禁，萬曆十年（1582）遇害。三世姚文宇，亦自稱羅祖轉世。羅教創立後發展迅速，由羅教衍生轉化出來的教派，名目繁多。

明萬曆年間，有汪長生又名汪普善者，在浙江西安縣地方創建齋堂，勸人吃齋念佛，倡立長生教；因教中以果品供佛，分送燒香的人，以求卻病延年，所以又叫做果子教。汪長生身故後，葬於齋堂左側無影山。雍正五年（1727），經總督李衛查禁，將齋堂拆毀，改建爲普濟、育嬰二堂，田地入官，酌留廚房數間，給與佃種官田的余聖功居住，仍然叫做齋堂。後來又有孤苦無依的老人葉姓等到齋堂附居，皈依長生教。乾隆三十一年（1766）九月，齋堂失火，由教徒陳尚義等人募化銀錢，在原址蓋造新堂，供奉白磁觀音大士及汪長生畫像。嘉興府秀水縣彌陀庵亦崇奉長生教，供奉觀音、彌勒、韋馱等佛像。此外平湖縣及蘇州城

等地也有長生教齋堂。教徒於每年正月初一、三月初三、六月初六、九月初九、十一月十七等日在各齋堂拜懺念經，每次各出米一升、錢十二文，送交齋頭買備香燭菜蔬。此教因由汪長生所創立，所以稱爲長生教。羅教三祖姚文宇，法名普善，爲浙江羅教信徒奉爲祖師。汪長生亦以普善爲法名，雖與姚文宇不同系統，但與羅教有密切關係。

　　大乘教也與羅教有密切關係，據江蘇大乘教信徒朱文顯指出：「前明人羅孟浩以清靜無爲創教，稱爲羅祖；羅孟浩之子名佛廣，及伊婿王蓋人另派流傳，又謂之大乘教。」⑱康熙年間，湖北襄陽縣人周斯望拜從大乘庵羅繼恆爲師，傳習大乘教，每遇齋期，即供奉圖像，懸掛布幡，諷誦經咒。因大乘教尊羅氏爲祖師，所以官方文書有時也稱爲羅祖大乘教。雲南景東府，民苗雜處，其俗好佛，男婦皆然。康熙年間，貢生張保太以同做龍華會爲名，傳習大乘教，在大理府雞足山開堂行教，法號道岸，釋名洪裕。教中相傳是由陝西涇陽縣八寶山無生高老祖開派，流傳到四十八代祖師楊鵬翼，是雲南騰越州生員。張保太拜楊鵬翼爲師，自稱爲四十九代收圓祖師⑲，是無極轉世。乾隆六年（1741），雲南巡撫張允隨將張保太拏獲監斃。張保太故後，由其繼子張曉接法開堂，信徒遍佈於雲南、貴州、四川、湖廣、山西、陝西及江南等地。

　　收元教又名五葷道，是由《收元寶卷》而得名，起自山東，傳佈於直隸、山西、河南、江蘇等地。總教主是山東單縣人劉儒漢，山西定襄縣人劉起鳳至山東，拜劉儒漢爲師，投入收元教。康熙四十四年（1705），劉起鳳自山東返回原籍，宣傳教義；又有韓德榮等人前往山東拜劉儒漢爲師。王天賜，祖籍直隸長垣縣，移居河南虞城縣，康熙五十三年（1714），前往山東賣布生

理，亦拜劉儒漢爲師，因藏有《收元寶卷》，返回河南後，也自行傳教。康熙六十一年（1722），王天賜身故，其子王之卿繼續傳教。雍正五年（1727），韓德榮在原籍招人入教，自稱是孔子再世，有山西五臺縣人田大元等拜師入教。乾隆元年（1736），劉儒漢身故，由其子劉恪接充教主。韓德榮揚言是星宿下凡，自稱收元祖師，並引《收元寶卷》內「身落寒門傳大道」之句，謂與韓姓音相合，欲合併山東、河南的收元教。但劉恪指韓德榮爲野徒，王之卿則以收元教起自山東，豈有反爲山西之徒的道理？韓德榮合併收元教失敗後，揚言甲子年爲末劫，有水火刀兵，入教者可免災難，信從者漸多。乾隆九年（1744），干支甲子，不但無災變，反而年豐物阜，信徒漸散，田大元乃以寶卷內「十口」即爲「田」字的隱語，而接續其教，韓德榮的徒衆多改歸田大元。乾隆十三年（1748），清廷破獲收元教，韓德榮、田大元等俱被捕，河南收元教由徐國泰等人繼續傳習。乾隆三十年（1765）二月，河南泌陽縣人李文振拜徐國泰爲師。徐國泰身故後，由李從呼、孫貴遠、姚應彩等人輾轉傳習。姚應彩後因病無力耕種，而以製賣膏藥度日，其招牌行號爲三益堂，爲蔽人耳目，乃就招牌行號將收元教改爲三益教。乾隆三十四年（1769）冬，李文振因貧困難以度日，起意商同其表甥張成功復興收元教，並將收元教與榮華會合而爲一，稱爲收元榮華會。

　　山西洪縣人高揚，自幼出家，訪道各處。萬曆二十二年（1594），在太虎山中聚衆說法，創立紅陽教，教徒尊高揚爲飄高老祖，因編造《混元紅陽經》，又稱爲混元老祖，紅陽教亦因此又稱爲混元教。藉著太監的保護，紅陽教在宮中的勢力極爲龐大。教中稱御馬監太監陳矩之、內經廠太監石亨、盔甲廠太監張忠爲三位護法。順治三年（1646）六月，清廷查禁混元教；翌

年，飄高老祖被凌遲處死。但紅陽教流傳已廣，直隸、河南、山西所屬各州縣，紅陽教徒尤夥。教中因燒一炷香，所以又稱為一炷香紅陽教；又因教首多以茶葉為人治病，又叫做清茶門教，或茶葉教。除《混元紅陽經》外，又有禮拜太陽的《青陽經》，青陽教便是由《青陽經》而得名。乾隆年間，河南破獲青陽教，教首為歸德府鹿邑縣人趙文申。趙文申病故後，由其堂弟趙文世接掌青陽教，傳習《青陽經》。乾隆年間也破獲白陽教，教首為王來儀，因家中堂名忠順，又名王忠順，原居灤州石佛村，其曾祖於明季始遷居盧龍縣。王氏家族素奉大乘教，教中以清茶奉佛，所以又叫做清茶會，或清水教。乾隆二十九年（1764）九月間，王忠順因家道漸貧，又見其祖王懌所奉之教無人傳習，乃改立白陽教，自稱是彌勒佛轉世。紅陽教、青陽教與白陽教，合稱為三陽教。嘉慶十五（1810）三月，河南鹿邑縣人王三保與王法僧、王雙喜等起意復興三陽教，揚言現在是彌勒佛掌教，王法僧就是彌勒佛轉世，王雙喜是紫微星臨凡。

　　天理教是由收元教的老理會易名而來。收元教的組織分為八卦，老理會就是起自山東的坎卦，由李二等輾轉傳習，後來奉文查禁。乾隆五十九年（1794），教徒復興老理會。嘉慶六年（1801），信徒王拐子又找出老理會教根，徒衆日增，直隸新城縣人王思明父子亦加入老理會。天理會就是間接由收元教轉化而來，並吸收三陽教的教義。河南滑縣人牛亮臣供稱天理教本名三陽教，分為青紅白三色，又名龍華會，因分八卦，又名八卦會，復又改名天理會。直隸宛平縣林清曾拜京南人顧文升為師，入坎卦教，教中奉山東曹縣人劉林為先天祖師，林清自稱是劉林轉世，為後天祖師。嘉慶十三年（1808），坎卦教首劉呈祥被捕，坎卦無人掌管，徒衆公推林清為教首，其後又總領八卦，充總教

主。林清自稱是太白金星下凡。天理教徒人數衆多，曾密議起事。因天書上有「八月中秋，中秋八月，黃花滿地開放」之語，經林清推算，當指閏八月，而嘉慶十八年（1813）九月十五日正是第二個中秋，所以與河南震卦教首李文成約定於九月十五日起事。各地教徒以「奉天開道」白色小旗爲號，以白布二塊，一塊拴腰、一塊蒙頭，口誦「得勝」暗號。林清所領一股主要爲坎卦的教徒，分東西兩路進入紫禁城，欲與河南李文成會合，趁清仁宗回鑾時劫駕。宮中太監劉得才等均曾參與密謀，當天理教徒由各門入城時，都由太監從中引路，卒因李文成未能如期到達，遂告失敗。

　　有清一代，秘密宗教名目繁多，除以上各大教派外，其他規模較小的教派尚多，例如直隸邢臺縣人劉才運等於中巖寨創立順天教，教中供奉眞空老祖金公、無生佛母黃婆塑像。寨中祠宇及香客住房五百餘間。附近太子寨亦立有廟宇，善男信女自中巖寨進香後，又到太子寨上香，稱爲燒轉香。隆平縣人李思義傳習儒理教，因以揉掐法治病，又稱爲摸摸教。順治年間，直隸深州、饒陽縣出現大成教，易州出現衣法教，後來流傳到江蘇、浙江等地。教中以輪迴生死勸人修來世善果。曲周縣人白大材傳習天元正教，大興縣人李自榮傳習敬空教，無極縣人趙洛希傳習天香教，滄州人季八傳習義和拳，倡立義和門教。鉅鹿縣人傅濟傳習先天教，又名收源教。山東蒲臺縣人張丙欽等傳習龍天門教，又稱爲龍門教，相傳爲藥城縣米祖收圓老母即米奶奶所創立，歷代掌教均由婦女相傳，因寺中供有呂祖，又名呂祖教。民間以正月十五日爲上元、七月十五日爲中元、十月十五日爲下元，也是念經吃齋日期；臨清州人鄭攻玉傳習三元教，被查禁後改稱一炷香如意教。東平州人楊得祿傳習空子教。山西平定州人李福傳習皇

天教。河南汝陽縣人方手禮傳習牛八教，南陽府唐縣有天竹教。
江西省城黃森官設立三皇聖祖教，又名圓敦大乘教，黃森官以彌
勒佛紫微星自居。四川新都縣人楊守一傳習青蓮教，甘肅有紅蓮
教，直隸、山東有黃蓮教。各教派或爲白蓮教的遺裔別支，或由
羅教轉化而來，或爲獨自創生的民間信仰，亦即所謂「經非一
卷，教不一名」，同時並起，枝幹互生，滋漫難圖。

四、秘密宗教的社會功能

　　就秘密宗教的生態環境而言，除都市城鎮外，主要是依附農
村聚落而生存發展，是屬於一般性的農餘宗教活動。農人日出而
作、日入而息，所謂「夜聚曉散」，其實就是不礙農時的共同宗
教聚會活動。秘密宗教的宗旨，主要在勸人持齋誦經、導人行
善、憐老惜貧、扶助孤苦，鄉村田舍，聚族爲鄰，時時需要，處
處創生⑳，其社會功能，頗值重視。例如，三陽教的成員，除漢
人外，也容納旗人男婦，包括滿洲包衣及旗丁。此外其信徒中也
有不少的宮中太監，所以三陽教在宮中的勢力相當大；而且透過
太監及其家庭或社會關係，廣事招徠，尤其是太監出身的貧苦農
村，信徒更多。三陽教徒平日在地方上扮演著重要的角色，村中
貧民遇有喪葬之事，無力延請僧道時，即邀請三陽教教徒念經發
送，兼看風水。他們也爲村鄰超度亡魂，費用既省，尤屬近便。
教首並爲村民治病，其方法不一而足，或藉燒香誦經，祈神保
祐，以求早日消災除病；或將茶葉放在碗內，供佛禱祝，然後煎
熬飲用，亦可嚼爛敷在傷口；或使用針灸、按摩，以療疾病；或
教以靜養功夫，傳授盤膝坐功，右手扣著左手，右腳扣著左腳，
舌頭抵著上牙根，以求強身延年。秘密宗教多有磕拜太陽的儀
式，就是一種健身靜養功夫。如紅陽教信徒每日對太陽焚香磕

頭，朝向東南，暮向西北，虔心磕拜太陽，每日晚間燒一炷香，磕三十六個頭。嘉慶年間，山東曹縣人胡成德因病請震卦教信徒徐安幗治療，徐安幗問了病由，要了一股香，在胡成德床前桌上點著，供了三杯酒。徐安幗左手招著訣，右手用兩個指頭點在胡成德頭上，嘴裏念咒，念完了，叫胡成德喝這三杯酒。過了兩天，病果痊癒，胡成德即拜徐安幗爲師。徐安幗即令胡成德洗臉喝茶，點著香，然後用左手大指、食指、小指伸起招訣，右手食指、中指伸直，說是劍訣，嘴中念著「眞空家鄉，無生父母」八字咒語，令胡成德依樣照念，並令其每日早晨、晌午、晚上各念三遍，久之自然有好處。若替人治病，大病念五十六遍，小病念三十六遍㉑。其磕拜太陽的儀式，每日早晨朝東、晌午朝南、晚上朝西、半夜朝北，兩手抱胸，合眼趺坐，口念八字咒語八十一遍，稱爲抱功。離卦教的入教儀式大同小異。先令人跪香磕頭，授以八字咒語，點香三炷，供茶三碗，跪地磕頭，由師傅口授誓詞，即：第一學好人，尊當家；第二皈依佛、皈依法、皈依僧，皈依三寶向善；第三再不開齋破戒，違者身化膿血。此外尙有勸善之言，如尊敬長上、孝順父母、敬天地、修今生知來生事、存心無歹、戒酒色財氣、行好免罪等語。其運氣方式則略異，向著太陽，兩手垂下，闔閉口眼，從鼻中運氣。儒理教禮拜太陽的儀式也是每日向太陽磕頭三次，早晨朝東、晌午朝南、晚上朝西，虔心磕拜。早晚燒香，供養祖先，以保佑闔家平安。直隸隆平縣人李思義，曾充儒理教首，自幼學生醫書，擅用二十四樣針法，且能揉揖治病，外人遂稱儒理教爲摸摸教。收元教信徒每日清晨供奉清水三杯，望空磕頭，默誦「眞空家鄉，無生父母，現在如來，彌勒我主」四句咒語及「南無天元太保阿彌陀佛」十字眞言，藉以消災祈福。教徒亦須磕頭禮拜太陽，一日三遍，早午晚

三時分向東南西三面磕頭，稱太陽爲聖帝老爺，並以每年二月初一日爲太陽生日，合立春、立夏、立秋、立冬，共聚會五次。教中使用暗號，向人拱手時，左手大指壓住右手大指，稱本姓某。若問是那一卦人，只說在那一座靈山走過；答說東方，即是震卦教，答說南方，即是離卦教㉒。信徒認爲「要求來生福，還須今世財」。平日積下根基錢，便可修來生富貴，相信「今生出一，來世得百」，所以樂意奉獻銀錢。山東空子教，由東平州人楊得祿傳習，教中規定朔望燒香，編造八卦歌持誦，稱爲運脈，傳授口訣，閉目捲舌運氣，默念「眞空家鄉，無生父母」八字眞言，叫做內承法，不能閉目捲舌運氣的叫做外承法，內承熟悉後，就賜給法名及來生品級。徒衆平日燒香念經，按四時磕頭，早晨求衣服、晌午求好模樣、晚上求財帛、子時求壽限；並按一家丁口出錢，一人入教，闔家男女都成爲信徒。得到來生品級後，另需致送謝品級錢，教中稱爲走線。長生教與三元教皆欲求長生不老，長生教藉念誦經卷，以求延年益壽。三元教則上供燒香磕頭念咒坐功運氣，以眼耳口鼻爲東西南北四大門；運氣時先用手向臉一摸，閉目捫口，氣從胸腹向下行運，仍從鼻子放出，以爲日久功深，可以長生。義和門教除傳習拳棒外，又教人坐功運氣及按摩週身穴道之術。各教派都認爲功成後，不僅可以卻病延年，也相信死後免入輪迴。

羅教傳習坐功有一定次第，頭一層功夫叫做小乘，念二十八字偈語；第二層功夫叫做大乘，念一百八字偈語；第三層爲上乘，無偈語，單是坐功。學小乘，送香資三分三釐，大乘送一錢二分，上乘送一兩，以六錢七分供佛，三錢三分送老祖堂。羅教的信徒主要是漕船水手，有漕省分如直隸、山東、河南、江西、江南、浙江、湖廣等七省漕運水手，多信奉羅教。羅教在下層社

會裏具有宗教福利的性質，入教之人可以享受很多好處。運河兩岸糧船停泊的地方，建有許多庵堂，其中浙江杭州府北新關外拱宸橋地方，向爲糧船停泊之處。明朝末年，有直隸密雲縣人錢姓、翁姓及松江潘姓三人流寓杭州，共興羅教，各建一庵，供奉羅祖像及羅教經卷，此即錢庵、翁庵及潘庵的由來。其後由於水手日增，庵堂不敷居住，而分建各庵堂，增設七十餘庵。各庵內寓歇的水手，以異籍之人爲主，籍隸直隸、山東省者尤夥。各庵由駕船出身、年老無依的水手看守管理，以庵堂作爲託足棲身之所，平日皈依羅教，茹素誦經，以求精神寄託。庵外置有空地，不識字未能念經者，耕種空地，以資餬口，並利用空地作爲水手身故掩埋的義塚。漕船水手於每年回空時，其無處傭趁者，即赴各庵寓歇，每日付給守庵者飯食銀四分；其無力支給者，則由守庵之人墊給飯食，俟重運將開，水手得有佳價時，即計日償錢，守庵老水手就可以藉沾微利，取資過活。羅教庵堂的設立，主要目的就是在使生者可以託足、死者有葬身之地，確實解決了流寓外地的糧船水手年老退休、疾病相扶、意外相助及在異地寓歇的切身問題㉓。

　　清初漕運制度是仿行明代的官運，民之隸衛籍者稱爲運丁，又名旗丁，是專爲轉運漕糧而設。康熙二十五年（1686），議定每船設運丁十名。因各衛所旗丁人數過少，且不諳水性，只得雇募水手。由於船隻體積日增，水手人數亦逐漸增加，每船旗丁、舵工、水手不下三、四十人㉔。向來漕船於所到之處，隨地雇覓水手，其來源多爲下層社會的游離分子，亦即所謂游手好閒之輩。各省漕船都有船幫的組織，每幫有船六、七十隻不等，漕船不得單獨行動。就江浙而言，其運白糧船是將所徵白米轉輸入京，規定蘇州太倉爲一幫，松江、常州各爲一幫，嘉興、湖州各

為一幫，金衢所為一幫；各幫糧舵工、水手，各立教門。其中翁庵、錢庵信徒合為一幫，稱為老安幫；潘庵信徒另為一幫，稱為潘安幫；從翁、錢各庵分化出來的新庵，合為新安幫。各幫俱係水手，均為男性的組織，不包括婦女孺子。每幫頭船稱為老堂，供奉羅祖牌位。在船上習教年久的水手稱為老官，凡投充水手者，必須拜老官一人為師，各分黨羽，統計三幫水手不下四、五萬人，入名冊籍，一切聽各幫老官指使，水手滋事，必送老官處治，輕則責罰，重則立斃，沈入河中，或綑縛燒炙，截耳割筋。各船內置有刀槍器械，以便爭鬥之用，江浙各船幫俱分別歸此三幫調遣約束。其中嘉興白糧幫，簡稱嘉白幫，水手以紅布繫腰，遇有爭鬥時，以紅箸為號，人即立聚，並以朱墨塗面作為識別，此即紅幫的由來。青幫初稱青皮，即以青墨紋身而得名，其組織較紅幫尤為嚴密。各幫之間，分類械鬥案件，層出疊見。及清廷嚴禁船中設立羅祖牌位，各幫老官又在頭船改供觀音大士神像；凡糧船渡黃過壩之前，必於朔望焚香念誦《心經》，以祈保平安㉟。

　　老官齋源出羅教，其入教儀式亦相近；入教次第分為十二步，凡入教之始，由小引入大引，再由大引進為四句，始入小乘，授以二十八字法；由四句進為傳燈，發給教單，准許領尋常拜佛法事。由傳燈進為號勑，准傳大乘法；由號勑進為明偈，始可代三乘人取法名。由明偈蠟勑，許作蠟會；由蠟勑進為清虛，等於副掌教，蠟勑以下皆聽指揮。最尊者為總勑，即教主。信徒每年盛大聚會，點蠟一次，稱為蠟會。作蠟會時，上方供奉無極老祖神位，旁列文殊、普賢神位，中設香斗，建布旗，焚旃檀，旁燃巨燭十二枝或十六枝，晝夜誦經不輟㉖。乾隆年間，福建老官齋起事時，教中造有箚付、兵簿、旗幟；其軍事組織，設有參

謀、元帥、總兵、副將、遊擊、守備、千總等職銜。教中有不少
婦女，徒眾以包頭為號，各有等次，青緞者為首領，綾綢者次
之，青藍布者司戰鬥，綠布者為脅從，以供使令。無為教也是由
羅教衍生而來，教中組織較簡單，信徒習教既久，陞為護持；護
持既久，稱為頭領。

　　川陝楚三省的白蓮教，其信徒主要為在家種地的農人，經營
生理的商人甚少。教徒以身穿藍衣服、頭頂三尺藍布、腰纏三尺
藍布為外號。又以傳誦歌詞「天上佛、地上佛、四面八方十字
佛，學會護身法，水火三災見時無」作為內號。雲南張保太所傳
大乘教，分為天官、地官、水官、火官等會，各有會期。教中護
法分為三船，即：法船、瘟船、鐵船，各有教首。教中封號有承
中受記、上繞授記、下繞授記、督果位護道金剛授記、上繞執事
及千總等。婦女在大乘教中的地位很高，或自稱是觀音轉世，或
自稱為活佛臨凡。例如四川大乘教教首魏明璉身故後，其妻魏王
氏以一女流，公然接堂開教，接受張保太封號，以右中宮兼管左
中宮，加陞總統宮元佛權。收元教的組織，分為乾、兌、離、
震、巽、坎、艮、坤八卦，每卦設一卦長，下分左支右干某卦，
所收信徒即入某卦名下，所以收元教又稱為八卦教。天理教的組
織與收元教相同，教中旗幟分別書明八卦各宮王伯統領字樣。八
卦中央為北神，即北辰所居，合稱為八卦九宮。天理教坎卦教首
林清口能舌辯，道理較深，被公掛為十字歸一，八卦九宮統歸其
掌管，為總教主，教中稱為當家。林清自稱為太白金星下降，是
天盤，應做天王；衛輝人馮克善是地盤，應做地王；滑縣人李文
成是人盤，應做人王，世上即由人王統治。嘉慶年間破獲的九宮
教，就是由八卦教轉化而來。就以上各教派的組織而言，實以羅
教各船幫的組織最為嚴密，勢力最龐大，雖至清季，仍不稍替。

五、眞空家鄉的憧憬

　　明清時期的秘密宗教，各教派多編有經卷。羅祖著有五部六册，即：《苦功悟道經》、《歎世無爲經》、《破邪顯證鑰匙經》、《正性除疑無修證自在寶經》、《巍巍不動泰山深根結果經》，其中《破邪顯證鑰匙經》分上下二册，其餘各經均爲一册，羅教所習念的經卷，主要就是這五部經卷；後世流傳的羅教經卷大多是明正德至清康熙年間的原刻本、校正本及重刻本。這五部經典流傳極廣，成爲明末以降秘密宗教各教派的共同經典。大乘教所傳習的《大乘苦功悟道經》是正德九年（1514）刊刻的，也是羅教五部六册之一。此外尚有萬曆年間刊刻的《姚秦三藏取經解論》、《大乘大戒經》及《大乘菩薩戒經》等。三陽教經卷有一部分是沿用羅教經卷，有一部分是另行編造，其中以紅陽教的刻本及抄本最多，青陽及白陽經較爲罕見。清代查禁紅陽寺所抄得的經卷主要爲《混元紅陽經》、《太陽經》、《觀音金剛經》、《觀音普門品經》、《泰山東嶽十王寶卷》、《收圓行覺寶卷》、《混元弘陽悟道明心經》、《混元弘陽顯性結果經》、《混元弘陽苦功悟道經》、《混元紅陽嘆世眞經》、《混元弘陽飄高祖臨凡經》、《混元弘陽血湖寶懺》、《混元弘陽明心寶懺》、《嘆世無爲卷》、《巍巍不動泰山深根結果寶卷》、《正信除疑無修證自在寶卷》等。除《泰山東嶽十王寶卷》爲景泰六年（1455）刊行外，其餘皆爲萬曆年間刻本。各經卷多由太監出貲刊刻，刻本旣多，流傳尤廣。收元教的經卷爲《五安傳道書》、《錦囊神仙論》、《小兒喃孔子》、《蒙訓四書》、《六甲天元還元寶卷》等。天理教內藏有《推背圖》，其文字充滿反清思想。其主要經卷爲《三佛應劫統觀通書》、《藥王經》、

《地藏經》、《金剛科儀經》、《佛說圓覺經》、《佛說救度超生經》、《菩提道場苦功悟道經》、《破邪經》、《掃心經》等，其餘各教派的經卷皆大同小異。

　　秘密宗教的經卷，是屬於變文的形式，敷衍故事，鄙俚通俗，並吸取了佛道經典、各種詞曲及戲文的形式與思想，容易爲識字不多的下層社會群衆所接受。各種經卷的抄寫刊刻，流傳頗廣，成爲下層社會的宗教讀物。各經卷大體在勸人吃齋行善，拜佛誦經，並相信經文念熟了，死後就能不轉四牲六道、不入地獄。一切衆生，謗法罪，無邊際，永墮無間地獄；念佛之人，功德大，千佛歡喜，臨終得生西方淨土。《苦功悟道經》內云：「參道工夫，單念四字阿彌陀佛，念得慢了，又怕彼國天上，無生老母，不得聽聞。」《巍巍不動泰山深根結果經》亦云「這裡死，那裡生；那裡死，這裡生，生死受苦不盡，旣得高登本分家鄉，永無生死。」羅教接受佛教的空論，以現象之空，參證本體之空，而闡發眞空的道理，以爲世人若悟出眞空的眞諦，便可得道成佛。羅教同時又吸取道家的無爲思想，以無極淨土爲宇宙的本源。羅教就是將眞空、無爲、無極及不假修持、人人皆可成佛的思想，再加上劫變的觀念，概括出「眞空家鄉，無生父母」八字眞訣，而成爲各教派所接受的共同思想信仰。在佛經中，劫數是一種時空的觀念，將整個宇宙與人類的歷程分爲若干階段，每個階段就是一個大劫，每一大劫之中又包括若干小劫；劫數與災變有著密切的關係，大則水火風而爲災，小則刀兵饑饉疫癘以爲害。秘密宗教所宣傳的劫數與災變思想，其性質與佛教並無二致。《三佛應劫統觀通書》及三陽教各經卷便是他們探討劫變思想的主要依據。《混元弘陽顯性結果經》云：「混元一氣所化，現在釋迦佛掌教，爲紅陽教主；過去靑陽，現在紅陽，未來纏白

陽。」《混元弘陽飄高祖臨凡經》序文云：「燃燈掌青陽教，釋
迦掌紅陽教，彌勒掌白陽教。」各經卷反覆言及過去、現在、未
來三世思想，宇宙即由三世佛輪流掌管。秘密宗教吸取佛教劫數
的觀念，將世上分成三個階段，以青陽、紅陽、白陽分別代表過
去、現在、未來，每個階段都由三世佛分別掌管。三世佛輪管天
盤的歲月時辰各不相等，過去佛是燃燈佛，所管天盤是每四十日
爲一月，每日六個時辰，六個月爲一年。現在佛是釋迦佛，所管
天盤是每三十日爲一月，每日十二個時辰，十二個月爲一年。未
來佛是彌勒佛，所管天盤是每四十五日爲一月，每日十八個時
辰，十八個月爲一年。並附會釋迦佛掌教時，太陽是紅的；將來
彌勒佛掌教時，太陽是白的，以符合彌勒教或白蓮教尚白的信
仰。並以爲紅陽劫盡，白陽當興，現在月光圓至十八日，若圓至
二十三日，便是大劫。佛家言輪迴，自東漢已傳入轉生與來世思
想，至元明清數百年間，早爲民間普遍習染，彌勒佛轉世之說亦
久中人心。所以三劫歷轉的理論，雖然俚俗不經，但一般民眾都
深信劫運之說，認定人間實有此種劫數；彌勒佛掌教，雖未知何
時可到，但必將到來，世人必須爲未來先作修積準備㉗，皈依秘
密宗教，拜佛念經，則福降禍散，苦業離身，解脫沈淪，當生淨
土，快樂無量，證聖成眞。紅陽過後，便進入白陽階段，返回眞
空家鄉，進入理想的未來極樂世界。他們相信眞空家鄉是三十三
天中的黃天，也就是無生父母所住的極樂淨土，是一個美麗的天
宮。那裏是人類始生之處，也是最後的歸宿，是永無生死的境
界。無生父母是創世主，也是救世主；世人是流落俗世的失鄉兒
女，盡染紅塵，飽嘗苦難，不能到家，只有皈依秘密宗教，接受
無生父母的召喚與濟度，方能結束苦難的歷程，達到極樂的彼
岸，而獲得永生。在宗教的領域中，眞空與無生是永恆、圓滿、

極樂的境界。眞空家鄉有無數樂境，返歸眞空家鄉，在龍華會上
重行相見，永遠共享快樂幸福。秘密宗教吸取了禪宗的空、道家
的無與淨土宗的彼岸思想，其時間與空間觀念，便是未來千福年
理想境界的寄託，用彼岸思想否定了現實世界；其思想信仰頗能
迎合下層社會一般民衆的宗教需求。明清時期，秘密宗教極爲盛
行，正反映下層社會的群衆對現實世界的失望，及其對未來千福
年理想境界的憧憬與渴望。

六、金蘭結義的緣起

　　秘密會黨是下層社會的異姓結拜組織，有其獨特的生態環境
與社會功能，與秘密宗教並不相同。就其地域而言，秘密會黨是
創生於南方各省，以天地會爲其總名。關於天地會的起源時間與
地點，迄今仍然聚訟紛紜；或謂天地會起源於康熙十三年
（1674），起會的地點在臺灣，其創始人爲輔佐鄭成功的陳永華
㉘。或謂天地會的結會緣起是「以萬爲姓」之集團餘黨所建立，
意即由少林寺劫餘五僧與長林寺僧達宗遇合結盟而創立的，年代
在康熙十三年，地點在閩南雲霄一帶㉙。或謂天地會成立於雍正
十二年（1734），起會的地點在福建、臺灣㉚。或謂天地會爲洪
二和尚提喜所創，正式成立於乾隆三十二年（1767），起會的地
點在福建漳州府漳浦縣高溪鄉觀音寺㉛。或謂天地會起源於福建
漳州地區，乾隆二十六年（1761），由漳浦縣洪二和尚即萬提喜
首倡㉜。諸家異說，莫衷一是。其中以天地會創立於乾隆二十六
年的說法，較爲可信。天地會歌訣內有「木立斗世知天下」等
語，木字指順治十八年，立字指康熙六十一年，斗字指雍正十三
年，世字指乾隆三十二年，似預言清廷將於乾隆三十三年滅亡，
而不是以世字暗藏天地會創立於三十二年。木立斗世隱指朱明之

世的說法，只是一種推論。萬雲龍影射鄭成功、陳近南影射陳永華，及少林寺僧兵退敵立功，清帝焚寺，劫餘五僧與長林寺僧遇合結盟的故事，則同屬於神話傳說。天地會內「西魯敘事」等文件是清代中葉嘉慶以後逐漸形成的。會中有意編造許多神話傳說，內容神秘玄虛，一方面增加對會員的吸引力量，一方面欲使官方不明其原委，無從追查。

秘密會黨在性質上屬於一種異姓結拜團體，是多元性的組織，並非始於一時、起於一地，更非創自一人。其起源，與社會經濟及地理背景有極密切的關係。閩粵地區，環山負海，民人多聚族而居，戶口繁滋，山多田少，地狹民稠，生計艱難，而且民俗強悍，猶有秦漢百粵遺風，往往因為婚姻土地，或種種雀角微嫌，動輒聚眾械鬥，結盟拜會的風氣，向極盛行。福建泉州、漳州所屬各縣，各族姓之間，時起衝突，其中如李姓、陳姓、施姓、蘇姓、莊姓、柯姓等都是著名大姓，族大勢盛，恃強凌弱，欺壓小姓。各小姓不堪其苦，於是聯合眾小姓為一姓，以便共同抵抗大姓，或以齊為姓，以示齊心協力；或以萬為姓，以表天下萬民，萬眾一心；或以海為姓，象徵四海一家，人多勢眾；或以同為姓，共結同心，互助合作，一致對外。每當大姓凌虐欺壓小姓時，各小姓即結連相抗，而且泉漳二府向因防禦海寇，每家都置有刀鎗器械，自行防守，沿為積習，更助長各族姓之間的械鬥風氣。各大姓見小姓結連相抗，聲勢日盛，亦互相結合，以包為姓，隱喻包羅萬民之義；彼此相抗，地方官皆以為難治。異姓結合，化異姓為同姓，破除各異姓之間的矛盾，以維護共同的利益。各異姓聯合時，為鞏固內部的團結力量，往往歃血飲酒，結拜弟兄，跪拜天地立誓。所謂「以萬為姓」集團，在其成立之初，尚非一種反清復明的結合，並不含政治意味及反滿的種族意

識，不過是具有濃厚地方色彩的異姓結拜組織或互助團體，由來甚早。明思宗崇禎年間，漳州鄉紳肆虐，百姓苦之，衆人謀結同心，以萬爲姓，推平和小溪人張耍爲首領，改姓名爲萬禮㉝，其餘弟兄俱改姓萬。泉漳各屬大姓或鄉紳，動輒肆虐，欺壓百姓，由來已久，「以萬爲姓」等集團不過是抵抗大姓或鄉紳的各種異姓結拜團體，後來的天地會也就是由各異姓集團發展而來。一般認爲反淸復明是秘密會黨自始至終所標舉的一個政治口號，是不符合史實的。

　　閩粵地區，土地與人口的分配極度失調，形成嚴重的人口問題。沿海貧苦小民，迫於生計，相繼向外遷徙，以圖謀衣食。臺灣與閩粵內地，一衣帶水，地土膏腴，物產饒裕，閩粵民人遂紛紛冒險渡臺耕種或貿易㉞。明朝末年，內地漢人已因避難而相繼東渡；荷蘭佔據臺灣後，商務日趨繁盛，又積極獎勵蔗糖的生產，由於勞力的迫切需求，閩粵百姓渡臺的人數，遂與日俱增㉟。內地民人移居臺灣後，對臺灣的開發與經營，固然貢獻極大，對秘密會黨的發展，尤其具有重大的意義。康熙中葉，淸廷對臺灣渡航限制鬆弛以後，內地漢人渡臺者，更是絡繹不絕。泉、漳、廣東各籍之人徙居臺地後，其村庄田地相互錯處，形成一種新的社區形態；彼此常因競爭土地，爭奪灌漑水源，或其他細故而發生分類械鬥，或異姓而鬥，或異籍而鬥，此即開發中地區各地移民接觸後常見的現象。各械鬥團體，爲組織群衆而拜把結盟，以流行民間的傳統盟誓儀式跪拜天地，恪守誓約，強化內部的領導力量。地方性的分類械鬥團體，漸漸由分立的異姓結拜組織演變成爲具有會黨雛型的組織，然後發展成爲多元性的秘密會黨。

七、天地會名稱的由來與轉化

　　秘密會黨與秘密宗教不同，異姓結拜團體，不必立有會名；其為首者，清代律例俱照謀叛未行律處以極刑。例如康熙五十三年（1714），福建漳州府長泰縣人朱一貴渡臺後，曾在臺灣道衙門充當夜不收，其後告退，在大目丁地方種地度日。康熙五十九年（1720），知府王珍攝理鳳山縣事，令其次子前往收糧，每石折銀七錢二分，百姓含怨。又因海水泛漲，百姓合夥謝神唱戲，王珍次子以百姓無故拜把，拿獲四十餘人監禁，將給錢的釋放，不給錢的杖責，勒派騷擾不已。康熙六十年（121）三月，李勇等與朱一貴商議，以一貴姓朱，聲稱是明朝後裔，順從者必衆，商定號召黨衆起事，號稱為義王，國號大明，年號永和，封洪鎮為軍師、王進才為太師、王玉全為國師、李勇為將軍㊱。同年四月二十日，朱一貴等在岡山地方正式樹旗起事，有衆二萬餘人，清軍總兵官歐陽凱等陣亡。朱一貴樹旗起事，肇因於百姓拜把及地方官的勒派騷擾。地方性的異姓結拜，或分類械鬥，每遇地方官的壓迫苛擾，即轉變為含有政治意味的反清革命運動。雍正年間以降，各異姓結拜團體相繼出現了各種名稱。雍正四年（1726）五月初五日，臺灣諸羅縣蓮池潭地方，有蔡蔭與陳卯等十二人拜把結盟，以蔡蔭為大哥。雍正六年（1728）三月十八日，是注生娘娘生日，蔡蔭等二十人又在蕭養家飲酒拜盟，結拜父母會，仍推蔡蔭為大哥。以石意為尾弟。同年正月十二日，諸羅縣屬相離八十里的茇仔林地方，有縣民陳斌在湯完外號猴完家起意招人結拜父母會。次日，陳斌等二十三人齊集湯完家歃血拜把結盟，各人以針刺血滴酒設誓，共推湯完為大哥，以朱寶為尾弟，蔡祖為尾二。雍正九年（1731）九月初二日，廣東饒平縣已

革武舉余猊與陳阿幼等十三人，在海陽縣屬歸仁都橫溪鄉托稱拜父母會，歃血結盟，共推余猊為大哥㊲。雍正年間的父母會，拜把結盟的會員，每人出銀一兩，「如有父母老了，彼此幫助。」因為父母年老出錢互助，所以叫做父母會。在父母會出現以前，福建已有鐵鞭會，拜把結盟的弟兄，各執鐵鞭，所以叫做鐵鞭會。雍正十三年六月，江南潁州霍邱縣破獲的鐵尺會，性質與鐵鞭會相近，會中弟兄各執鐵尺。福建廈門的一錢會，其性質則與父母會相近。會首李才原充水師營兵，因結夥酗酒打架，於雍正七年（1729）三月間，經地方官訪拏，枷責革糧。次年九月間，李才復至廈門，在盟夥李環機家中飲酒滋事，被提督許良彬差遣轄門總統官顏漢鎖拏。雍正八年（1730）十月初，李才糾約三十餘人，定於十月十五日在廈門附近鼓浪嶼地方會齊，先搶當舖，再攻打海防廳衙門。會中平日各出銀一兩，打造軍器。當李才被革退後，盟夥每人各出銀一兩，代李才再謀充補營糧，會中因遇事要出銀一兩，所以稱為一錢會。乾隆十二年（1747）六月，福建福安縣民何老妹等倡立邊錢會，會中將制錢對半夾開，每人各給半邊，作為入會憑據。又用紅紙一張對裁，半包錢文，半寫自己姓名年歲，錢文散給各人，所寫姓名年歲，交由何老妹收藏。因其以半邊錢為憑據，所以叫做邊錢會。

　　乾隆年間，小刀會極為活躍，乾隆七年（1742），福建已有小刀會匪殺死漳浦縣知縣的記載㊳，臺灣小刀會更是盛行。乾隆三十七年（1772）正月間，大墩（即現在臺中市）街民林達因販賣檳榔，被汛兵強買毆辱，而起意邀同林六等十八人結為一會，相約遇有營兵欺侮，各帶小刀幫護。地方百姓見小刀會竟敢公然與營兵為敵，畏其威勢，而呼為十八王爺㊴。乾隆三十八年（1773），彰化縣民林阿騫邀同黃添等五人結盟拜會，後來黃江

等人陸續加入，各備小刀防身，彼此相約如遇營兵及外人欺侮，
各執小刀幫護，會外之人就稱他們為小刀會。林達所領導的小刀
會，因會內夥黨多人先後身故，其會漸散，另由林六為首，又邀
林媽等五人，續結一小刀會。縣民林文韜則糾約林踏等人另結一
小刀會，其餘當地經紀小民，也就紛紛效尤。自乾隆三十九年
（1774）起又有陳纏等或三四人，或五六人，各自結成一小刀
會。乾隆四十年（1775）十月間，臺灣府知府蔣元樞拏獲小刀會
黨李水等十人。乾隆四十四年（1779），有盧講等人結拜小刀
會。次年七月二十九日，興化營兵洪標與陳玉麟等同到彰化濘田
地方，公祭遠年平番陣亡兵丁；因從前設祭地點，已被民人楊振
文新蓋房屋，洪標等竟在其門口擺列牲品祭孤。楊振文率眾阻
攔，將祭品搶散，兵丁陳玉麟與楊振文毆鬥，各營兵一齊抵拒，
兵丁鄭高被楊振文毆傷後回營攜取鳥鎗，誤傷販賣果物的林水腿
肚，林水赴縣呈控。彰化縣知縣焦長發差拘陳玉麟、鄭高等犯到
案，杖責發落；後經黃文侯調處，由楊振文出番銀一百五十圓給
予陳玉麟等買地起造祠屋，兩絕爭端⑭。但營兵們挾嫌擾累民
人，林水氣忿，於是年九月間邀約林蔡等四人復結小刀會，以抵
抗營兵的欺凌。乾隆四十六年（1781）十一月間，小刀會首領林
文韜與兵丁吳成爭鬧滋事，吳成率領營兵還毆報復，放鎗打傷路
人陳尚頷頰等處，並用石塊擲毀林文韜堂叔林庇店屋；林文韜不
甘，即糾邀王洪等搗毀吳成所開故衣店，砍傷店夥兵丁張文貴腦
後等處。知縣焦長發差拘林文韜等到案，分別枷責，對兵丁吳成
等卻置之不問。後來吳成等撞遇林文韜，復挾前嫌，將林文韜擒
入營盤，集體圍毆，傷眼成瞎，兵營員弁並未查明詳報。嗣後小
刀會的勢力日盛，械鬥案件，層出不窮。多羅質郡王永瑢等也曾
指出小刀會滋事的原因：「查臺灣一府，地居海中，番民雜處，

是以多設兵丁，以資彈壓，乃兵丁等反結夥肆橫，凌辱民人，強買強賣，打毀房屋，甚至放鎗兇鬥，以致該處居民，畏其強暴，相約結會，各持小刀，計圖抵制，是十餘年來，小刀會之舉，皆係兵丁激作。」④

　　臺灣地方除小刀會外，添弟會與雷公會的械鬥也很激烈。諸羅縣九芎林地方，捐職州同楊文麟螟蛉長子楊光勳與親生兒子楊媽世不和，楊文麟溺愛楊媽世，將楊光勳析居相離數里外的石溜班房屋，每年分給銀兩米穀。楊光勳不敷花用，父子兄弟之間，時因爭財吵鬧。乾隆五十一年（1786）六月，楊光勳糾人潛往楊文麟的臥室，搬取財物，被楊媽世發覺，率眾趕走。楊光勳更加懷恨，想乘秋成搶割稻穀，於是約同素日相好的何慶為主謀，糾集六十餘人結拜添弟會，希望弟兄日添，以求爭鬥勝利。楊媽世聞知後，也起意結會，以防楊光勳搶鬥；以楊光勳不肖，必被雷擊斃，所以叫做雷公會。當添弟會與雷公會械鬥日益激烈的時候，天地會的勢力也漸漸強大。臺灣天地會是由福建傳佈而來。漳浦縣民陳丕，自幼學習拳棒，能醫跌打損傷。乾隆三十二年（1767），聽得縣境高溪鄉觀音亭萬提喜和尚傳授天地會，聲稱加入天地會，大家幫助，不受欺負；陳丕就和同鄉張破臉狗一齊入會。漳州平和縣民嚴煙也是天地會的會員。乾隆四十八年（1783），嚴煙藉賣布為名，渡海到臺灣，傳授天地會。次年三月，徙居彰化大里杙的平和縣民林爽文等聞知會內人數眾多，利於糾搶，也聽從入會。會中約定有難相救、有事相助。結拜天地會時，常選在僻靜地方，設立香案，排列刀劍，令新會員在刀下鑽過，然後傳授「五點二十一」即「洪」字暗號。廣東饒平縣人林功裕向在福建平和、漳浦各處唱戲，與平和縣民林三長認為同宗。乾隆五十一年六月，經林三長介紹，加入天地會。據林功裕

供稱：「令從劍下爬過設誓，教以三指拏煙喫茶及遇搶奪之人用三指按住胸堂爲號。問從那裏來？只說水裏來，便知同會。並傳授歌句，有洪水漂流及李桃紅、木立斗世等字。」㊷此外尚有「以大指爲天，小指爲地」等暗號，曉得暗號，就知是同會人；即使素不認識的人，有事時都互相幫助。這年的八月十五日，林爽文約同林泮等在彰化大里杙內山車輪埔飲酒結盟，共入天地會。這時候，諸羅縣文武員弁查拏添弟會、雷公會要犯，各逸犯相繼逃匿大里杙，添弟會、雷公會與天地會遂合而爲一。由於差役查拏過激，凡被拏獲的會黨，立行杖斃，並藉端索詐，人心不服；林泮等遂糾衆抗官拒捕，揚言清軍欲來勦洗。林爽文見百姓驚懼，於是糾合黨衆起事。這年十一月二十七日夜間，攻陷大墩，添弟會與電公會爭產械鬥案終於擴大成爲天地會大規模的反清革命運動。清軍陸續東渡，歷時一年又三個月，纔平定臺灣南北兩路。

　　天地會的成立，是承繼中國民間結社的傳統，在許多方面吸收整理固有結社的各種要素。在天地會的發展過程中，其起源是由異姓結拜組織及地方性的械鬥團體發展而來。排比史實的結果，其初並無會黨的名稱，或「以萬爲姓」，或「以齊爲姓」，或「以同爲姓」，或「以海爲姓」，或「以包爲姓」，變異姓爲同姓，雖具備會黨的雛型，但未立會名；後來纔出現會名，舉凡鐵鞭會、鐵尺會、一錢會、邊錢會、父母會、小刀會、添弟會、雷公會、天地會等，都是由多元性的異姓結拜組織或分類械鬥團體發展而來，或取其特徵而命名，或以會員所執器械而得名。會員以兄弟相稱，就是異姓結拜的痕跡，而不是起於一地，也不是始於一時，更非創自一人之手，彼此之間，不相統屬。會員入會時，須對天跪地盟誓，或在神前歃血瀝酒的習慣，由來已久，其

起源最遲也可追溯到戰國時代以前，但所謂英雄豪傑或異姓弟兄的結拜，其所以深入下層社會，實受《三國志通俗演義》或《水滸傳》故事的影響。桃園三結義或梁山泊大結義的故事，家喻戶曉，各會黨逐沿襲傳統的儀式。有事則會，不協則盟，爲維護會中的共同利益，出身不同的會員，必須恪守誓言，盟誓就成爲各會黨入會時不可或缺的儀式。在金聖嘆批註七十一回或七十回本《水滸傳》梁山泊大結義的誓詞內就有「昔分異地，今聚一堂，準星辰爲弟兄，指天地爲父母」等語。「指天地爲父母」似乎就是天地會八拜儀式中「一拜天爲父，二拜地爲母」的依據。各會黨的結盟立誓，既以跪拜天地爲共同儀式，因此，「天地」二字最能概括秘密會黨的涵義，天地會的名稱也因此具備各會黨的共同特徵。自從林爽文領導天地會掀起反清革命運動以來，天地會的字樣已成爲民間耳熟能詳的名稱，天地會就成爲南方各省秘密會黨的通稱。

八、涓涓不塞成洪流

　　林爽文失敗以後，天地會的勢力雖然遭到嚴重挫折，但天地會逸犯潛匿各地，繼續傳授天地會。乾隆五十五年（1790）九月，天地會逸犯謝志與張標等商議復興天地會，邀約十八人在臺灣南投虎子坑結盟，公推張標爲大哥，排設香案，在神前宰雞歃血鑽刀，跪讀誓章：「有福同享，有禍同當，一人有難，大家幫助，若是不救及走漏消息，全家滅亡，刀下亡身。」讀畢後，當天焚化，並傳授用左手伸三指朝天的暗號。乾隆六十年（1795）正月間，陳光愛糾邀百餘人在鳳山縣烏山後僻靜地方歃血飲酒，結拜天地會。同年十二月，何得廣等五人在廣東南海、順德交界地方糾邀一百人結盟，因由五人興會，所以叫做五順堂。此外天

地會逸犯陳蘇老等潛返福建同安縣，與晉江縣人陳滋等設立龍龑
會，暗藏天地的意思。嘉慶五年（1800）十二月間，福建同安縣
民陳姓到廣東海康地方看相，民人林添申邀請到家看相，陳姓告
以入會好處，遇事可以互相幫助，並傳授暗號，開口即說「本」
字，以三指取物，並將所帶天地會表文交給林添申收存。表文內
有「復明萬姓，一本合歸洪宗，同掌山河，共享社稷，一朝鳩
集，萬古名揚」字樣。次年二月，陳姓又到新寧看相，縣民葉世
豪邀其到家看相，陳姓告以結拜天地會的好處，又傳授「洪字爲
姓，拜天爲父，拜地爲母」等隱語，及「開口不離本，舉手不離
三」暗號。同年七月間，林添申因貧苦難度，起意結盟拜會，選
在村外僻靜地方舉行盟誓；林添申持刀令衆人從刀下鑽過，並告
以日後俱要聽從指揮，如有負盟不義者，死於刀下等語。公推林
添申爲大哥，衆人分頭邀人結拜，而以林添申爲總會首。九月
間，葉世豪也糾衆分起結會。十月間，香山縣人黃名燦駕船運載
柴薪前往新寧售賣，有平日熟識的譚亞辰到船上邀約結拜天地
會，傳授「三八二十一，無錢亦食得」及開口舉手暗號。嘉慶七
年（1802）五月間，黃名燦糾衆在香山縣屬牛角地方結拜，用木
斗一個，內插五色小旗、鏡子一面、劍一把及剪刀等物置放桌
上，再用黃紙開寫各人姓名年歲及「情願姓洪，拜天爲父，拜地
爲母，如有患難，兄弟相扶，負盟不義，死於刀下」等字樣，共
推黃名燦爲大哥。衆人分頭邀人結拜，各以糾約人爲大哥，各起
大哥同向黃名燦商定使用「共洪和合結萬爲記」的暗號。新會縣
屬牛過凹地方，有鄭嗣韜等人共談貧苦，起意結拜天地會，也用
木斗一個，斗內插五色旗五面，上面寫著「日月清風令」五字，
又插劍二把，剪刀、尺各一把，銅鏡一面，置放桌上，並用黃紙
開寫「衆兄弟沐浴拜請天地日月，各人以洪爲姓，患難相扶，拜

天爲父，拜地爲母」字樣。歃血拜畢，鄭嗣韜持刀在手，口念
「忠心義氣劍前過，不忠不義刀下亡」等語，然後令衆人鑽刀，
並傳授彼此相逢暗號。

　　天地會在本質上就是屬於一種異姓結拜團體，會黨名目繁
多，廣義的天地會應包括各種會黨。添弟會以先進者爲兄，後進
者爲弟，兄弟日添，爭鬪必勝，頗符合異姓結拜的本義。嘉慶初
年以降，添弟會的勢力，蔓延日廣，除臺灣、福建以外，廣東、
廣西、江西、四川、浙江、雲南等省，添弟會的結盟案件，屢見
不鮮。兩廣總督覺羅吉慶曾指出添弟會黨，隨處皆有，其中歸
善、博羅地方，竟多達數萬人。福建添弟會的勢力也非常龐大，
州縣衙役書吏及兵丁加入添弟會的也不乏其人，州縣文武員弁往
往不敢查辦。添弟會傳授天地會的共同暗號歌訣，盟誓儀式也相
近。例如嘉慶十一年（1806）三月，福建晉江人李文力等二十餘
人在南平縣大力口空廟內同入添弟會，由鄭興名主盟，搭起神
桌，豎立萬和尙牌位，中間置放米斗、七星燈、剪刀、鏡子、鐵
尺、尖刀、五色布各物，令衆人從刀下鑽過，立誓相幫，傳授開
口不離本，出手不離三，取物吃煙，俱用三指向前暗號㊸。後來
暗號愈形複雜，嘉慶十七年（1812）九月間，福建武平縣人劉奎
養等拜謝幗勳爲師，加入添弟會，除了傳授開口出手的共同暗號
外，又規定以外面布衫第二鈕釦寬著不扣，髮辮盤起，辮梢向
上。道光十年（1830）十二月間，雲南寶寧縣人平四赴廣西百色
地方貿易，有廣西人劉大傳授添弟會，用紅布一塊，上寫「龘龘
龘龘龘龘龘龘霖霜霧龘龘」等字，作爲入會憑據。貴州是苗疆重
地，沿邊和楚粵毗連，當地的添弟會是由廣東船戶吳老二等人所
傳授。道光十五年（1835）二月間，黎平府人徐玉潰出外貿易，
遇到廣東人曾大名。曾大名是廣東添弟會黨，曾抄有秘書，可以

結會，即告以結會時須設立洪起勝太子洪英牌位，如遇人問姓，先說本姓，後說姓洪。又傳授「紅旂飄飄英雄盡招，海外天子來赴明朝」、「五房留下一首詩，深山洪英少人知，有人識得親兄弟，後來相會團圓時」、「一匹青草嫩悠悠，兄弟相會在路途，今朝喫了洪家飯，走盡天下無憂愁」等歌訣詩句，並將會內秘書交由徐玉潰收藏。同年六月間，徐玉潰糾眾在岑艦坡地方拜會，按照曾大名所授方法，用竹片紮成關門三層：第一層是水關，第二層是火關，表示同赴水火都不畏避；第三層關門供奉洪起勝太子洪英牌位。桌上安設木斗，點燃七星燈一盞，插五色紙旂二十五桿，黃紙傘一柄，紅紙帥字旂一桿，旁紮草人一個。眾人都從關門鑽進，並將草人刀砍一下，日後有事不來幫助，就像草人一樣。眾人盟誓後，徐玉潰傳授添弟會歌訣暗號，各刺中指滴血於酒共飲，然後將關門、牌位、旂傘等物燒燬各散。同時又有民人石太和邀得二十五人，在歸夜山地方結拜添弟會，用竹片紮成關門三層，上寫「忠義堂」三字，供奉洪英牌位，石太和令眾人解散髮辮一截，手執線香一枝，由關門鑽進，一同結拜。

　　嘉慶、道光年間，各地會黨名目繁多，其中福建、臺灣有父母會、洪蓮會、百子會、屏裏會、拜香會、明燈會、雙刀會、鐵尺會、三點會、添弟會、紅錢會、鈎刀會、保家會、同年會、兄弟會、小刀會等。廣東有三合會、添弟會、三點會、雙刀會、小刀會、共合義會、仁義會、百子會、沙子會、漋興會、蒜黥會等。江西有添弟會、添刀會、千刀會、邊錢會、天罡會、眞君會、鐵尺會、鐵叉會、關爺會、三點會、擔子會、花子會、窰巴會、長江會等。湖廣有添弟會、添地會、仁義會、公義會、情義會、擔子會、沙包會、子义會、認異會等。廣西除添弟會外，另有老人會、棒棒會，雲貴地區另有邊錢會、孝義會等，各會都是

以下層社會的群眾為基礎，包括各行業的人。江西撫州府崇仁縣
人黃麻子，求乞度日，嘉慶十三年（1808）三月間，鄒麻子起意
拜會，黃麻子等四十三人允從入會。因鄒麻子年長，被推為老
大，其餘依齡序分為一肩至七肩，用錢一文，分作兩半，一半交
老大收藏，一半存會內，作為聚散通信的憑據，取名邊錢會。會
中多為乞丐及竊賊，乞丐入會時，出米一升，竊賊出雞一隻，或
出錢一二百文。江西南昌府屬的進賢、撫州府屬的東鄉、金谿及
饒州府屬的餘干等縣的擔子會，也是乞丐的會黨，「畫則為乞
丐，夜則行竊勒詐」。江西廣信府屬上饒、廣豐等縣，福建建寧
府及浙江處州府三省接壤的封禁山內向為乞丐所盤踞，結拜花子
會，設有大會首、副會首、散頭目等名目，規定每年五月十三日
聚會一次，蒸搗糯米為食，又叫做窯巴會。遇會內有事就用竹筷
纏紮雞毛，上繫銅錢一枚，分頭傳示，各會員即趕往指定地點，
組織嚴密，勢力龐大。道光十八年（1838）十二月間，湖南寧鄉
縣人陶瞎子潛往醴陵縣淥口地方，與素識的陳濫桶等談及窮苦孤
單，起意邀人結拜弟兄。陶瞎子恐眾人翻悔，令眾人各折草為
誓，言明日後如有人不願在會中，須將折斷的草接好還原，始准
出會。次年正月間，邀集四十餘人在淥口天符廟後空屋拜會，用
紙寫立關帝神位，拈香跪拜，設酒宰雞，推陶瞎子為大哥，因為
是由異姓結拜認為弟兄，所以取名認異會。會中議立紅黑五門，
白晝行竊的叫做紅門，夜間行竊的叫做黑門。河下分兩門，挨晚
行竊的叫做鋪花門，深夜行竊的叫做撬艙門。岸上分三門，日間
竊雞鴨鳥叫做撒草門，挨晚為吹燈門，夜間為挖孔門。規定鄰近
二十里以內不准行竊，禁止放火、強搶、酗酒、姦淫等項，違者
輕則罰錢責處，重則六根除一，寫立禁單，以便遵行。各會黨首
領每藉閒談貧苦及患難相助，而糾邀下層社會的群眾或游民入會

結盟，傳授天地會的共同暗號及歌訣隱語，各會員雖素不謀面，猝然相遇，見開口舉手等暗號，無不稱兄道弟。各會黨或爲天地會的化名，或是獨自創生，並非都由天地會轉化出來。

太平天國與天地會的關係極爲密切，洪秀全所領導的反滿革命運動，事實上就是承襲天地會的傳統及其勢力。兩廣地區，會黨充斥，洪秀全等即以「群盜如毛」的廣西爲根據地，來人與土著的械鬥，就是金田發難的導火線。太平軍起事後，湖廣、閩浙、兩江等處會黨在種族意識的激盪下，同時蠭起，紛紛響應，推波助瀾，爲太平天國作前驅。太平軍初起時，其人數不過二萬，然而自廣西經湖廣，沿江東下，所至附從，衆至數百萬，主要原因就是得到各省會黨的舉義響應。但由於洪秀全與各會黨間存著各種歧見，對各會黨率不加援助，任其被清軍各個擊破，各地會黨旋起旋滅，遂間接導致太平天國的覆亡。當太平軍勢力方興未艾之時，各省多用鄉勇攻城掠地，但因鄉勇剽掠不聽約束，多經裁撤；這些被遣散的游勇，原屬哥老會。其初，各股不過百數十人，每逢乏食之時，以劫富濟貧爲名，糾集黨衆，到處滋事。湖南巡撫劉崑曾指出：「軍興以來，各省招募勇丁，在營之日，類多結盟拜會，誓同生死，期於上陣擊賊，協力同心，乃歷以習慣，裁撤後仍復勾結往來，其端肇自川黔，延及湖廣。」㊹鄉勇從軍日久，視戰鬥爲兒戲，一旦釋甲歸農，不能復安耕鑿，哥老會的勢力更盛，脅從日衆，東飄西逐，無一定行蹤，凡湘軍所至之處，皆有哥老會黨；陝甘兩省游勇成群，鮑超、高連升、劉松山、田興恕、左宗棠所部哥老會尤夥。太平天國覆亡後，哥老會的勢力卻更加猖熾。貴州巡撫林肇元即曾指出哥老會的憂患遠過於太平軍㊺。

清朝末年，內憂方殷，外患日亟，秘密會黨的活動，益趨積

極。光緒二十六年（1900）庚子夏初，拳變發生，聯軍入京，清朝政權岌岌不保，長江兩湖及東南沿海各省的會黨，無不蠢極思動，保皇黨與革命黨雙方皆認為運動會黨起事的時機已經成熟。康有為、唐才常等積極聯絡哥老會，組織自立軍。是年七月，自立軍前軍統領秦力山在安徽大通舉事，右軍統領沈藎在湖北新堤舉事。但因康有為匯款不到，缺乏補給，保皇黨設在武漢的總機關被湖廣總督張之洞破獲，唐才常等被捕殉難，新堤、大通的自立軍，遂同歸消滅。革命黨在興中會時期，其進行革命的步驟，在海外方面是聯絡華僑，在軍事方面則倚賴國內的會黨。國父孫中山先生曾云：「乙酉以後，予所持革命主義，能相喻者不過親友數人而已。士大夫方醉心功名利祿，惟所稱下流社會，反有三合會之組織，寓反清復明思想於其中，雖時代湮遠，幾於數典忘祖，然苟與之言，猶較縉紳為易入，故予先從聯絡會黨入手。甲午以後，赴檀島、美洲糾合華僑，創立興中會，此為以革命主義立黨之始，然同志不過數十人耳。迄於庚子，以同志之努力，長江會黨及兩廣、福建之會黨，始併合於興中會，會員稍眾，然士林中人為數猶寥寥焉。」⑯興中會創立以後，革命黨所倚賴的軍事力量既為會黨志士，庚子惠州之役就是革命黨首次以會黨為主力而舉事的反滿革命運動。不過由於會黨勢力散處四方，端賴其首領號召團結。在三洲田起義時，充任作戰總指揮的鄭士良就是三合會的首領，充當先鋒的黃福也是會黨首領之一，其資望極高，尤富號召力。陳少白亦云：「三合會的會員散處四方，不容易號召。有一個人名黃福者，在三合會領袖中最得人望，他和鄭士良甚相得。其時正在南洋婆羅洲謀生，我們就派人去請他回來。說也奇怪，他一回來，各處堂號的草鞋都會圍集攏來，只要黃福發一個命令，真是如響斯應，無不唯唯照辦的。」⑰嗣後孫

中山先生直接領導的歷次革命戰役，會黨志士無不熱烈響應，慷慨赴義，赴湯蹈火。清季以來，支配政治、社會的兩股力量是知識分子與下層社會的廣大群衆，保皇黨與革命黨聯絡會黨就是知識分子結合廣大群衆的開始。這兩股力量的結合，不僅改變了傳統的政治形態，同時也促成近代社會結構的巨大變化。

九、結　語

　　秘密宗教與秘密會黨，因社會背景、地理環境、民情風俗及各種特殊條件的差異，其創生地區各不相同。秘密宗教以北方各省最爲普遍，河北、山東、河南等省尤爲盛行，並傳佈於南方江浙、四川及雲貴地區。秘密會黨創生於福建，盛行於臺灣、兩廣、雲貴、江西、浙江、湖廣及四川等省，並傳佈於海外地方，北方各省則屬罕見。秘密宗教富於鄉土色彩，是農村的宗教活動，以家庭式的佛堂或經堂爲聚會中心，透過血緣關係、姻親關係，以傳播思想，招引信徒。秘密會黨亦富鄉土色彩，創生於農村，其後城鎭內亦盛行，開發中地區或五方雜處的社區，尤爲普遍，透過地緣關係、同業關係爲傳播手段，以吸收會員。

　　秘密社會的成員，其經濟地位都很低下，多爲生計窘迫的貧苦大衆，除了耕田種地的小農外，其餘都是無恒產的各行業的人，包括肩挑負販、傭趁度日、小本營生等人，至於手工業者，運輸工人、舵工、水手、拳腳師、堪輿師、趕車度日者、燒炭工人、更夫、太監、被革退的衙役及兵丁等，所佔比例較少。在開發中地區，離鄉背井的游離分子，如臺灣的羅漢腳等，則頗常見，都是屬於爲生計所迫的下層社會的一般民衆。由於生活陷於困境，大家解囊相助，有難相救，在成立之初，只是地方性的互助團體，雖然是屬於片面的社會功能，但並未含有濃厚的政治意

味的反抗意識。共同的信仰與利益是維繫群體組織的中心力量，秘密宗教依附民間信仰而創生，並綜合佛道思想，編造寶卷，文字俚俗易懂，思想淺顯容易接受。教派林立，是屬於多元性的信仰結構。各教派有其共同信奉的神祖及誦念的經卷，以信仰作為團結群眾的紐帶，宗教色彩極為濃厚。並以拜師入教的方式，聚集信徒，各派的教主，地位崇高，師徒之間是屬於上下輩分的關係，近於家族結構。一個徒弟不得同時拜兩人為師，卻可以自行招收信徒輾轉建立縱的師徒關係。各教派之間，思想信仰雖然相近，流動性亦大，惟彼此之間，不相統屬，不能發展成為一元性的宗教，以與佛道分庭抗禮。秘密會黨的創立是起於抵抗鄉紳大姓或營兵胥役的欺凌壓迫，為免人欺壓，維護群體內部的共同利益與安全，以異姓結拜的方式吸收會員，以跪拜天地盟誓的儀式，作為強化向心力、約束成員的紐帶，強調義氣千秋、慷慨赴義、赴湯蹈火的精神，宗教色彩極為淡薄。會黨首領由會員公推，稱為大哥，會員則以齒序列，按年齡排列次序，或按入會先後次第，以先進為兄、後進為弟。會中皆以兄弟相稱，地位平等，不是上下輩分的關係。各會黨俱傳授共同的隱語暗號，實無顯著的差異，但彼此之間各不相統屬，而是多元性的異姓結拜團體，同樣不能發展成為一元性的組織。

　　清初諸帝雖勵精圖治，改革財政，整飭吏治，厲行中央集權，惟其於下層社會改善民生的措施，仍極有限，下層社會的民生問題並未得到改善，釀造秘密社會的因素依然存在。地方官遵奉諭旨，嚴禁秘密社會的活動，務絕根株，但秘密宗教與秘密會黨此仆彼起，到處創生，屢禁不絕，芟而復生，正是所謂野火燒不盡、春風吹又生。清代中葉以降，由於社會經濟的變遷，人口問題日趨嚴重，地方吏治益形敗壞，民生問題更加困難，秘密社

會的活動尤為積極。由於地方官處理不善，動輒勒派苛擾，誅戮過多，秘密社會漸漸具有反滿的政治意識。經林爽文及洪楊之役後滿漢種族意識復蘇，反清復明已成為秘密會黨的共同宗旨；由於知識分子與各會黨的結合，終於使各地散漫的秘密會黨漸漸匯聚成為近代民族革命的一股洪流。

【註　釋】

①　胡適，《中國中古思想小史》（臺北，胡適紀念館，民國五十八年），第三講，頁 13。

②　傅樂城，《中國通史》（臺北，大中國，民國六十八年），上冊，頁 118。

③　陳壽，《三國志》（臺北，明倫，民國六十一年），卷八，「魏書·張魯傳」，頁 263。

④　范曄，《後漢書》（臺北，明倫，民國六十一年），卷七十一，「皇甫嵩列傳」，頁 2299。

⑤　胡耐安，〈邊疆宗教概述〉，《邊疆論文集》，（臺北，國防研究院，民國五十三年），冊二，頁 969。

⑥　錢穆，《中國文化史導論》（臺北，正中，民國六十九年），〈新民族與新宗教之再融和〉，頁 112。

⑦　四聖諦為佛家語，亦作四眞諦，即苦、集、滅、道；佛陀為在家弟子制定不殺生、不偷盜、不邪淫、不妄語、不飲酒之戒法，稱為五戒；八正道，亦名八聖道，即正見、正思惟、正語、正業、正命、正精進、正念、正定八種正直之道。

⑧　湯用彤，《漢魏兩晉南北朝佛教史》（臺北，商務，民國五十七年），下冊，頁 293。

⑨　魏徵，《隋書》（臺北，洪氏，民國六十三年），卷三，「煬帝紀

上」，頁 74。

⑩　戴玄之，〈白蓮教的本質〉，《師大學報》，第十二期（民國六十五年九月），頁 119。

⑪　戴玄之，〈白蓮教的源流〉，《中國學誌》，第五本，頁 311。

⑫　吳辰伯，《朱元璋傳》（臺北，國史研究室，民國六十一年），頁 15。

⑬　張廷玉，《明史》（臺北，中華，民國五十四年），卷二五七，「趙彥列傳」，頁 3。

⑭　朱純臣，《明熹宗實錄》（臺北，中央研究院，民國五十五年），卷二十二，頁 3。

⑮　羅爾綱，〈太平天國革命前的人口壓迫問題〉，《中國近代史論叢》（臺北，正中，民國四十七年），第二輯，第二冊，頁 57。

⑯　澤田瑞穗，《校注破邪詳辯》（東京，道教刊行會，昭和四十七年），頁 222。

⑰　喻松青，〈明清時代民間的宗教信仰和秘密結社〉，《清史研究集》（一九八〇年十一月），第一輯，頁 120。

⑱　《軍機處檔‧月摺包》，（臺北，國立故宮博物院），第 2705 箱，136 包，32025 號。

⑲　慶桂，《大清高宗純皇帝實錄》（臺北，華文，民國五十七年），卷二七三，頁 4。

⑳　王爾敏，〈秘密宗教與秘密會社之生態環境及社會功能〉，《中央研究院近代史研究所集刊》，第十期（民國七十年七月），頁 39。

㉑　《軍機處檔‧月摺包》，第 2751 箱，25 包，51865 號，嘉慶二十二年六月初七日，陳預奏摺錄副。

㉒　《宮中檔》，（臺北，國立故宮博物院），第 274 箱，199 包，48843 號，乾隆五十一年九月十四日，劉峨奏摺。

㉓　葉文心，〈人『神』之間－淺論十八世紀的羅教〉，《史學評論》
　　第二期（臺北，華世，民國六十九年七月），頁 7。

㉔　《大清高宗純皇帝實錄》，卷一四五三，頁 10，乾隆五十九年五
　　月丙午，上諭。

㉕　《宮中檔》，第 2726 箱，2 包，580 號，道光十七年二月二十二
　　日，烏爾恭額奏摺。

㉖　戴玄之，〈老官齋教〉，《大陸雜誌》，第五十四卷，第六期，
　　（民國六十六年六月），頁 9。

㉗　《中央研究院近代史研究所集刊》，第十期，頁 41。

㉘　溫雄飛，《南洋華僑通史》（上海，東方印書館，民國十八年），
　　頁 108。

㉙　翁同文，〈康熙初葉『以萬爲姓』集團餘黨建立天地會〉，《史學
　　論集》（臺北，華岡，民國六十六年），頁 448。

㉚　蕭一山，〈天地會起源考〉，《近代秘密社會史料》（臺北，文
　　海，民國六十四年九月），頁 16。

㉛　戴玄之，〈天地會的源流〉，《大陸雜誌》，第三十六卷，第十一
　　期（民國五十七年六月），頁 7。

㉜　蔡少卿，〈關於天地會的起源問題〉，《北京大學學報》，第一期
　　（一九六四年）；《清史研究集》，第一集，頁 157。

㉝　江日昇，《臺灣外記》，（臺北，臺灣銀行經濟研究室，民國四十
　　九年），第一冊，卷三，頁 112。

㉞　莊吉發，〈清初閩粵人口壓迫與偷渡臺灣〉，《大陸雜誌》，第六
　　十卷，第一期，頁 25。

㉟　陳奇祿，〈中華民族在臺灣的拓展〉，《臺灣文獻》，第二十七
　　卷，第二期（民國六十五年六月），頁 1。

㊱　《方本上諭檔》（臺北，國立故宮博物院），乾隆五十一年十二月

初一日，刑部題本。

㊲　《宮中檔》，第 75 箱，478 包，17350 號，雍正九年十月二十二日，郝玉麟奏摺。

㊳　《明清史料》（臺北，中央研究院，民國六十一年），戊編，第一本，頁 74。

㊴　《軍機處檔‧月摺包》，第 2776 箱，140 包，33206 號，乾隆四十八年六月二十六日，黃仕簡奏摺錄副。

㊵　《宮中檔》，第 2741 箱，188 包，46413 號，乾隆四十八年十一月十二日，雅德奏摺。

㊶　《軍機處檔‧月摺包》，第 2776 箱，140 包，33320 號，乾隆四十八年七月初一日，永瑢奏摺錄副。

㊷　《宮中檔》，第 2774 箱，202 包，50273 號，乾隆五十二年二月二十七日，孫士毅奏摺。

㊸　同上，第 2774 箱，202 包，50273 號，乾隆五十二年二月二十七日，孫士毅奏摺。

㊹　劉崑，《劉中丞奏稿》，卷六，頁 35，同治九年四月，「撲滅湘鄉會匪仍籌費辦團摺」。

㊺　莊吉發，〈清代哥老會源流考〉，《食貨月刊》，復刊第九卷，第九期（民國六十八年十二月），頁 338。

㊻　孫中山，〈中國革命史〉，《國父全書》（臺北，國防研究院，民國四十九年），頁 1044。

㊼　陳少白講、許師慎筆錄，《興中會革命史要》（臺北，中央文物供應社，民國四十五年），頁 47。

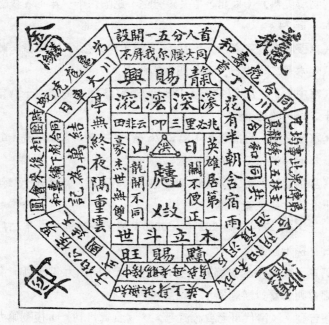

會黨腰憑圖

輕徭薄賦：歷代的財政與稅務

一、前　言

　　國家賦稅，關係國計民生，是「邦國之本，生民之喉命。」賦稅取之於民，用之於民，歷代賦役政策，大體根據儒家的經濟理論，主張輕徭薄賦，藏富於民，對賦稅的負擔，力求公平合理。秦漢以降，工商發達，貨品流通，行商坐賈，獲利甚厚，乃有關市之征。鹽爲人人佐膳不可或缺之物，鐵則爲家家必備之器，鹽鐵本爲自然界的寶藏，其利益自不應由私家商賈獨擅，故漢代以來多由國家專賣。酒爲大眾所喜愛，消費量尤大，亦多歸國家經營，有榷酤之稅。總之，歷代對商稅的征課重於田賦，多少帶有重農抑商的意義，正合於儒家的經濟理想。

二、履畝而稅

　　治於人者食人，治人者食於人，支持政府財政的主要手段，是賦稅制度。在封建時代，土地爲貴族所專有，農人對封君每年應納定額的租稅，是爲粟米之征；農人每年在農隙時，又須爲封君服數日勞役，從事浚河渠、築城防、建宮殿等工作，封君貴族對外的戰事，農人須貢獻車牛或勞力，即所謂力役之征；逢年過節，農人尚須進獻麄、兔、雞、鵝或絲布之類，叫做布帛之征。《孟子》「滕文公篇」指出古代田賦繳納的方式是「夏后氏五十而貢，殷人七十而助，周人百畝而徹。」夏代農人耕田五十畝，課五畝之稅，繳納定額的田賦，稱爲貢。殷行助法，農人耕作於

封君貴族土地上，以一部分勞力的收穫貢獻於貴族封君，一部分歸農人自用。農人耕種七十畝之田，負擔七畝的收穫，就是繳納十分之一的稅。周行徹法，農戶授田百畝，亦征什一稅。

上古時代，一度實行井田。井田制度的立法本意，不僅在使人民福利均等，同時也要使賦稅的負擔均等。其力役之征，以每戶征一人爲原則，一年不過三日。到春秋戰國時代，周室式微，徭役橫作，公田不治；井田制度崩潰，什一稅的制度隨之破壞，賦稅加重，魯、齊各國，「租稅倍於常」，什分取二，甚至什分取三。孟子曾云「什一而稅，王者之政。」可見戰國稅額不止什一。董仲舒亦謂：「古者稅民不過什一，其求易共；使民不過三日，其力易足。民財內足以養老盡孝，外足以事上共稅，下足以畜妻子極愛，故民說從上，至秦則不然，用商鞅之法，改帝王之制，除井田，民得賣買，富者田連仟伯，貧者亡立錐之地。又顓川澤之利，管山林之饒，荒淫越制，踰侈以相高；邑有人君之尊，里有公侯之富，小民安得不困？又加月爲更卒，已復爲正，一歲屯戍，一歲力役，三十倍於古；田租口賦，鹽鐵之利，二十倍於古。」①戰國以來，各國課征重稅，秦代稅額，尤其苛重。

漢代常賦，以田租與人口稅爲主，其財政較秦代進步，稅率較輕。漢高帝與民休息，減輕田租，規定什五稅一。文帝以農爲天下之本，減輕地稅；景帝省徭薄賦，令民半出田租，三十而稅一。並在文帝十三年（西元前 167 年）詔除民田租稅，至景帝元年（西元前 156 年）復收半租，其間凡十一年未收民租，爲歷史上所罕見。武帝時，雖增加了不少新稅，但田租仍保持三十稅一。漢代除田租外，農民尚有人頭稅的負擔。可分爲算賦、口賦及更賦三種，算賦是成年人的人頭稅，十五以上至五十六歲的成年人，每年納一百二十錢爲一算，以治庫兵車馬。算指算人，即

人口調查，漢代制度，規定每年八月實行人口調查，然後征收人頭稅，故稱爲算賦②。口賦爲未成年的人頭稅，民年三歲至十四歲者，年納二十錢。此外人民對國家有更戍的義務，包括對中央政府的防衛、邊疆戍守及地方勞役；也可以出錢而免除更戍的義務，此種免役稅就是更賦，民年二十三始賦，五十六而免。漢代人頭稅變動不大。惠帝時，女子年至三十猶未出嫁者，須課五算。文帝時，算賦減爲四十錢；武帝時，又恢復爲百二十錢，口賦錢增三錢；昭帝時，屢次減少。元帝時，口賦錢征課年齡提高爲七歲至十四歲。

　　秦漢田制，土地所有權屬於耕戶所有，可自由使用，亦可自由出賣，遂逐漸形成兼併現象。耕戶賣去土地以後，就變成佃農，對地主須擔負極高的租額，甚至有高達十分之五者。王莽曾指出「漢氏減輕田租，三十而稅一，常有更賦，罷癃咸出，而豪民侵陵，分田劫假，厥名三十，實什稅五也。」③地主對政府按三十稅一的稅率繳納田賦，佃農卻要向地主繳納什五之稅，朝廷減輕田租，農人並未得到好處。土地私有制度到了西漢末年造成嚴重貧富不均的現象，「富者田連阡陌，貧者無立錐之地。」漢哀帝時師丹曾議限民名田，未能實行。不過，消弭貧富不均，始終是漢儒的共同理想。王莽受禪後，取法古代的井田制度，將一切田畝盡歸國有，重行分配，稱爲王田，規定男口不滿八人，而田過一井者，分餘田給與九族鄉黨，田地不得買賣，豪富勢家在法律上無兼併土地的權利。其用意是想要恢復封建時代的井田制度，解決當時社會問題，結果卻因措施不當，在民怨沸騰聲中失敗了。

　　東漢初年，兵事頻興，田租一度增至十分之一。東漢末年，北方荒殘，戶口銳減，民生經濟產生大變動。三國時期，實施屯

田制度，因國家用度浩繁，農人田賦加重。在民屯制度下的租額是持官牛者，官得六分，民得四分；持私牛而官田者，則與官中分，即什稅五。曹操得河北時，規定田租，每畝四升，戶出絹二匹、綿二斤，其他不得擅自興發④，此即戶調的前身。戶調與算賦的差別，除卻錢幣與綿絹的不同外，又有丁與戶的差異，漢代的算賦，是以丁計算，曹魏的戶調，則按戶徵收。曹操規定以綿絹繳納戶調，及以農產品繳納田租的辦法，爲隋唐租稅制度奠定深固的基礎⑤。

　　晉武帝平吳後，實施戶調式，「制戶調之式，丁男之戶，歲輸絹三匹、綿三斤，女及次丁男爲戶者半輸，其諸邊郡，或三分之二，遠者三分之一，夷人輸賨布，戶一匹、遠者或一丈，男子一人，占田七十畝，女子三十畝，其外，丁男課田五十畝，丁女二十畝，次丁男半之。」⑥合計一戶佔地百畝，男女所謂田租共七十畝，田租負擔極重，規定持官牛者，官得八分，農人得二分，即按二八收租，持私牛及無牛者，官得七分，農人得三分，即按三七收租。《初學記》引《晉故事》云「凡民丁課田，夫五十畝，收租四斛，絹三匹，綿三斤。」⑦所納綿絹在數量上比曹魏時多三分之一，惟其爲實物稅則同。東晉初年，戶調式破壞，地主田多者，出一戶稅，平民田少者，亦出一戶稅，負擔極不公平。其後稅制曾經多次變動，按戶徵收的戶調，除綿絹外，又徵收布絲等物；按畝徵收的田租，規定以米繳納，男丁每年尚須服勞役。元帝時，丁男調布、絹各二丈，絲三兩，綿八兩，祿絹八尺，祿綿三兩二分，租米五石，祿米二石，丁女並半之，男丁每歲供役不過二十日，又率十八人出一運丁役之，其田租，畝稅米二斗⑧。成帝時，「始度百姓田，取十分之一，率畝稅三升。」哀帝時，田租又減爲每畝稅米二升。

　　大體而言，西晉實行戶稅，東晉成帝時，廢田收租，孝武帝太元年間，改爲口稅。南朝財經制度大都承襲魏晉而來，然而稅制複雜，名目繁多。劉宋武帝時，規定民戶歲輸布四匹，此外又有三調，即調粟、調布及雜調。南朝諸稅中，最爲後世所詬病者，則爲資產稅，按資產多寡取稅，不失爲國家重要收入，卻不利農業。齊梁間，恢復戶調，至陳又恢復田賦稅制的演變中。

三、從均田制到兩稅法

　　均田制度是以國家土地分給人民耕種，然後向人民征收實物田租的辦法。從經濟的觀點看，國家是地主，人民是佃戶，因此，人民繳給國家的田租實際上就是佃戶繳給地主的地租。均田制度又稱授田制，本是儒家的傳統經濟理想。自永嘉亂後，百姓流亡，中原蕭條，地廣人稀；富強者兼併山澤，貧弱者望絕一廛，以致地有遺利，民無餘財。北魏太武帝時，已有計口授田的詔令，孝文帝太和九年（485）十月，採納李安世的建議，正式頒佈均田詔，派遣使者循行州郡，與牧守均給全國之田。但當時戶籍制度極不健全，人口多隱冒不實，五十、三十家，始報一戶，稱爲蔭附，這些蔭附的戶口，俱無官役，豪強聚斂，倍於公賦，欲實行均田，必先審正戶籍。太和十年（486）二月，採納給事中李沖的建議，確立三長制，五家立一鄰長，五鄰立一里長，五里立一黨長，則「包蔭之戶可出，僥倖之人可止。」隨後正式推行均田制，規定男夫十五歲以上，受露田四十畝，婦人二十畝，奴婢與良人相同，老免及身歿則還田；除露田之外，另給桑田，男夫一人二十畝，種桑五十株、棗五株、榆三株，爲世業，身終不還。

　　均田制與古代井田制有不同之處，井田分屬於封建貴族，而

均田則全屬於朝廷；均田是郡縣制度下的井田，而井田則是封建
制度下的均田⑩。均田動機，著重在國計民生；均田本義，在於
法律上承認每人有若干定額的田，係以口為單位之均，而非以戶
為單位之均，使人民做到耕地與人力比較合理化的地步⑪。均田
制的主要用意，並不在要求田畝的絕對均給，只要求富者稍有一
個限制，貧者也能維持一個最低的生活水準，以樹立一個比較平
允的賦稅基礎。尤其重要的是在使全國賦稅盡歸朝廷，禁止豪強
私自征收及隱匿賦稅。在均田制度下，人民賦稅負擔很輕，一夫
一婦有田六十畝，歲納帛一匹、粟二石，以每畝收穫一石計算，
六十畝收穫六十石，繳納二石，稅額僅為三十分之一，便是漢代
三十稅一的田租。在實施均田制以前的稅收慣例，是百畝收六十
斛，兩者相比，相差已到十八倍⑫。從表面上看，國庫稅收數字
減少，惟因一切租稅歸公，負擔賦稅的人數增加，國庫總額卻較
前增加，對農人惠澤亦大。北齊、北周大體上也是承繼北魏的均
田制，使人無閑力，地無遺利，自耕農負擔了絕大部分的國家稅
收，成為北朝經濟的支柱。由於租稅輕減，社會經濟日趨繁榮，
北朝比南朝富強，均田制的推行是主要原因之一。

　　均田制度最初僅限於黃河流域，隋代統一南北後，均田制遂
擴展至南方。是時，甫經大亂之後，土地荒蕪，人口減少，故能
繼續施行均田制。隋代的均田制，大體上倣照北齊的舊制，男子
授露田八十畝，婦女四十畝，男子再給桑田二十畝為永業。一夫
一婦，稱為一床，一床歲納租粟三石，調絹一匹，役丁十二番，
一番三日。其後調絹減為二丈，役丁減為二十日⑬，此法為唐代
租庸調之所本。

　　唐代田制，以五尺為步，二百四十步為畝，百畝為頃。丁年
十八以上授田一頃，內八十畝為口分田，年老還官，此即北魏的

露田；二十畝爲永業田，即北魏的桑田。每丁歲輸粟二石。此項粟米之征，稱爲租；隨鄉土所產，歲輸綾、絹、絁各二丈，布加五分之一，輸綾、絹、絁者，兼調綿三兩，輸布者另加麻三斤，此項布帛之征，稱爲調；丁男爲國家服勞役，每歲二十日，遇閏年加二日，不能服役者，每日折納絹三尺以代役，有事加役二十五日者，免調，加役三十日者，租調全免。一年內正役不過五十日，此項力役之征，稱爲庸。

　　租庸調法爲後世所稱道的原因很多，最主要是在它輕徭薄賦的精神。除去永業田不論，其餘八十畝的口分田，若以每畝收一石計算，可收八十石，納粟二石，就是四十而稅一，較之漢代制度更爲輕減。以庸而言，漢制更戍之役，每歲一月，唐制僅二十日，只有漢代的三分之二。西晉戶調，丁戶歲輸絹三匹、綿三斤，比唐代多六倍。北魏一夫一婦，調帛一匹，比唐代多一倍。在唐代輕徭薄賦的制度下，農民可以安居樂業。而且租庸調法稅收項目列舉分明，有田則有租，有身則有庸，有戶則有調，可以避免濫加名目，橫征暴斂，又可以杜絕兼併，都是租庸調法的優點。其次，在租庸調法的背後，又含有爲民制產的精神，民人成丁後即由政府授田，年老還官，爲民制產與爲官收租同時並重，尤爲漢制所不及。在租庸調法下的農民，其生活寬舒安恬，促進整個社會的繁榮，盛唐時代的富足太平，決非偶然⑭。

　　推行租庸調法，必須先有完密正確的戶籍，也需要一個具有高度行政效率的政府。唐代自武后以後，戶籍破壞，民避徭役，逃亡漸多，田移豪戶，官不收授。更有戍兵死亡在外，邊將不報，仍有籍貫，責令納粟。當時人口凋耗，版圖空虛，戶籍已難整理，租庸調法，既無從實施，不得不改弦更張。唐德宗建中元年（780），宰相楊炎另創兩稅法，廢除授田之制，將人民現有

土地，全部改爲永業，歸農民私有，政府先估計全年一切開支，「凡百役之費，一錢之歛，先度其數而賦於人，量出以制入。」「戶無主客，以見居爲簿，人無丁中，以貧富爲差。」各地定居的人民，不論主戶或客戶，一律以現有男丁及田地的數目爲標準，劃分等級，規定稅額，其餘名目的租稅，一律取銷，商賈則於其所在州縣課稅，稅率爲其貨物總值的三十分之一。每年征稅兩次，夏稅無過六月，秋稅無過十一月。

　　由於錢幣數量的增加，使租稅制度發生很大的變化，即由實物租稅制度漸漸轉變爲貨幣租稅制度。兩稅法實施後，便廢除過去以征收粟帛等實物爲主的辦法而改爲以征收錢幣爲主的辦法⑮。其制度簡捷明白，在戶籍失修，人口變動極大的時期，不失爲一種簡便可行的賦稅制度。兩稅法將租庸調歸併一項，稅制簡單，納稅時間分明，又以貧富爲標準，資產少者稅輕，多者稅重，視民財力而課稅，頗合於租稅公平的原則；行者與居者，即商人與農人同負租稅，亦合於租稅普及的原則。但兩稅法的推行，一變以往授田征租的辦法，成爲征租不授田的情形，已失爲民制產的精神。此外，兩稅法的征稅是折錢繳納，而當時銅錢不足，形成錢重物輕、物價下跌的現象，無形中加重農人的負擔。而且兩稅法的實施，只注意收稅，不注意田地的主權，對於土地兼併者不予追究，社會貧富不均的情形，遂益趨嚴重。五代社會動亂，軍需浩繁，賦役繁重，民生凋敝。後唐莊宗在位期間，曾因軍食不足而預征田租，「峻法以剝下，厚歛以奉上。」後漢屬行聚歛，規定田租於正稅之外，每斛更輸二斗，稱爲省耗，即雀鼠耗，附加稅大爲加重。

　　宋代的二稅法，其實就是唐代的兩稅法。二稅交納時期，是「視收成早暮而寬爲之期」，夏稅規定開封等七十州，五月十五

日起納，初定七月三十日納畢，後又延一月。河北、河東諸州，五月十五日起納，初定七月十五日納畢，後又延一月；秋稅規定九月初一日起納，初定十二月十五日納畢，後又延一月。自從均田制度破壞後，以戶計稅，不免失實，唐代兩稅法即以田畝之數為納稅標準，又以戶數為課稅的單位，故實有「地稅」及「戶稅」兩種意義⑯。宋代人民納稅亦以田畝為標準，而非以戶為率，是以田有等差，或分上中下三等，或分五等，定以不同的稅率。夏稅收大小二麥，秋稅則為粟、稻、菽、黍等，因此，夏稅斛斗少於秋稅，惟夏稅所收銀錢帛錢則多於秋稅，主要是因絲綿之收在夏季。

　　宋代將唐末離亂無主的民田及所征服各國王公等私有地，合併為官田。官田與民田屬於兩種不同的耕地制度，因而所課租稅亦不相同。課於官田者稱為官租，屬於官有財產的收入，稅率約為什之五至什之八；課於民田者稱為常賦即租稅，大約以什之一為基準。太宗淳化五年（994），規定民之佃種官田者，許為永業，三年之內免稅，四年以後，令納稅三分之一。至道年間（995-997），議行勸農制度，上田授百畝，中田百三十畝，下田二百畝，五年以後征稅什之二，旋因財力不足而罷。兩稅法是以資產多寡為課稅的標準，到了宋代，因資產調查困難，改按人民墾田面積的大小，分夏秋兩次來征稅，故其所征收到的實物數量較多⑰，而且將租庸調三項完全併入田租，所以租額也增高。同時唐末五代兵丁所至，又要地方出勞役，納土貢，增加百姓的負擔；宋代沿而未改，於賦稅之外，仍有差役，名目繁多，諸如公物的供給運輸，賦稅的督課追償，盜賊的逐捕，公家的給使等莫不由鄉戶負擔，苛擾備至，民不堪命。王安石變法，訂出免役、助役錢的辦法，由每戶平均攤派，按民戶大小貧富，分為差

等，每年分夏秋兩次繳納免役錢，女戶單丁等也要繳納半數的助
役錢。宋代租額，原已七倍於唐代，復於二稅外，增免役、助役
錢，又於額用已足外，復增取二分，以備水旱欠闕，稱爲寬剩
錢，下戶單丁女戶更困；而且青苗、免役多繳納現錢，擾農更
甚。

　　元代稅課繁重，其稅法南北不同，北方地區，分地稅及丁稅
二種，地稅按地畝計算，丁稅計丁繳納，皆輸粟爲稅。但地稅、
丁稅不並納，丁稅多而地稅少者納丁稅，反之則納地稅。其稅戶
分爲全科戶、減半科戶、協濟戶等，丁稅方面全科戶每丁納粟三
石，減半科戶及協濟戶各一石；地稅方面俱各每畝稅粟三升。世
祖初滅宋，於江南地區仍倣唐、宋兩稅法，分夏、秋納稅，均輸
糧，其後改爲折輸綿絹雜物，後來又改爲以三分之一輸米，其餘
折合鈔價繳納。常賦以外又有科差，分爲絲料及包銀二項，亦依
稅戶等第定科納數目，俱以財物代役。此外又有各種額外征課，
名目多達三十二種[18]。

四、從一條鞭法到丁隨地起

　　元末喪亂，版籍多亡，田賦無準，富戶逃稅避役，鐵腳詭
寄，以田產託寄他戶，飛洒隱沒，百弊叢生。爲使「官不缺租，
民有恒產」，必須重新建立一套賦役制度，以恢復農業；欲建立
賦役制度，首先必須整理戶籍。明太祖建立政權後，即籍天下戶
口，「人戶以籍爲斷」、「不許妄行變亂」，詔編黃册，以戶口
爲主，每里編爲一册，共四册，一册上於戶部，其餘三册，由布
政司、府、縣各存一册。因上於戶部者，其册面爲黃紙，故稱爲
黃册，黃册內詳具舊管、新收、開除、實在田畝之數。洪武二十
年（1387），又命編造魚鱗册，以土田爲主，書明主名，及田地

丈尺，編類爲册，狀如魚鱗。「魚鱗册爲經，土田之訟質焉；黃册爲緯，賦役之法定焉。」⑲

明初賦役法，有田，有丁；田有賦，即地糧，丁有役，即差役。其田制相當複雜，主要可分爲官田與民田；官田包括宋元時期入官的土田及後來的還官田、沒官田、學田、皇莊、王公大臣賜乞莊田、百官職田、邊臣養廉田、軍民商屯田等，其餘爲民田。官田與民田，大約爲一與七之比，其賦額差別甚大，官田畝稅，定爲五升三合，民田減二升，畝稅三升三合。江南蘇松嘉湖杭及浙西等地，征稅特重，民田有每畝課稅二斗至三斗者，官田畝稅更高。在田賦征收方面，仍然倣效唐代的兩稅法，每年征收夏稅與秋糧，夏稅無過八月，秋糧無過次年二月，以征收實物爲主。

自唐代兩稅法實施後，將租庸調歸併一項征收，簡便易行，但後來丁役仍然不免。宋高宗紹興二年（1133）八月，詔湖南丁米三分之二均取於民田，其一取之丁口⑳。明太祖爲吳王時，賦稅什取一，役法計田出夫。洪武元年（1368），規定田一頃出丁夫一人，不及一頃者，以他田足之，稱爲均工夫。其後詔編應天十八府州，江西九江、饒州、南康三府均工夫圖册，於每歲農隙時，赴京供役三十日，田多丁少者，以佃人充夫，由田主出米一石，以資其用，非佃人而計畝出夫者，畝資米二升五合。黃册編定後，一里內丁數，悉具黃册中，明代役法，即以黃册爲基礎。其差役最主要者爲里甲、均徭、雜泛三種。里甲又稱甲役，以戶爲單位，以一百一十戶爲里，里分十甲，推丁多者十人爲長，其餘百戶爲甲民，每甲十人；一歲之役，由甲長一人，及其所屬甲丁應役，以管攝一里之事，稽核戶口，催征賦役，辦理公事。其餘甲長九人及九甲之丁，不應差役，十年一周，由丁多之甲開

始，以至丁少者。均徭又稱爲徭役，以丁爲單位，分上中下戶三等，五歲均役，銀力從所便，舉凡馬夫、巡欄、驛館夫、皂隸等，皆屬均徭。雜泛又稱爲雜役，如砍薪、抬柴、修河、修倉、運料、接遞、站鋪等，皆屬雜泛，是不定時的力役。此外又有軍役、匠役等，軍役是到軍營服役的軍戶，匠役是專門爲朝廷提供手工業生產勞動及宮廷的各種勞動。

　　賦役制度是一種財經制度，有其財政作用，也有其經濟作用。賦役制度以自然經濟爲基礎，一方面對統治政權提供賦稅與徭役，另一方面也阻止土地流爲商品，阻止人民與土地分離。明初所執行的農業政策，迅速得到立竿見影的效果，不僅恢復了農業生產，也使農業得到了進一步的發展。然而，隨著經濟的發展，貨幣逐漸增加，社會分工日益細密，商業貿易日益發達，土地買賣日益頻繁，戶口大量逃亡，嚴重地影響了里甲制的運行，明初以來的賦役制度也就不得不隨之變革。宣德、正統年間，徭役繁重，壯丁盡行，役及老幼，已是奔走不暇，更無餘力從事耕種。舊的賦役法成爲阻礙社會分工及商品經濟發展的主要原因，一條鞭法乃應運而興。所謂一條鞭法，就是以改革役法爲重點。當時白銀的需要增加，明英宗正統元年（1436），明廷在長江以南運輸困難地區所課征的田賦，大都已由米麥改折爲銀，按照每石折銀二錢五分的比率來征收，稱爲「金花銀」。世宗嘉靖年間，更擴大範圍，全國各地的田賦、徭役及其他攤派，俱合併在一起，改折成銀兩來繳納㉑。

　　一條鞭法，就「總括一州縣之賦役，量地計丁，丁糧畢輸於官，一歲之役，官爲僉募。力差，則計其工食之費，量爲增減。銀差，則計其交納之費，加以增耗，凡額辦、派辦、京庫歲需與存留，供億諸費，以及土貢方物，悉併爲一條，皆計畝征銀，折

辦於官，故謂之一條鞭。」㉒其立法頗爲簡明，嘉靖年間，數行數止，至神宗萬曆二十年（1592），始通行全國。一條鞭法通行後，原來由里甲負責供應的各項費用，改爲征收一定數額的銀兩。均徭原有銀差、力差之分，也將力差改爲征銀，由官方雇人充役，里甲改爲與均徭銀合併征收。差役原來由戶或丁負擔，漸漸轉變爲攤丁入地，均徭、里甲與兩稅遂合而爲一。徭役折銀是一條鞭法的主要內容，就是由土地負擔差銀；嗣後的賦稅，遂擴大貨幣部分的比重，其征收解運，也由民收民運改爲官收官解。

　　王慶雲著《熙朝紀政》指出明代採行一條鞭法的原因云：「明之銀差大約有二，初行里甲時，富者出財，貧者出力，所謂銀力從所便，此丁之有銀差也。正統以後，舉京徭上供之數，按丁糧而徵之，於是丁糧皆有銀差之科派，而不問出力與否矣。其後上供者雖官爲支解，而公私所需，復給銀責里長營辦，給不一二，供者什佰，而京徭解戶爲中官留難率至破產，民不堪命，於是行一條鞭。」㉓可見明代實行一條鞭法，不過因勢利導而已。任源祥論「條編徵收之法」亦云：「明之條編，猶唐之兩稅；兩稅之行也，天下有不得不兩稅之勢，楊炎不過因其勢而行之。議者或咎其輕於變古，卒未有更兩稅而善其法者。條編之行也，天下有不得不條編之勢，張江陵不過因其勢而行之。議者或病其奉行之不謹，名實之不孚，卒未有舍條編而善其法者。」㉔丁有增減，難以畫一，地無消長，較易畫一，量地計丁，計畝征銀，胥役不易爲奸，且官方代爲支給，使小農的負擔額較前合理。

　　清初賦役制度，是按照明代萬曆年間則例征收，豁除明季遼餉、練餉、勦餉等加派；其田制則相當複雜，主要包括民賦田、更名田、農桑地、蒿草籽粒地、葦課地、歸併衛地、河淤地、學田、退圈地、竈地、蕩地、屯田等。民賦田爲普通納賦的民田，

分別課征銀、米、豆等，各省科則不同，以盛京、吉林等地賦額
較輕，平均每畝科銀一分至三分不等，米二升八勺至七升五合不
等；其次爲四川，每畝科銀一釐五毫九絲至八分四釐九毫一絲不
等。陝西西安府所屬民賦田稅額較重，每畝高達二兩三錢八分一
釐七毫，糧五升八合五勺至五升二合五勺不等；浙江亦頗高，每
畝科銀一分五釐三絲至二錢五分五釐不等，米三撮至一升不等。
河南每畝科銀一釐四毫至二錢二分七釐不等，米七勺至二升二合
不等。廣東每畝科銀八釐一毫至二錢二分三釐二毫不等，米六合
五勺至二升二合九勺不等，稅額較相近。更名田原爲明代分給各
藩之地，清初沒收後編入所在州縣，與民田一體給民爲業。直
隸、山東、山西、河南、湖廣、甘肅、陝西等省均有更名田，其
稅額亦不相等，例如直隸更名田每畝科銀五釐三毫至一錢一分七
釐三毫不等，山東每畝科銀一分至三錢七毫不等，麥三合二勺，
米一升八合。湖北更名田每畝科糧四合九勺九抄至六升三合一勺
不等。直隸等省有農桑地，每畝科銀一釐六毫八絲。蒿草籽粒地
爲種苗之地，直隸每畝科銀五分至七錢二分五釐一毫不等，山東
衛所更名籽粒地每畝科銀六釐至一錢二分不等。直隸葦課地每畝
科銀一分至六分不等。歸併衛地，爲沒收明代衛所之地，每畝科
銀七毫二絲至七分九釐三毫不等，米八合九勺七抄至九升七勺不
抄不等，豆四合三勺八抄至三升六合不等。河淤地每畝科銀二分
九釐至二錢五分六釐五毫不等。學田爲專供學宮祭祀、師生俸祿
及贍給貧士之用，直隸學田每畝科銀一分至二錢六分七釐八毫不
等，山東每畝科銀九釐至三錢不等。退圈地爲賜給旗兵，其後旗
兵退去之地，盛京退圈地每畝科銀一分至三分不等，豆四升三合
至一斗不等。竈地爲設竈煮鹽之地，長蘆、山東、兩淮、浙江等
竈丁所屬之地，就是竈地。山東每畝科銀二分六釐五毫至四分四

釐一毫不等，麥一勺至四合一勺不等，米一升八合至二升八合不等；浙江負擔較重，每畝科銀一分六釐一毫至一錢四分一釐四毫不等，米三合七勺至三升七合不等。浙江蕩地每畝科銀四毫至七分三釐不等，米五勺至七升五合不等，稅額較輕。貴州歸衛所屯田每畝科銀一分四釐一毫至二錢三分四釐不等，米五升三合五勺至三斗七升三合三勺不等，豆三斗，蕎麥二斗三升三合三勺至三斗一升一合四勺不等，稅額負擔較重㉕。

　　明代一條鞭法的實行並不澈底，直省丁徭制度並不一致，或丁隨地派，或丁隨丁派㉖。清初賦役制度沿襲明代舊制，田賦與力役仍分爲兩項，丁自爲丁，地自爲地，丁銀與地糧同時並納，差徭亦未盡革。雍正初年，戶科掌印給事中王澍條陳時指出「今天下州縣有丁隨田辦者，亦有丁田分辦者。丁隨田辦，則計畝分丁，賦均而民易爲力，丁田分辦，則家無寸土之貧民，亦與田連阡陌者一樣，照丁科派，未免苦樂不均。」㉗掌浙江道事雲南道監察御史秦國龍，籍隸山東，對該省丁徭知之最詳，指出「東省丁徭俱從人起，凡遇五年編審之期，富戶巨族，多賄囑里長吏胥，隱漏不報，而貧民小戶，按口入冊，一切力役，照丁起派，以致窮民輸將無力，逃亡不免，一至逃亡，則累及親族里社，追呼日擾，而國課多至虛懸矣。」㉘直省各州縣，富室田連阡陌，竟少丁差；貧民地無立錐，反多徭役，以致丁倒累戶，戶倒累甲，甲倒累里，於國課實無裨益。

　　康熙年間（1662-1722），戶口日繁，人丁雖增，地畝並未加廣，清聖祖巡幸所至，曾詢知一戶或有五、六丁，僅一人交納錢糧，甚至一戶有九丁、十丁者，亦僅二、三人交納錢糧，其餘俱無差徭。康熙五十一年（1712）二月，諭令直省督撫「將見今錢糧冊內，有名丁數，勿增勿減，永爲定額，其自後所生人丁，

不必徵收錢糧，編審時，止將增出實數察明，另造清冊題報。」
㉙征收地丁錢糧，依據康熙五十年（1711）丁冊定爲常額，其後
續生人丁，稱爲盛世滋生人丁，永不加賦。丁額既定，其丁銀已
有定數，攤入地內，所加無幾，有地富室，收租取利，雖賦額稍
增，尚不至費力，無地窮丁，則豁免差徭，不必負擔丁銀，苦樂
均平。

　　據《清朝通典》稱「丁隨地轉之例，廣東、四川已先行之。
雍正二年（1724），通行各省，令行攤徵。凡各州縣按丁多寡、
地畝廣狹，分爲差等，每地賦一兩，攤地不過二錢，使無業貧民
永免催科，有業民戶，亦有定額，不至多寡懸殊。」㉚清初賦
額，各省並不一致，其丁隨地起的辦理經過，亦有先後；康熙末
年，廣東等省雖已開始實施，惟至雍正年間始形成普遍的運動
㉛。而且各省攤丁銀數及攤派方式，亦不相同，有按地糧兩數攤
派者，亦有按地糧石數攤派者，更有按畝攤征者。按地糧兩數攤
派者包括直隸、福建、山東、河南、陝甘、江西、湖北、廣西等
省。在丁隨地起以前，直隸人丁，每口征銀三分至二兩六錢不
等，共計民屯歲丁銀四十二萬四千四百餘兩，遇閏加增一萬六千
二百八十餘兩㉜；均攤入地畝隨糧征收後，每地賦銀一兩合攤丁
銀二錢七釐㉝。福建省所屬丁銀是就各州縣地畝分攤，每地賦銀
一兩合攤丁銀五分二釐七毫至三錢一分二釐不等，屯地每兩征丁
銀八釐三毫至一錢四分四釐八毫不等。山東所屬州縣衛所各項丁
銀攤入地畝內征收後，每地賦銀一兩合攤丁銀一錢一分五釐。河
南每地賦銀一兩合攤丁銀一分一釐七毫至二錢七釐不等。陝西西
安所屬民屯、更名地等丁攤入地糧後，每地賦銀一兩合攤丁銀一
錢五分三釐，遇閏每銀一兩合攤丁銀一錢五分七釐不等。甘肅所
屬河東地方，糧輕而丁多，河西地方，糧重而丁少。河東每銀一

兩攤丁銀一錢五分九釐三毫不等，遇閏每銀一兩，加征銀一錢七分四釐八毫；河西每銀一兩攤丁銀一分六毫不等，遇閏不加增。江西丁銀攤入地畝屯糧內完納，每地賦一兩，合攤征丁銀一錢五釐六毫，屯地每兩征丁銀二分九釐一毫不等。廣東每丁科銀一釐九毫至一兩三錢二分六釐不等。廣西每地賦一兩均攤丁銀一錢三分六釐不等。湖北每地賦一兩合攤丁銀一錢二分九釐六毫不等。按地糧石數攤派者包括湖南、四州等省，湖南每地賦一石，合攤丁銀一毫四絲至八錢六分一釐不等。四川所屬州縣，自雍正五年（1727）起始以糧載丁，每糧五升二合至一石九斗六合算人丁一丁征收。按畝攤征者包括江蘇、安徽等省。江蘇所屬丁銀在各屬田地項下按畝攤征；安徽每畝攤征丁銀一釐一毫至六分二釐九毫不等。各省辦理地丁攤派方式，因地制宜，各有不同，不可一概而論。

　　地丁合一的制度，源遠流長，從一條鞭法至丁隨地起，實為勢之所趨，是出於不得已的措施，也是使租稅合理化的嘗試。為消弭土地兼併、貧富不均的現象，儘量使賦稅的負擔較為公平，丁隨地起制度自有其重要意義，非僅在討好平民而已㉞。然而地丁歸併後，丁銀與地租一切取之於田畝，丁額與賦稅無關，戶口編審之法愈寬，賦役冊的編造遂失其效用，戶籍編審法因之廢弛。康熙五十年以前，人民逃避丁稅，戶口隱匿不報，其戶口固無確數，雍正年間丁隨地起實施後，戶籍紊亂，其人口統計尤不足信㉟。

五、榷酤之稅

　　獨佔經濟利益的行為叫做榷㊱，榷酒酤簡稱榷酤，就是由政府實行酒的專賣，以壟斷其利益，至於鹽、鐵、茶的專賣，也都

是榷酤之征。以鹽鐵作為租稅的對象，由來甚早。《文獻通考》謂「《周禮》所建山澤之官雖多，然大槩不過掌其政令之屬禁，不在於征榷取材也，至管夷吾相齊，負山海之利，始有鹽鐵之征。」㊲鹽鐵產銷，其初聽民自營，國家只是征稅而已。至春秋時代，齊國將鹽鐵列入管制，課以重稅，國家因而致富。

秦代鹽鐵之利，二十倍於古，漢興循而未改。富商大賈冶鐵鬻鹽，獲利甚大。武帝時，兵連不解，國用困乏，為開闢利源，乃於元狩四年（西元前 119 年）置鹽鐵官，將鹽鐵收歸國有，由國家經營，成為專利事業。朝廷以製鹽器具供給鹽商，再由鹽商製鹽出售，而課以重稅，並在各產鹽地區設置鹽官，嚴禁民間私造鹽具。鐵的專賣是由朝廷在各產鐵地區設置鐵官，主持採冶、鎔鑄與出售，嚴禁人民私鑄鐵器。酒稅亦為國家重要利源，武帝天漢三年（西元前 98 年），始榷酒酤，在各地置榷酤官，設廠釀酒出售，與鹽鐵一樣，專利經營，禁止民間私釀。昭帝在始元六年（西元前 81 年）罷榷酤官，允許民間釀酒，納稅販賣，其價格定為每升四錢，以禁遏暴利㊳。昭帝雖停止酒的專賣，卻未廢止鹽鐵的專賣。元帝時，罷鹽、鐵官，以示不與民爭利，惟因國用不足，不久又行恢復。王莽時，擴大國營專利事業，鹽、鐵、酒仍由國家專賣。東漢時，鹽、鐵、酒各官，時罷時置。魏晉南北朝時期，榷酤稅仍為國家大宗稅收。

隋代不征鹽、鐵、酒之稅，唐初亦無榷酤之稅，商民可以自由買賣。中葉後，戰亂頻仍，國家收入銳減，不得不恢復征榷之舉。玄宗開元時，始征鹽鐵之稅，因稅率甚低，鹽鐵之價仍賤。天寶年間，鹽價每斗不過十錢。肅宗乾元初年，開始將鹽鐵收歸官賣，就井竈近利之地置監院，由鹽鐵使統轄之，百姓有願業鹽者，充當亭戶，隸於監院，免其雜徭，鹽價每斗一百一十錢㊴，

禁止民間私自煮鹽販賣。代宗時，改爲官賣商銷，在產鹽地區，仍置亭戶，所製之鹽，由商人批發，前往各地售與百姓，而官收其利，歲入六百餘萬緡，幾佔全國稅收的半數。其後鹽價屢增，德宗貞元年間，淮西節度使陳少游奏加民賦，江淮鹽每斗加增二百錢，官價每斗達三百一十錢，後又加增六十錢。河中兩池之鹽，官價每斗亦高達三百七十錢。江淮豪賈射利，鹽價加倍。由於軍費日增，鹽價益昂，有以穀數斗易鹽一升者，以致私糶犯法未嘗少息。順宗時，始減江淮鹽價，每斗爲二百五十錢，河中兩池鹽每斗三百錢；其後鹽鐵使李錡奏江淮鹽每斗減十錢以便民，未幾又恢復舊價。除鹽稅外，玄宗時又開始征收銀、錫等礦稅。德宗時，將全國各地礦冶改爲官辦，由鹽鐵使主其事。酒稅的征收開始於代宗，令全國各州自行徵集酤酒戶，依釀酒數量，按月納稅，此外無論公私，一律禁止釀造。德宗時，又禁止私人酤酒，改爲國家專賣，由官方自置酒店，收利以助軍費。貞元二年（786），規定各地開舖販酒者，每斗課錢百五十，其酒戶免差役。建中年間，飲茶風氣漸盛，開始課征茶稅，稅率爲十分之一，以資軍費。貞元九年（793），分茶之時價爲三等，各以十一爲稅，每歲得錢四十萬貫，是爲茶稅之始，亦即實行專賣之始。穆宗長慶年間，茶稅增征五成，每百錢征五十；武宗會昌年間，課稅益重。唐代由於實施鹽鐵酒茶的專賣制度，朝廷獲利不貲，其中因鹽利而得到的錢幣數目便增加十倍之多⑩。

　　五代時，鹽鐺戶須納鹽利，每斗折納白米一斗五升。後晉高祖規定計戶征稅，每戶自一千至二百文，分爲五等，聽商人販鹽，民自買食。出帝時，令諸州郡征收鹽稅，過稅每斤七錢，住稅每斤十錢，加征商稅。後漢乾祐中，規定青鹽一石，抽稅一千文，另征陌鹽一斗。後周廣順中，詔青鹽一石，抽稅八百八十五

文，另征陌鹽一斗；白鹽一石，抽稅五百八十五文，陌鹽五升。
官方征課鹽稅外，另征陌鹽，即唐代商稅中的除陌錢，一鹽二
稅，民甚苦之。五代時，農器不課稅，許民自行鑄造，但於夏秋
兩稅每畝納一文五分，稱爲農器錢。酒稅方面，五代時，設賣麴
官。後唐天成三年（928），令三京鄰諸道州府鄉村人戶，在夏
秋兩稅內每畝納麴錢五文，准許自行釀造，京城及諸道州府城鎮
內，則令買官麴。酒戶許其自行造麴釀造，但須納販賣稅，又令
將買麴錢十分之二，充榷酒錢。長興元年（930），秋苗一畝麴
錢五文者，減爲二文；次年，罷麴錢，官方自造麴，其價逐年減
半，於城中販賣。

　　宋代軍費龐大，非正常的田賦所能供應，乃實行鹽、酒、
茶、香料等物的專賣，以彌補財政的赤字㊶。朝廷在產鹽地區設
置鹽場，並徵百姓爲亭戶，或畦夫，戶有鹽丁，專司煮鹽售鹽事
宜，每年由朝廷課稅。在產茶區要會之地，設置山場，園戶製成
的茶，以部分充租稅，其餘由朝廷收買，再以高價出售。酒則在
各州城鎮內設廠釀酒出售，鄉村則許民自釀，而定其稅課。香料
在泉州等指定地區，由官方專賣。元代以聚斂爲務，鹽鐵酒等亦
由官方專賣。宋、元以降，鹽的專賣是採專商引岸的征稅制，即
由官方指定引商，給與引票，向製鹽者購鹽，繳納鹽稅，而運銷
於指定區域銷售。在此區域內的人民，不論鹽質優劣，價格高
低，均必須食用其鹽，毫無選擇自由㊷。

　　明太祖尚未統一全國以前，即立鹽法，置局設官，採征稅制
度，令商人販鬻，二十取一，以充軍餉。洪武初年，在產鹽各地
次第設官，由官方收購專賣，稱爲官鹽，嚴禁百姓販運私鹽。起
初命百姓納米換鹽，其後又有納馬、納茶、納鐵、納布以換鹽的
辦法。成祖永樂年間，又有計口配鹽之法，以每月大口食鹽一

斤、小口食鹽半斤計，配鹽民戶，每斤納鈔一貫。英宗正統年間，亦行計口配鹽法，但規定市民輸鈔，鄉民納米，其比率是鹽一斤為米二升五合。世宗嘉靖中，軍民計口納鈔，其中浙江月納米三升，買鹽一斤。旋從給事中鮑輝之言，令民自買食鹽於商，罷納米令，但鹽鈔仍未廢除，其後實行一條鞭法，始編入正賦㊸。洪武初年，亦制定茶法，頒佈茶引由條例，規定官給茶引於產茶的各府州縣，凡商人買茶者，赴官具告數目，納錢給引，每引茶百斤，茶引一道，納銅錢一千文；不及一引者，另置由帳記載，茶由一道，納銅錢六百文。但各地茶法並不一致，或以茶易米，或以鹽易茶，或以茶易馬。各地茶課亦不相同，江南地區三十稅一，陝西、四川則高達什一。明代以民間造酒，靡費米麥，故行禁酒令，或課酒稅，或包含於商稅中征收。其礦稅則有銀課、鐵課、銅課等，大約三十稅二。

　　清代鹽法分為官督商銷、官運商銷、商運商銷、商運民銷、民運民銷、官督民銷等。鹽商分為場商，主收鹽；運商，主行鹽；其總攬之人稱為總商，主散商納課。凡鹽未檢查者稱為生鹽，已檢查者稱為熟鹽，熟鹽才可發售㊹。清初鹽稅以明代萬曆年間的舊額為標準，用引法征收鹽稅。道光以前，鹽課分為場課及引課兩類，場課又有灘課、竈課、鍋課、井課之分，俱征於鹽之生產者。清朝初期，兩淮是鹽課最多的地區，僅此一區，即可當兵餉的十分之一，足見鹽課對於軍餉的重要。咸豐軍興，復征鹽釐。各地征收數額，多寡不等，以淮北鹽釐為例，每引收正課一兩五分一釐，雜課二錢，每經一卡，每包（一百斤），收制錢五百文，其稅重於正課。清初，採取禁酒方針，不置征稅官，以遏消耗米糧。其後酒禁漸弛，准許商戶販酒，自雍正五年（1727）至乾隆七年（1742）十五年間，通州酒鋪每月征以營業

稅，上戶銀一錢五分，中戶一錢，下戶八分。乾隆以後，常關稅每酒二百斤，征銀二分，其後改征銀四錢㊺。清初茶法，倣效明制，實施茶馬之法。順治初年，陝西茶商向茶戶購茶，大引（百斤）稅十分之五，小引（五十斤）稅十分之三。順治七年（1650），改爲大引小引均納十分之五，官貯其茶，以爲易馬之用，雍正八年（1730），議定川茶征稅條例，由戶部頒引於地方官，售與茶商，茶商赴各產茶地區購茶，運銷各地，其稅率甚低，每斤僅納銀四絲九忽，其後每斤增至一釐二毫五絲。川茶運銷法，後來實行於產茶各省，稅率相近。清季咸豐年間以降，征收釐金，茶釐遂成爲產茶各省大宗稅收來源。

六、關市之征

關市之稅包括關征與市征，以商人爲對象，所以又叫做征商。在封建時代，非耕地的山林池澤是不公開禁地。當耕地散給農人耕種後，禁地亦逐漸開放，而在出入關隘，設置征收人員，遇有捕魚伐木者，就其所獲，征收少許實物，於是在田租之外，另成一種賦稅，此即關市之稅的緣起㊻。周代以前，四方之貨，與中土交易，關政譏而不征。其後商業漸興，商賈往返，關市之征由斯而起。設關征稅，在東周初年，即已通行，其稅率各地不同，齊國重商，關稅是百分取一。市稅則征於市肆，廛人掌斂市，其稅目爲絘布、總布、質布、罰布、廛布，齊國稅率爲百分取二㊼。

戰國以降，商業繁盛，商人勢力抬頭。漢武帝時，征匈奴，通西域，軍費浩繁，國家用度大增，不得不增闢利源，擴大徵收關市之稅，名目繁多。其中車船稅，規定人民有軺車即一馬輕車者，年納一算，即一百二十錢；商賈有軺車者，納二算。船隻五

丈以上者，年納一算。又加重工商品的課稅，稱之為算緡錢，以一貫千錢為緡，商品按其價值，每二千錢納一算，即值百抽六；工業品每四千錢納一算，即值百抽三。車船稅與工商品稅均由物主自行申報，匿而不報，或報而不實者，罰其戍邊一年，沒入緡錢，有能告發者，以其半畀之。漢武帝征課商稅，亦及於六畜。王莽時，擴大工商品的課稅，凡從事漁獵、畜牧、巫、醫、蠶桑、紡織、工匠等業者，皆按期取其所得純利的十分之一，稱為貢。晉室渡江後，採行散估制度，凡人民貨買奴婢、馬牛、田宅，俱作成文卷，每一萬錢，官方征收四百錢，賣者納三百錢，買者納一百錢；無文券者則隨其物價，課百分之四的稅，南朝皆做行此法。劉宋於石頭津、方山津，各置津主，以檢查禁物，荻炭薪魚之類，課稅十分之一。北魏、北周均課入市稅，每人一錢，牛畜於貨賣處征稅，按售價每千錢抽三十錢，即百取其三。

　　有隋一代，稅收總額增加，國庫充裕，屢詔減免賦稅，關市之稅甚輕，隋文帝時並罷入市之稅。唐初，商賈之稅亦輕，惟中葉以後，財政困難，關市之稅，又行加重，種類甚多。德宗時因征收關稅，設吏於諸道衝要之地，過路商賈攜錢者，每緡收稅二十錢，販運商貨如竹木茶漆等類，則十稅其一。同時規定粟麥糶於市者，四取其一，其後因民病苦，乃令粟麥不及五十斛者免收入市稅。建中四年（783），課間架、除陌錢。間架法是「凡屋兩架為一間，屋有貴賤，約價三等，上價間出錢二千，中價一千，下價五百。」類似後世房屋稅。除陌法是「天下公私給與貨易，率一貫舊算二十，益加算為五十。給與他物或兩換者，約錢為率算之。」⑱買賣貨物每緡納五十錢，稱為除陌錢，其制類似後世所得稅。唐代在廣州、泉州、杭州等地設立市舶司，與外洋互市，並征收商稅。德宗時，採行兩稅法，但又課以複雜的各種

商稅，對稅制產生頗大的破壞作用，自唐末以至五代十國，誅求
商稅，商賈興販牛畜，不論黃牛、水牛，俱於貨賣之處，每千文
課稅三十文，其稅率為值百抽三。

唐代中葉以前，對於市籍之人所課租稅是商人對公家的負擔
中最主要的部分，唐代中葉以後，產生了在諸道津要地方對於通
過貨物課稅的辦法，並且對其買賣，亦行課稅，到了宋代就確立
了過稅、住稅的制度，成為一種重要的財源㊾。所謂過稅就是對
於行商隨帶的貨物所課的稅，行者齎貨，每千錢課二十錢。住稅
是對居住市鎮的商人（即所謂坐賈或鋪賈）所課的稅，居者市
鬻，每千錢課三十錢㊿。凡布帛、什器、香藥、寶貨、羊尨，民
間典賣莊田、店宅、馬牛、驢騾、橐馳，及商人販茶、鹽等物，
皆征收過稅或住稅。此外尚有頭子、力勝、包角等雜稅，頭子是
過稅與住稅的附加稅，每千文帶納數文。力勝為按搭載貨物的數
量向船主所課之稅，包括商運五穀。包角似即按貨物包裝交納的
稅錢。宋代於廣州、杭州、明州、泉州置市舶司，專司大食、南
洋地區的對外貿易，商貨中如犀角、象齒是十分抽二，四分珠十
分抽一，其餘各物抽解亦有定數，輸稅寬其期，取之亦不苛。

明代商稅，仍不脫關市之征的範疇，凡貨物過關及鬻於市
肆，均須課稅，率三十而稅一。其徵稅機關設有都稅使、宣課
司、宣課局等，隸於全國十三布政司之下，以管理各區的商稅。
課稅貨物品目，因無明確規定，各稅吏往往任意征收，於各州縣
橋樑、道路、關津等處，私設稅局，凡一車一船一貨一物，無不
課稅。官方征收貨物稅，明初規定以錢或鈔納稅，憲宗時規定以
鈔一貫抵錢四文，錢鈔各半納稅。商稅中又有門稅、過壩稅、塌
房稅等。門稅始於武宗正德年間，設官於京城九門，以征收通過
稅。過壩稅始於世宗嘉靖年間，在淮安壩征收米麥雜糧等物之

稅，每石取銀一釐。塌房稅始於洪武永樂間，在南京、北京建造貨棧，貯藏客商貨物及豬羊等畜，稱爲塌房，按征收商稅的原則三十而取一。宣宗宣德年間，由天津至長江運河諸要地，設立鈔關，征收船鈔，即船料稅，以廣狹爲率，自五尺至三丈六尺之間，各分差等，按等征稅。世宗時，規定每鈔一貫折銀五釐，每錢七文折銀一分，依限解部。明末熹宗天啓年間，鈔關征什一稅；思宗崇禎年間，財政困難，鈔關稅屢增，每兩增收二錢。

元朝對外貿易，比較自由。東洋方面，對日本貿易日漸增多，阿拉伯人更佔重要貿易地位，泉州一地，阿拉伯人數以萬計。元代貿易，是由政府獨佔經營。定例：官自具船給本，選人下番，貿易諸貨，其所獲之息，以十分爲率，官取其七，所易人得其三；諸番客旅，就官船買賣者，依例課稅，是官船官本商販之法，其征稅的方式有雙抽單抽之制(51)。明初洪武年間，曾罷去泉州等處市舶司，永樂年間，復行設置，成化、嘉靖間，福建市舶司移置福州(52)。穆宗隆慶元年（1567），移於詔安縣梅嶺，其後移至海澄月港(53)。萬曆年間，其進口貨物多達一百餘種，以藥材如丁香等最多，約佔全部進口貨物的百分之二十二。貨物征稅，分水餉與陸餉二種，水餉即船鈔，以丈抽之例課稅，按船隻大小分別稅額的輕重，船闊一丈六尺以下者，每尺抽稅銀五兩；船闊一丈七尺以上者，每尺抽稅銀五兩五錢。陸餉是入口稅，按貨物品質高下，以重量或單位計値，藥材以百斤計値，器皿珍玩等以個計値，如胡椒百斤，値銀三百兩，只抽稅銀二錢五分，可知明末海關課稅頗輕。

明初爲征課竹、木材、薪炭之稅，又設有抽分竹木局於各處，由工部管轄，稱爲工關稅。客商販運蘆柴、茅草、稻草等物，三十而稅一，販運杉木、椶毛、軟篾、黃藤、白藤等物，三

十而稅二；販運松木、杉板、松板、檀木、黃楊、竹、木炭、木
柴等物，則十分稅二，其後或三十取四，或三十取六，或十分稅
一，輕重不等。此外又有市肆門攤稅，始於仁宗洪熙元年
（1425），以鈔納稅，屬於營業稅。宣德中明定稅額，油房、磨
房、店房等每月納鈔五百貫，茶園每畝納三百貫，果園每十株納
一百貫。英宗時，稅額減輕，緞子鋪每季納鈔一百二十貫，油磨
等鋪每季納鈔三十六貫。

　　清初，在未設海關以前，所謂關稅，是指內地貨物稅與船
鈔，習稱為常關稅。政府於全國水陸通衢商旅輻輳之地設關徵課
商貨之稅，計分正稅、商稅、船料稅三種。正稅按貨物計數課
徵，商稅按物價課徵，均為對於貨物的課稅，船料稅則按船的梁
頭大小課徵，以船舶為課稅的客體㊴。常關的稅率依據戶部則
例，以從價百分之五為標準，惟各關分局皆採用特定稅率，彼此
不同。康熙二十三年（1684），清廷以海外貿易有益民生，議開
海禁，設立專官收稅㊵，先後設立粵海、閩海、浙海、江海四
關，以與外商貿易。二十八年（1689），定各海關徵稅之例，分
衣物、食物、用物、雜貨四種課稅。進口稅計課四分，出口稅則
課一分六釐；再於貨稅之外，每船按梁頭徵銀二千兩左右㊶。乾
隆二十四年（1759），貿易限定廣州一口，為公行所壟斷。當時
海關稅收主要分為船鈔與貨稅兩種，船鈔以船隻大小為準，計分
三等，大船課銀一千一、二百兩，中等約八百兩，小船約四、五
百兩。貨稅是就貨物的精粗，以斤兩丈尺計算，其進口貨稅率約
百分之二至百分之四。以上俱為正稅，但正稅以外，其陋規多至
六十八種。中英鴉片戰爭後，締結南京條約，開放廣州、福州、
廈門、寧波、上海五口為商埠；又議定通商細則，輸入稅方面，
商船每噸納船鈔銀五錢，商物按百分之五納稅，即以值百抽五為

準，廢除一切陋規。虎門條約規定一百五十噸以下小船，每噸納銀一錢，輸出稅的稅率亦值百抽五。其後天津條約加開牛莊、登州、臺灣、潮州、瓊州等口為商埠，議定進出口貨物抽百分之二點五子口稅後，不再課徵釐金，並減低船鈔課稅，一百五十噸以上大船，每噸納鈔四錢，一百五十噸以下，每噸一錢。

　　清季釐金也是古代關市之征的餘緒。周官的廛布，相當於後來的坐釐，絯布相當於行釐。坐釐又名板釐，即交易稅，抽之於坐賈；行釐又名活釐，即通過稅，抽之於行商⑤。漢代的算緡，唐代的除陌錢，宋代的頭子錢，與釐金名異而實同，都是取之於商賈的所得稅⑧。道光年間，閩粵交界地方的會黨，已開始招攬煙販編號抽釐。道光二十九年（1849）九月，內閣學士勝保奏請捐釐助餉，未奉允准。咸豐初年，太平軍勢力方興未艾，需餉孔亟，金陵失陷後，餉源更形枯竭。是時副都御史雷以諴以刑部右侍郎在江北揚州幫辦軍務，咸豐三年（1853）九月，雷以諴為籌措餉糈，在揚州附近的仙女廟、邵伯、宜陵、張網溝等鎮，倡辦釐捐，勸諭米行捐釐助餉，每米一石，捐錢五十文，平均每一升僅捐半文，既不擾民，又不累商，積少成多。次年春，又推廣至裏下河各州縣米行，各大行鋪戶一律照章捐釐。釐金制度採行之初，是百取其一，即取一釐之意。王闓運曾指出「關稅正則本千而取三十，權之廛布，則入千而取十，謂之釐金，言取一釐也。」⑤雷以諴具摺奏聞時亦稱「大約每百分僅捐一分，甚有不及一分者。」百分之一就是釐的本意⑥。雷以諴在裏下河一帶南北糧臺設立釐卡百餘處，江蘇省亦設立釐捐局及分局，以抽釐助餉，其所抽百貨釐金，是以六陳即米、大麥、小麥、大豆、小豆、芝麻等為大宗。其他各省亦先後倣行釐金制度。安徽省以米釐為大宗，其次為鹽釐、茶釐。浙江省以絲、茶各釐為大宗，四

川省以鹽釐爲大宗，咸同年間，其鹽釐歲入達百萬兩。山東省貨釐稀少，每年核計各局所收京錢不過萬餘串，其軍餉及協撥各餉主要是賴鹽釐挹注，每包五百六十七觔，抽收釐金京錢三百六十文，平均每三斤加抽制錢一文。直隸以米釐爲大宗，次爲洋藥釐金，按照正稅之半抽收。山西省行商貨物以藥料、氈、皮、花布、綢、緞、煙、酒、茶、油、鹽、鐵、牲畜十種爲大宗，到卡時抽釐一次，所有米麵、雜糧及小本商販，概免抽收。坐賈各項貨物，已於進口時在卡完納釐金，落地免抽，惟藥料一項，獲利較厚，除進口納釐外，仍於落地行銷處所納釐一次。河南省各局所收釐金，以水菸爲大宗，藥材、茶葉次之，三項所入佔釐金收入總額十之七、八，其餘爲氈貨、皮貨、綢緞、布疋等類所佔僅十之二、三。陝西省行釐，以布疋、水菸、棉花、紙料、綢緞、皮貨、海菜、茶、酒、木料及土貨藥材爲主，俱依貨價抽收四釐五毫；其開設鋪戶等坐賈，定以一年，賣銀在四百兩以上，或賣錢在六百串以上者，即照四釐五毫章程抽收。甘肅省以水菸爲大宗，按擔抽釐，每駝擔抽銀二錢，每騾擔抽銀一錢五、六分。其次爲土菸，每斤抽釐三百二十文。棉花出產甚旺，每斤抽收釐金二文。福建省釐金，以茶葉與洋藥爲大宗。廣東省以洋藥爲大宗；鹽釐抽收亦重，每包鹽抽收釐金銀二兩。貴州緊鄰四川，以鹽斤爲大宗，每鹽百斤酌抽十斤，即十取一，此外輸出的木材及轉入的棉花，俱抽收貨釐。東北吉林、奉天，以米豆雜糧爲大宗，百分抽一；此外亦抽收茶、馬釐捐，出關茶票一張，抽釐銀六十兩，進關馬匹，每匹抽釐銀五分。黑龍江省以菸釐爲大宗，每包按五十兩抽釐銀四錢四分，爲當地最旺的財稅。

　　明清賦稅的征收，是銀錢並納，順治十四年（1657），題准征收錢糧，銀七錢三，銀儘數提解中央，其錢充地方存留之用

⑥。惟錢有貴賤，銀有定分，錢價減賤時，兵役不肯支領，因此實際征收時百分之九十以上皆以銀折納⑥。但銀色好壞有差等，不良銀色，征收鎔鑄時損耗更多。而且民間完糧時，多係小錠碎銀，州縣必須傾鎔，解赴布政司時，又有平頭腳費、沿路盤纏等支出，爲彌補此項差額，各州縣遂多收火耗，在正項之外，徵收附加稅。清初課稅方針，極力避免增加正賦，地方正項不得輕易動支，州縣遂藉口種種名目，公然加添重耗，病民甚鉅。順治、康熙年間，屢次用兵，軍需挪用，各省虧空纍纍，乃私征火耗以彌補虧空。各省征收火耗輕重不同，山西省火耗較重，正項一兩，加征耗銀三、四錢至四錢六分不等，即百分之三、四十至百分之四十六；陝西、山東較輕，加征耗銀百分之三十或四十不等。雍正二年（1724），議准耗羨歸公，裁減火耗，原未及加二者，照舊征收，其加二以外者，盡行裁去，一律以加二爲率，即加征百分之二十爲率，將火耗提解藩庫，以便彌補虧空、支付各官養廉，並充地方各項公用⑥。

　　導致各省錢糧虧空的原因，除軍需挪用外，官侵、役蝕、民欠等亦爲重要原因。清初康熙年間，中央歲入銀二千數百萬兩，世宗即位後，積極整頓財政，釐剔積弊，杜絕中飽，歲入增至銀四千三百萬兩。咸豐以後，內憂外患，兵事方殷，軍費浩繁；同光年間，歲入銀兩，減爲二千七、八百萬兩⑥。而地方要政及軍需餉項，需款孔亟，在用兵期間，疆臣只得就地籌餉。咸豐三年（1853），雷以諴正式設立局卡抽收釐金後，各省相繼倣行。同光年間，新增洋稅歲入銀一千二百萬兩，鹽釐銀三百萬兩，百貨釐銀一千五百萬兩⑥。在新增款項中，以釐金爲大宗，因此，釐金在清季財政上佔有極重要的地位。釐金或解歸中央，或留地方支用，項目繁夥，舉凡京餉、邊防經費、固本兵餉、各省協餉、

本省防費、河工經費，多仰給於釐金，以資挹注。但由於局卡委員聚斂中飽，征多報少，抽收釐金每每加至一分即百分之十以上，任意朘削；釐金贍軍之舉，轉爲病民之事，民不勝其苦。

七、結　語

　　在上古的井田制度下，耕地由貴族分配，農民不許擁有私有土地，但稅收甚爲寬大。井田制度破壞後，農民可以自由增闢耕地，貴族只能按畝收租，土地所有權轉移到農民手裏，可世代承繼，自由買賣。漢代稅額頗輕，三國兩晉時代，農民蔭附豪門，租額加重，直到北魏均田制出現，租額銳減，始復漢制。唐代租庸調制乃由北魏均田制蛻變而來，在輕徭薄賦的傳統精神下，使農民有一份最低限度的生活憑藉。租庸調制破壞後，自由經濟抬頭，田地兼併盛行，歷代整理戶籍，丈里田畝，旨在杜絕豪門逃避租稅，使農民能在國家法定租額的基礎上公平負擔賦稅。明季私征濫派，民不聊生。清朝定鼎之初，即頒詔革除橫征，蠲租貸賦，老幼廢疾，豁免丁銀，軍民年七十以上者，許一丁侍養，免其徭役，此即清代發揮傳統之輕徭薄賦精神以收攬人心的具體表現。順治年間，因恐有司額外加派，胥役侵漁中飽，又敕編《賦役全書》，將直省每年額定征收起存實數，編列成帙，以期賦役公平，便於輸將；官吏奉此章程，不敢苛斂，不失爲一代良法。傳統經濟結構，到了清代，雖未改變，但並非全處於完全停滯的狀態[66]。清代財政，量入制出，康熙年間，海宇承平，戶口日繁，人丁雖增，地畝並未加廣，盛世滋生人丁永不加賦的諭旨，不獨不必更出丁銀，其地糧亦不必徵收，雍正年間，將丁銀併入地畝攤派，免除無地貧民的丁銀負擔，是清代稅制上的一大特色。長江流域各省，以富庶著稱，賦稅雖覺稍重，民力尚足供

支，惟自雍乾以降百餘年間，由於水利失修，農田生產力減退，銀貴錢賤，增加農民負擔，漕糧積弊日深，浮收勒折，農民納賦能力驟減。道咸年間，太平軍起事前後，清廷爲減輕農民負擔，收攬人心，而有減賦措施，裁減浮收，減定賦額，革除陋規，釐剔積弊。減賦運動的結果，加速了農村的復興⑥，從而延續了清朝的國祚達數十年之久。有清一代的賦役制度，一方面極力減輕農民負擔，一方面使賦稅的負擔力求公平合理化，較之晚明，實見寬減。自井田始，以清代賦役終，傳統中國賦稅制度，正是「輕徭薄賦」精神的具體表現；其間固不免波折起伏、旋迴進退，要皆以蘇解民困、力求均平爲最高理想。

【註　釋】

① 　班固，《漢書》（臺北，明倫，民國六十一年），「食貨志」第四，頁1137。

② 　加藤繁，〈關於算賦的小研究〉，《中國經濟史考證》（臺北，華世，民國六十五年），頁139。

③ 　《漢書》「食貨志」第四，頁1143。

④ 　陳壽，《三國志》（臺北，明倫，民國六十一年），「武帝紀」第一，頁26，引《魏書》。

⑤ 　全漢昇，〈中古自然經濟〉，《中國經濟史研究》（香港，新亞研究所，一九七六年），上冊，頁61。

⑥ 　《晉書》（臺北，商務，民國五十六年），志十六，「食貨」，頁7。

⑦ 　徐堅，《初學記》（臺北，鼎文，民國六十一年），卷二十七，「絹第九」，頁657。

⑧ 　《隋書》（臺北，商務，民國五十六年），卷二十四，「食貨」，

頁 4。

⑨　周金聲，《中國經濟史》（臺北，周金聲著作發行所，民國五十九
　　年），第三冊，頁 537。

⑩　錢穆，《中國歷代政治得失》（臺北，三民，民國六十一年），頁
　　50。

⑪　谷霽光，〈秦漢隋唐間之田制〉，《中國經濟發展史論文選集》
　　（臺北，聯經，民國六十九年），上冊，頁 233。

⑫　錢穆，《國史大綱》（臺北，商務，民國四十九年），上冊，頁
　　242。

⑬　《隋書》，卷二十四，「食貨」，頁 4。

⑭　《國史大綱》，上冊，頁 294-296。

⑮　全漢昇，〈從貨幣制度看中國經濟的發展〉，《中國經濟史研
　　究》，下冊，頁 186。

⑯　方豪，〈宋代之賦稅〉，《幼獅月刊》，三卷六期（民國四十四年
　　六月），頁 33。

⑰　全漢昇，〈唐宋政府歲入與貨幣經濟的關係〉，《中國經濟史研
　　究》，上冊，頁 237。

⑱　傅樂成，《中國通史》（臺北，大中國，民國六十七年），下冊，
　　頁 608。

⑲　《明史》（臺北，鼎文，民國六十九年），卷七十七，「食貨
　　一」，頁 1882。

⑳　《宋史》（臺北，中華），「本紀」第二十七，「高宗」四，頁
　　14。

㉑　全漢昇，〈宋明間白銀購買力的變動及其原因〉，《中國經濟史研
　　究》，中冊，頁 207。

㉒　《明史》，卷七十八，「食貨二」，頁 1902。

㉓　王慶雲，《熙朝紀政》（光緒戊戌重校縮印本），卷三，頁 12。

㉔　《皇朝經世文編》（臺北，國風，民國五十二年），第一冊，卷二十九，「賦役」，頁 33。

㉕　《欽定大清會典事例》（臺北，中文，民國五十二年），卷一六二，頁 1-10。

㉖　《清史稿》（香港，文學研究所），「食貨二」，頁 439。

㉗　《宮中檔》（臺北，國立故宮博物院），第 78 箱，307 包，5766 號，雍正元年二月初八日，王澍奏摺。

㉘　《宮中檔》，第 78 箱，307 包，5760 號，雍正元年二月初十日，秦國龍奏摺。

㉙　《清聖祖仁皇帝實錄》（臺北，華文，民國五十九年），卷二四九，頁 15。

㉚　《清朝通典》（臺北，新興，民國五十二年），卷七，「食貨七」，頁 2060。

㉛　王業鍵，〈清雍正時期（1723-35）的財政改革〉，《中央研究院歷史語言研究所集刊》，第三十二本（民國五十七年七月），頁 70。

㉜　《畿輔通志》（上海，商務，民國二十三年），卷九十四，「田賦」，頁 3875。

㉝　《欽定大清會典事例》，卷一五七，頁 14。

㉞　《國史大綱》，下冊，頁 621。

㉟　羅爾綱，〈太平天國革命前的人口壓迫問題〉，《中國近代史論叢》，第一輯，第四冊（臺北，正中，民國四十七年），頁 19。

㊱　加藤繁，〈關於榷的意義〉，《中國經濟史考證》，頁 153。

㊲　馬端臨，《文獻通考》（臺北，新興，民國五十二年），卷十五，「征榷二」，考一四九。

㊳　吳兆莘，《中國稅制史》（臺北，商務，民國五十四年），上冊，頁40。

㊴　《文獻通考》，卷十五，「征榷二」，考一五二。

㊵　全漢昇，〈唐宋政府歲入與貨幣經濟的關係〉，《中國經濟史研究》，上冊，頁220。

㊶　徐泓，《清代兩淮鹽場的研究》（臺北，嘉新水泥公司文化基金會，民國六十一年），頁87。

㊷　劉翠溶，《順治康熙年間的財政平衡問題》（臺北，嘉新水泥公司文化基金會，民國五十八年），頁43。

㊸　《明史》，卷八十，「食貨四」，頁1946。

㊹　《清史稿》（臺北，洪氏，民國七十年），「食貨四」，頁3604。

㊺　吳兆莘，《中國稅制史》，下冊，頁110。

㊻　錢穆，《中國歷代政治得失》，頁19。

㊼　全漢昇，〈唐宋政府歲入與貨幣經濟的關係〉，《中國經濟史研究》，上冊，頁220。

㊶　徐泓，《清代兩淮鹽場的研究》（臺北，嘉新水泥公司文化基金會，民國六十一年），頁87。

㊷　劉翠溶，《順治康熙年間的財政平衡問題》（臺北，嘉新水泥公司文化基金會，民國五十八年），頁43。

㊸　《明史》，卷八十，「食貨四」，頁1946。

㊹　《清史稿》（臺北，洪氏，民國七十年），「食貨四」，頁3604。

㊺　吳兆莘，《中國稅制史》，下冊，頁110。

㊻　錢穆，《中國歷代政治得失》，頁19。

㊼　《管子》（上海，商務，民國二十五年），「幼官」，頁32云「市賦百取二，關賦百取一。」

㊽　《舊唐書》，卷四十九，「食貨下」，頁2128。

㊾　加藤繁，〈宋代商稅考〉，《中國經濟史考證》，頁 668。

㊿　《宋史》（臺北，商務，民國五十六年），卷一三九，「食貨下八」，頁 1。

51　侯厚培，〈五口通商以前我國國際貿易之概況〉，《中國經濟發展史論文選集》，下冊，頁 1463。

52　薩士武，〈明成化嘉靖間福建市舶司移置福州考〉，《禹貢半月刊》，第一、二、三卷合刊（民國二十五年六月），頁 247。

53　薛澄清，〈明末福建海關情況及其地點變遷考略〉，《禹貢半月刊》，第五卷第七期，頁 43。

54　蕭一山，《清代通史》（臺北，商務，民國五十一年），第二冊，頁 400。

55　馬齊，《清聖祖仁皇帝實錄》（臺北，華文，民國五十三年），卷一一五，頁 21。

56　李競敏，〈東北海關稅設立之經過及各關貿易之情形〉，《禹貢半月刊》，第六卷第三、四合期，頁 119。

57　羅玉東，〈中國釐金史〉，《中國近代史論叢》，第二輯，第三冊（臺北，正中，民國四十七年），頁 195。

58　《軍機處檔・月摺包》（臺北，國立故宮博物院），第 2742 箱，36 包，100280 號，同治三年十月初九日，郭嵩燾奏摺錄副。

59　王闓運，《湘軍志》（臺北，文海），「籌餉」十六，頁 5。《清史稿》「雷以諴列傳」謂釐捐稅率千取其一，誤。

60　何烈，《厘金制度新探》（臺北，中國學術著作獎助委員會，民國六十一年），頁 5。

61　《欽定大清會典事例》，卷二二〇，「錢法」，頁 1。

62　安部健夫，《清代史之研究》（日本，創文社，昭和四十六年），頁 547。

⑥ 莊吉發，〈清世宗與耗羨歸公〉，《東吳文史學報》（臺北，東吳大學，民國六十五年三月），頁 102。

⑥ 《月摺檔》（臺北，國立故宮博物院），光緒五年八月十二日，王先謙奏摺。

⑥ 吳廷燮，〈論清光緒時之財政〉，《文獻論叢》（臺北，臺聯國風，民國五十六年），頁 37。

⑥ 王業鍵，〈清代經濟芻論〉，《中國經濟發展史論文選集》，上冊，頁 143。

⑥ 夏鼐，〈太平天國前後長江各省之田賦運動〉，《中國近代史論叢》，第一輯，第二冊，頁 199。

清高宗兩定準噶爾始末

　　清朝新疆，屬古代西域，以天山爲限，劃分南北二路，北路爲準噶爾所據，南路爲回部所據。準噶爾地處極邊，雖得其地不足以耕耘，得其民不足以驅使，惟其地東捍長城，北蔽蒙古，南通衛藏，西倚蔥嶺，勢若高屋建瓴，得之則足以屏衛關隴，鞏我藩籬。是故，漢通西域諸國以斷匈奴右臂，唐開安西北庭分治天山各路，有明一代，武力不振，瓦剌寇邊不已，盡失瓜州以西之地。迨至清初，噶爾丹汗崛起，數世梟雄，能用其衆，勢力猖獗，鯨吞喀爾喀，蠶食衛藏。聖祖三駕親征，未能遠蹤朔漠，直搗巢穴，世宗再命六師致討，而有和通泊之敗，自茲以往，清廷但守來勿縱去勿追之訓，不肯輕議用兵。高宗運際郅隆，物力豐盈，揆文奮武，致力於開疆拓土，適值準噶爾內亂，篡奪相尋，達瓦齊弒主自立，殘殺暴虐，人心離散，各部臺吉宰桑率衆款關內附，接踵頻來，天時人事，機緣輻輳。且降衆日集，人逾數萬，爲因其地仍其俗而善處之，高宗遂力排衆議，乾綱獨斷，以春秋伐叛之意，聲罪致討，以救生靈於塗炭。欲俟蕩平準噶爾，即分封四汗，仍其部落，樹之君長，恢復四衛拉特舊規，令其各守疆界，勿相侵奪，即衆建而少其力之意，在性質上是濟弱扶傾與滅繼絕的措施，不僅與天朝維持體制攸關，也是王師弔民伐暴之舉，並非好大喜功利其民人土地。乾隆二十年（1755）二月，官兵兩路並進，兵不血刃，長驅深入，曾未數旬，即奏捷音，生擒達瓦齊，蕩平準噶爾，改伊里爲伊犁，以寓犁庭掃穴功成神速之意。因阿睦爾撒納悖恩叛逆，煽惑諸部，準噶爾得而復失，逋

逃未獲，揆之事機，勢難中止，為除遺孽，再勞師旅。阿睦爾撒納竄入俄羅斯境內，旋因患痘身死，俄羅斯遵守不納逃人約款，獻出其屍，清軍兩定準噶爾，哈薩克等部相繼稱臣納貢，高宗終能續承聖祖、世宗兩朝未竟之緒，收自古以來未收之地，臣自古以來未臣之民。姑不論高宗用兵是否「得其道，合於天」，亦不論準噶爾是否天厭其德，自取覆滅，然其於有清一代疆宇式廓，止戈靖邊，貢獻至鉅。本文撰寫之目的，即在就國立故宮博物院現藏宮中檔原摺、軍機處檔奏摺錄副及其他有關史料，以探討清初準噶爾與清廷之關係，及高宗征討準噶爾之原因與經過。

一、準噶爾部的崛起及其與清廷的早期關係

準噶爾一名始自何時，說法不一。西方史家鄧比（Ch. Denby）稱西元第七世紀時，天山北路伊里河（Ili River）流域為突厥族所佔據。是時該部分裂為兩半，東部稱為準噶爾（Jungar），西部稱為波楞噶爾（Borongar）①。惟準噶爾一詞，原意即左翼，猶如東部的哈薩克稱為左哈薩克，西部的哈薩克稱為右哈薩克，其為正式部落名稱，為時甚晚。鄧比又謂當西部統治權結束後，準噶爾部勢力日盛，其疆域南界天山，西鄰俄羅斯，北至阿爾泰山，東接戈壁，包括今日準噶爾盆地全境。其中伊里河流域土地肥沃，灌漑良好，物產豐富。伊里城在第七世紀以前已如哈密（Hami）、阿克蘇（Aksu）、喀什噶爾（Kashgar）等城，是一個很繁華的城鎮，但其人口流動甚大，而且在民族與宗教方面也表現出很奇特的混合。蒙古崛起後，成吉思汗將伊里河流域分封給其次子察哈台（Jagatai），察哈台即在伊里河岸的阿力麻里城（Almalik）設立汗帳。元朝覆亡後，伊里河流域為四個強大的厄魯特（Oirat）蒙古部族所佔據，即綽羅斯

（Ch'oros）、杜爾伯特（Durbed）、和碩特（Khoshoit）、土爾
扈特（Turgut），習稱爲四衞拉特，其實就是四部聯盟，而以衞
拉特爲四部族的總名稱，四部脣齒相依，共抗外侮。其後綽羅斯
勢力獨盛，世代爲聯盟首領，各部落亦誠心擁戴綽羅斯部，其後
準噶爾汗位即由綽羅斯台吉世襲，駐箚伊里。綽羅斯恃強凌弱，
土爾扈特與之不睦，率衆遠徙伏爾迦河口，而以土爾扈特所屬輝
特別爲一部，仍稱四衞拉特。清世宗於雍正七年（1729）二月頒
諭稱「準噶爾一部落原係元朝之臣僕，其始祖曰額森，額森之子
托渾，漸至大員，因擾亂元之宗族，離間蒙古，恐獲重罪，遂背
負元朝之恩，逃匿於西北邊遠之處。元末，又煽誘匪類，結成黨
與，遂自稱準噶爾。」禮親王昭槤則稱準噶爾本係元朝太尉，也
速後，以元綱不整，遁居於伊里②。準噶爾遷徙伊里後的始祖爲
孛汗（Bohan），惟自托渾至孛汗，其世次已不可考。孛汗死
後，由其側妃所生烏林臺巴丹臺什（Ulintai badan taiši）襲位，
是爲第二世③。其後郭海達耀（Guo hai dayoo）、鄂爾魯克諾顏
（Orluke noyan）、巴圖蘭青森（Batulan cingsen）、額森諾顏
（Esen noyan）、額斯墨特達爾汗諾顏（Esmet darhan noyan）、
額斯圖米（Estumi）、哈木克臺什（Hamuk taiši）、阿喇哈青森
（Araha cingsen）、翁郭楚（Ongocu）、布拉臺什（Bula taiši）
哈喇忽剌（Hara hula）相繼襲位，至第十四世巴圖爾渾臺吉
（Batur hon taiji），生子十二人，巴圖爾渾臺吉卒後，由第五子
僧格（Segge）繼承汗位，是爲第十五世。巴圖渾爾臺吉第六子
噶爾丹（Ga'ldan）生於清世祖順治元年（1644），及長，入西藏
爲喇嘛。聖祖康熙十二年（1673），巴圖爾渾臺吉長子車臣與次
子巴圖魯相約攻殺僧格，噶爾丹即自藏中返回準噶爾，破戒還
俗，繼承汗位。噶爾丹娶青海鄂齊爾圖車臣汗之女爲妻，康熙十

六年（1677），藉故殺死鄂齊爾圖車臣汗，搶掠其游牧。鄂齊爾
圖車臣汗孫女阿海原與僧格長子策妄阿喇布坦（Tsewang arab-
tan）議婚，噶爾丹竟奪爲己有。鄂齊爾圖車臣汗之子袞布喇坦
領兵討伐噶爾丹，兵敗遠遁，請求達賴喇嘛安插住處。噶爾丹復
襲殺僧格次子索諾木阿拉布坦，策妄阿喇布坦率其父舊臣七人遠
遁至多倫努庫爾，意譯即七友。康熙十七年（1678），噶爾丹率
兵入侵天山南路，擄去喀什噶爾部長，另建白山回部傀儡政權
④。塔什干（Tashkent）及中亞許多城鎮俱在準噶爾統治之下。
康熙十八年（1679），達賴喇嘛加噶爾丹封號爲「博碩克圖
汗」。其勢力復向東發展，康熙三十五年（1696），噶爾丹與喀
爾喀搆釁，掠奪蒙古牲畜。聖祖御駕親征，官兵陣斬噶爾丹之妻
阿奴喀屯，生擒其子塞布騰巴爾珠爾。據清代官書記載，康熙三
十六年（1697）閏三月十三日，噶爾丹窮蹙竄往阿察阿穆塔臺地
方仰藥自盡。惟據準噶爾丹濟拉使者齊起爾宰桑供稱，噶爾丹係
因病身故，是夜焚其屍⑤。四月初九日，丹濟拉攜其骨骸及其女
鍾齊海投順官兵。清廷議政大臣議覆，欲俟噶爾丹骨骸到京後仿
照吳三桂粉骨揚灰之例，擣爲細末，拋散通衢。惟康熙三十七年
（1698）八月，侍讀學士喇錫等將噶爾丹骨骸遞解到京後，聖祖
命喇錫將其骨骸置於京城外懸掛示衆，並未粉骨揚灰。

　　當噶爾丹領兵入侵客爾喀期間，策妄阿喇布坦乘虛攻佔伊
里，並在清廷的支持下繼立爲準噶爾汗，是爲第十六世。聖祖將
噶爾丹所屬部落人戶盡行賞給策妄阿喇布坦收管，惟其東進受阻
後，積極向西發展，許多蒙古王公成爲其屬下，撒馬爾罕（Sam-
arkand）、布哈爾（Bukhara）、巴爾克（Balkh）及阿富汗（Af-
ghan）北部各城鎮俱向策妄阿喇布坦稱臣納貢，聲勢日漸猖獗，
逐與布魯特、哈薩克、俄羅斯屢次搆兵。是時準噶爾全境除和碩

特、輝特、杜爾伯特臺吉所屬部落人衆外，準噶爾汗策妄阿喇布坦直轄部屬稱爲鄂拓克，計新舊二十四鄂拓克，每鄂拓克自一千戶至五千戶不等，置宰桑一人至四人，以管理一鄂拓克事務，其下置得木齊管理一百戶至二百戶事務，並設收楞額以佐理得木齊。準噶爾汗爲四衛拉特聯盟首長，清代官書稱之爲總臺吉，汗之下爲臺吉，爲各部落部長，其下爲圖什墨爾，樞管機務，參決政事。各臺吉直屬人衆稱爲昂吉，意譯即分支，共二十一昂吉，另有專掌喇嘛一切事務的集賽，計九集賽。合計約二十餘萬戶，六十餘萬口。境內大小事務，宰桑稟告圖什墨爾，由圖什墨爾轉告臺吉，汗定期召集各臺吉等商議決定，然後施行⑥。據準噶爾脫出降人伯勒克供稱「準噶爾家規矩，各處頭目每年五月十五日在伊里西面哈爾齊喇地方會事。」⑦康熙五十四年（1715），策妄阿喇布坦窺伺青海，侵犯哈密，復假藉振興黃教，令大策零敦多布率兵入藏，康熙五十七年（1718）四月二十八日夜，攻取大招小招⑧。次日，圍攻布拉塔，殺害其妻弟拉藏汗，毀壞寺廟。聖祖用兵多年，未能痛加勦滅。世宗即位後，將兩路大兵盡行撤回，策妄阿喇布坦遂愈加驕傲，雖願遣使入京議和，但於定界一款，狡飾支吾。官兵平定青海後，竟敢收容叛臣羅卜藏丹津。雍正五年（1727），策妄阿喇布坦卒，據準噶爾使臣致書清廷謂其汗因病身故，惟據西方史家富斯特（Foust, Clifford）等稱，策妄阿喇布坦係在伊里被殺⑨。策妄阿喇巾坦既歿，由其長子噶爾丹策零繼立爲汗，是爲第十七世。據準噶爾投誠回民麻木雅兒供稱，噶爾丹策零弒其母及胞妹。準噶爾人綽羅岱亦稱噶爾丹策零藉口其父妾塞特爾扎卜欲毒害噶爾丹策零，遂將塞特爾扎卜及其所生四子四女盡行誅戮。噶爾丹策零又與其弟羅卜臧舒努爭奪其父所遺產業，釁怨日深，羅卜臧舒努遂率衆往投哈薩克。世宗以

噶爾丹策零妄亂狂悖，更甚於其父，不僅爲蒙古巨害，且恐爲國家隱憂，故乘策妄阿喇布坦之死，積極籌劃興師進勦，雍正七年（1729），分兵由西、北兩路夾攻。惟清廷對準噶爾缺乏認識，誤以準噶爾爲彈丸之地，低估其實力，雍正九年（1731），噶爾丹策零突率大兵邀截和通泊北路官兵，擄掠衆多，官兵損失重大，岳鍾琪等遂因此被繫囹圄。此後斷斷續續的戰爭延長四年之久，直至雙方勢衰力竭，始遣使議和。據噶爾丹策零稱，首先要求息兵的是清廷，「遣使者傅鼐、阿克敦來，謂彼此相持，不特兵民被累，兼之糜費糧餉牲畜，宜各罷息干戈，以安衆生，決不食言。我部之人謂旣經用兵，又許和好，是不得已而出此。」⑩

　　在清高宗蕩平準噶爾以前，清廷與準噶爾的重大糾紛主要爲界務與商務，至於進藏熬茶與遣使進貢的爭執，皆不出商務的範圍。阿爾泰山原爲喀爾喀蒙古與準噶爾厄魯特的天然界山，惟游牧部族向無定處，冬夏隨時遷徙，各游牧部族混雜住牧，蒙古人向於阿爾泰山嶺築城種地，尙未劃清彼此疆界。爲求杜絕爭端，指定山河爲界，實爲重要措施。定界之說，起於策妄阿喇布坦時，雍正二年（1724），雙方議以阿爾泰山爲界，但尙未實指地名。次年四月，世宗遣內閣學士衆佛保、副都統查史等前往伊里商議界址，衆佛保提議自紅郭壘至阿爾泰哈道里嶺千里以內所有巴斯庫斯索羅斯、畢漢、哈屯阿爾古特阿爾、坦腦兒等處爲準噶爾疆界，自哈道里及克木博木地方爲清朝疆界。策妄阿喇布坦稱克木可穆齊克、烏梁海地方，原係準噶爾所屬，後被丹津喇布坦所侵佔，因而堅持要以索爾畢嶺至唐努山陰的哈喇巴爾魯克山爲界，雙方意見距離遙遠，界務糾紛未獲完結。雍正十三年（1735）閏四月，雙方議和，噶爾丹策零稱阿爾泰山原係厄魯特游牧之地，杭愛山原係喀爾喀游牧之處，建議由哲爾格西拉胡魯

蘇至巴爾庫爾（即巴里坤）定爲邊界。世宗責以所謂阿爾泰爲厄魯特游牧地方，係噶爾丹從前之事，官兵旣敗噶爾丹取其地，不得仍謂阿爾泰爲厄魯特游牧之地。不過爲永息兵戈，安逸衆生，世宗允將阿爾泰山梁外哈道里哈達清吉爾布喇清吉爾兩處空閒之地，俱屬於準噶爾，而將克木齊克、汗騰格里、上阿爾泰山梁，由索爾畢嶺、下哈布塔克、拜塔克之中過烏闌烏蘇直抵噶斯口爲界，並自胡遜托輝至哈喇巴爾魯克悉留作空閒之地。乾隆元年（1736）正月，準噶爾遣使臣吹納木克等至京師續議疆界，欲以歷年爭執未決的哲爾格西喇胡魯蘇等處爲界，並要求清廷飭令喀爾喀內徙，於境內更展空地。高宗堅持必須遵奉世宗原旨定界，西部喀爾喀蒙古人原在茂岱察罕廋爾扎卜堪河等處游牧，因準噶爾久懷窺伺，世宗恐蒙古人畜被擄，預令喀爾喀內徙，準噶爾竟欲令喀爾喀續向東移徙，得寸進尺，貪得無厭。乾隆二年（1737）三月，噶爾丹策零致書車臣汗，聲稱仍欲得阿爾泰。清廷以喀爾喀額駙策凌名義作書答覆，令臺吉額默根齎往，九月初七日，抵達伊里，噶爾丹策零即遣宰桑達什、博吉爾二人爲使隨額默根入京議界。乾隆三年（1738）正月，達什等抵京，呈遞國書，請令喀爾喀與厄魯特各照現在駐牧，無相牽掣。高宗見其言近乎公正，惟未指明地名，乃遣侍郎阿克敦充正使，額默根充副使，於是年三月十六日與達什等前往伊里與噶爾丹策零面議。十二月二十日，噶爾丹策零遣使臣哈柳等隨阿克敦來京，同意以阿爾泰山爲界，循布延圖河，南以博爾濟昂吉勒圖、烏克烏嶺噶克察等處爲界，北以遜多爾庫奎，多爾多輝庫奎至哈爾奇喇博木、喀喇巴爾楚克等處爲界，準噶爾人衆俱在山後游牧，不越阿爾泰嶺，其山前居住蒙古人衹在扎卜堪等處游牧，彼此相距遼遠，兩無牽掣。乾隆四年（1739）二月，高宗頒給噶爾丹策零敕諭一

道，允准蒙古游牧不踰扎卜堪，科卜多不復駐兵，惟每年定期遣兵二三十名前往略地，托爾和、布延圖亦允不再築城，但兩處卡倫爲聖祖時所設立，不便輕議移動。同年十二月，噶爾丹策零復遣使臣哈柳至京呈遞國書，接受清廷所提條件，同意以阿爾泰山爲界，托爾和、布延圖兩處卡倫仍舊安設，爭執多年的界務糾紛，至此定議完結。

游牧部族固藉戰爭以掠奪生活資源，平時朝貢也是取得財物的一種和平方式。清朝入關後，準噶爾屢次遣使入貢，惟各處厄魯特商人往往潛至邊境，冒稱準噶爾使臣，要求進關。康熙二十二年（1683）七月，議定準噶爾汗遣使進貢，必先發給印文符驗，開注年月日期，否則地方文武不許其進關，祇得回至歸化城或其他邊外地方貿易。準噶爾貢使，初不限人數，一概俱准入關，來使日衆，每次多至數百或數千人。康熙二十三年（1684）八月，古爾理拜等率領三千人入貢，取道喀爾喀，貢使連綿不絕，沿途搶掠蒙古馬匹牲隻，進邊以後，任意放牧牲畜，踐食田禾，綑縛平民，搶劫財物，蒙古人衆不堪其擾。經理藩院議定貢使人數不得過二百人，正使頭目酌量數人進關入京，其餘人衆俱令在口外交易，惟準噶爾常不遵約束。貢使至京，例於北館中交易，但民夷之間，每因貿易還價互毆致死。康熙二十四年（1685）十月，貢使伊特木根於北館中毆死正白旗西圖佐領下商民王治民，經理藩院題准依中國律令處斬。康熙三十三年（1694）五月，噶爾丹遣使臣納木喀喇克巴喇木扎木巴喇嘛率二千餘人進貢，遠逾定額。乾隆五年（1740）正月，準噶爾使臣哈柳至京議定貿易年分，比照俄羅斯成例，定期四年，由內地至京貿易一次，人數毋過二百名，其至肅州貿易，亦定期四年，人數毋過百名，還期悉定限八十日，惟其年分不得與俄羅斯相同，以

免貨物堆積減價。中俄貿易定例以子辰申年來華，因此準噶爾應以寅午戌年至京，而以子辰申年至肅州。凡貿易年分先期以起程入境日期報知駐邊大臣，轉達部院奏派章京筆帖式等照料行走，其接送弁兵嚴禁與貢使或夷商私相交談，沿途所有閒雜乞丐人等則預令暫避。準噶爾更換其汗或臺吉時，每藉種善，要求進藏熬茶，以遂其貿易營利之慾，其人數原准以百人爲限，準噶爾屢請增爲三百人，清廷爲振興黃教，允其所請，屆期由理藩院奏撥章京弁兵數百口前往照料，令其由哈密取道肅州前往東科爾貿易，事畢，護送入藏。駐邊大臣預先知會蒙古喇嘛及游牧人衆暫行迴避。準噶爾熬茶人衆唯圖貿易取利，攜貨甚多，每因高抬物價，與內地商民往返講價，遷延數月，託言藏地炎暑或早寒，或邊吏阻止，於東科爾貿易事竣，獲利已多，不復進藏，半道而返。護送兵丁曾嚴禁與準噶爾人衆私相往返，但夷民稍不如意，便稱銀兩珍珠或緞疋被竊，刁賴挾制。相反地，準噶爾風俗，性喜偷竊，不善竊劫者，不齒於人數。據甘肅巡撫黃廷桂奏稱「查厄魯特人等習俗狡獪，性復貪鄙，以偷竊爲能事，逞攘奪爲得計。向在肅州貿易時，往往將已交皮張，或竊匿懷中，或偷藏襦袴，當場搜獲，恬不爲恥，惟覥然嬉笑而已。」⑪

準噶爾貢使定例於貿易年分准其攜帶貨物，如係請安奏事，則不准帶貨，但貢使貪財嗜利，每於入京奏事時違例多帶貨物。乾隆七年（1742）正月二十二日，宰桑吹納木克等四十二人抵達哈密。據稱「我們是上京與大皇帝進貢的，不是做買賣的。」遊擊謝斌等照例犒賞，給以米羊酥油茶葉煙酒等物。惟貢使仍違例攜帶駄駝六百三十四隻、餘駝八十一隻、馬四百八十四匹、羊五千餘隻及羚羊角、綠葡萄、野牲皮等貨物。吹納木克稱「我們的馬羊是從遠處來的，難過郭壁。」因此「要到哈密去賣，如賣不

完，再帶到肅州去賣」，以便買些布線回去⑫。哈密地方褊小，
旣無富商大賈，又無帑項可以動撥，故定議不准貢使或夷商在哈
密售變貨物。吹納木克於起程入京前，將所有沈重貨物留在哈密
售賣。準噶爾旣以進貢爲名，一切供支款待，皆須應接以禮，地
方文武過於遷就，以致貢使貪得無厭。是年二月，川陝總督尹繼
善奏稱「準噶爾夷人攜帶貨物遠來貿易，不但以無用之出產，易
中國之貨財，實欲時通往來，探內地之虛實，全在料理之員詳愼
斟酌輕重得宜，使彼知天朝於寬大中自有節制之道，不敢萌玩視
之心，方爲妥協，乃乾隆三四年間，連次交易，辦員不善經理，
過於將就，以致夷人漸生驕縱，帑項大有虧折，即如綠葡萄一
項，並非民間需用之物，乃三年定價每斤至一兩五錢，陝甘兩省
官員均分賠墊。四年，帶來葡萄至一萬七千斤之多，價雖較前稍
減，尚係一兩一斤，收貯日久，無人承買，只得減至四錢一斤，
商民尚多苦累。統計各項減價現虧本銀一萬餘兩，欲向辦員追
賠，而辦員實在無力。臣於前歲曾求恩豁免，而格於廷議，未准
開銷，帑項虛懸，官民交困，此從前辦理過當，難以補救之情節
也。」⑬因此，尹繼善主張對貢使或夷商「近理之事，則示以寬
仁，非分之求，則痛加裁抑。倘因不遂所欲，從此疏於往來，不
常交易，可以省將來之嫌隙，斷無限之糾纏，於邊境地方更爲有
益。」甘肅巡撫黃廷桂亦稱「交易一事，原係皇恩寬大撫恤遠
夷，非利其所有。無如夷性狡詐，貪得無厭，前貨未銷，後貨復
至，陳陳相繼，歲益加增。查每次交易各貨，除陝省分變七分，
甘省分變三分。惟緣地處邊徼，土瘠民貧，服飾樸陋，其禦寒所
衣者，粗褐毡片及老羊皮張而已，而輕裘細暖，即一二有力之
家，亦多吝而不購。至於葡萄、磠砂、羚羊角尤非所需，此民間
之難於銷變者也。沿邊一帶，素產皮張，毛深溫厚，價值頗廉，

足供商販貿易流通之用，若夷使攜皮張旣多平常，作價又昂，商人每虞虧折，不肯認買。而硇砂等物更非常用之貨，轉售維艱，益生觀望，此商賈之難於銷變者也。惟有大小文武官員酌量分買，但製備一次，即可用及數載，豈能年年常買，即買亦屬無幾。」乾隆八年（1743）十月，準噶爾使臣圖爾都齎表進貢，是年並非買賣年分，貢使復違例帶貨求售。噶爾丹策零於國書內懇請貿易商民不論何時，准令前來，入京貿易者，准在甘涼等處任便交易。高宗在敕諭中詳爲開導，其入京貿易商民，准令在肅州售變，甘涼地屬褊小，商販無多，必致失利，肅州雖處邊徼，但與準噶爾游牧相近，於限定貿易年分，先期傳集商販，尚可獲利。準噶爾近年以來，貨物日多，爲塞漏巵，兼遏其無厭之心，廷議自乾隆九年（1744）起，定例以貨易貨，以杜銀兩外流。是年正月十三日，準噶爾商隊抵達肅州，清廷派出官商李永祚至肅州交易，在李永祚起程前，準噶爾商民以其羊二萬三千餘隻，因路遠羸瘦，水草不宜，急於求售。川陝總督慶復見羊隻爲數衆多，實難盡售於近地，祇得倣西安成例，於公帑給值，將羊隻分予提鎭標兵，扣餉償帑。但準噶爾商民索價甚昂，久議未決，準噶爾商民堅欲以現銀收購。黃廷桂於奏摺中指出其商民驕縱情形云「準夷貿易方經定例以貨易貨，夷人所攜貨物，羊與馬駝，計值銀四萬兩有奇，因聞肅州地少巨賈，招商異地，夷殊窘迫求售，及聞以貨易貨，則云上年東科爾全數給銀，固爲大皇帝格外深仁，俄羅斯各處，我部曾有人往彼，見其與內地交易，有貨物，有金銀，何以今年肅州槪不給銀，若盡以貨易貨，我輩寧攜歸貨物。」⑭

　　準噶爾商民每次交易，所需內地貨物主要爲緞蟒綾紬線觔茶封粘絨等物，其中可於陝甘二省就近置辦者，僅止粘絨絲線等

項，其餘各項皆須遠至山西、江南、湖廣等省購備，陸續運往肅州，由商民出面交易，扣價還官。至於交易茶封，準噶爾商民不收庫貯黃茶，祇購黑茶，以致甘肅五司庫貯陳茶堆積過多，其年分久遠陳茶祇得減價銷變。乾隆十二年（1747）九月，準噶爾商隊入京貿易，其所攜帶貨物較往年更見增多。據黃廷桂奏報貨物清單，計：黃狐皮一十三萬九千四百四十二張、沙狐皮二萬一千六百三十七張、狼皮七千一百三十九張、羊羔皮一十四萬九百三十五張、猞猁猻皮三千零五十九張、豹皮三百四十五張、掃雪皮一千七百二十六張、灰鼠皮二萬零三百六十二張、銀鼠皮五百三十張、貂皮一千二百二十八張、野猻皮二百張、黑紅香牛皮七千九百四十六張、麤細雜色烏魯斯片子六千四百七十九疋、纏頭花緞二百四十二疋、達賴紬子一百五十疋、駝四百九十八隻、馬一千八百二十一匹、羱羊二千七百二十八隻。」⑮皮張既多，貨色復較往年平常，但索價昂貴，其中達賴紬、纏頭緞、烏頭雜片、香牛皮、及馬駝羊隻，俱非內地所需，均須官為收買，經往返爭執結果，除烏頭雜片及香牛皮二項未經收購外，其餘各項俱經官為收買。依照定例，準噶爾入京貿易年分，其人數不過二百名，肅州貿易不過百人，後因入京途遠，准其前赴肅州貿易，並允准兩年中貿易一次，人數仍以百人為限。乾隆十三年（1748）為肅州貿易年分，準噶爾商隊先期於乾隆十二年十一月二十日取得其汗所給印票，自伊里起程，前往烏魯木齊約齊各處商販後緩程東行，於次年四月十四日抵達哈密南山口。此次商隊由頭目額連胡里等率領，全隊共一百三十六人，內達子即厄魯特四十六人、纏頭回民九十人，超過定例三十六人，除皮張外，葡萄磠砂等項係言明不入交易貨物，其羊隻多達五萬餘隻。額連胡里要求將擦掌乏弱牲口在哈密售變。總兵王能愛覆稱「你們的買賣應在肅州地

方交易，那裏有辦你們買賣的官商哩。哈密買賣人有限，沒有人要，你們該遵例都趕往肅州去。」總兵一再以定例詳加開導，額連胡里始終糾纏不已。肅州道鈕廷彩亦稱「交易夷人所帶馬駝牛羊共有五萬餘匹隻，較之上屆加倍。肅州牧廠窄狹，不能牧放如許之多，且恐日久不無疲瘦倒斃。祈將該夷牲畜截留一半，在哈密近山有水草暫牧，先將一半緩程趕赴赤金一帶牧放，俟會同官商覓得售主赴口外看講分發。」但赤金一帶多係民戶播種發苗田地，實難容其數萬牲畜散牧踐踏。提督李繩武欲令額連胡里暫於山北牧放，俟牲畜精壯再爲分起趕行。額連胡里卻稱「我們達子人家過日子，所靠的是牛羊馬匹，就是來中國做買賣，也並不是我們臺吉一個人的，都是準噶爾衆人的買賣，這衆人內如是富有的人家，還養些鷹狗，得些皮張，或別處貨換些細皮張交來到天朝貿易，如窮的人家，既無皮張，止靠幾個牲口過活，或牛羊馬匹，他們那湊些交來，我也因牲口墜累，狠不願收，止是窮富不得一樣。自從蒙大皇帝施恩准我們臺吉和好之後，底下的衆人從前沒有喫食的，如今都受恩，有了喫食了。他們衆人聽得買賣出來，無一人不攢湊帶些牲口，想著要易換些東西，沾受大皇帝恩典，是這個緣故，我也是不得已將牲畜趕出來了。」⑯夷貨既多，積貯年久，曾議減價發交官商李永祚售變。惟據李永祚呈稱「夷貨皮張甚多，必運往西安發銷，立局硝製，內多損壞，皮行欲於常例之外，再加皮張，始肯受變。」軍機大臣恐虧國帑，不便輕議減價。乾隆十三年（1748）六月，據黃廷桂奏稱「自乾隆三年起至乾隆八年止，西肅二處夷人交易，共動用陝甘司庫及甘肅道井肅州之庫原本銀二十八萬四千七百一十一兩零。」郎中王鍾因承辦準噶爾貢使交易，積欠陝甘庫帑多達十萬四千餘兩，結果王鍾開產變抵，分十年完納。是年十二月，黃廷桂復指出「查

準夷交易，當辦之始，章程未立，諸如羚羊角、硇砂、葡萄等
物，全行收買，價值又昂，以致有虧帑項，迨至乾隆六七兩年經
尹總督定議砂角、葡萄，槩不准入正項交易之內，一切皮張俱係
作價，以貨兌換，其中始有贏餘。隨經甘撫奏明以有餘之項補從
前之虧，而甘省道庫乃得彌補銀萬有餘兩。但虧缺之數固可抵
補，而收買夷人皮貨無處銷賣，歷年遞增，陳陳相因，懸宕正
帑，難以歸款。又於乾隆八年內，經原任總督奏明請廷議飭令派
委商夥赴肅交易，並將陝甘二省收積各貨俱發該商領變等因各在
案，此貿易一節商辦商銷之原委也。惟是商夥張有瀾雖經到肅承
辦，然因其不諳夷情，從未令其與夷人抵面交講，又恐一味順
隨，致啓準酋習橫之漸，若爭競太過，又非國家綏柔外番之意，
是以每歲交易，選委文武官弁從中購辦，張有瀾不過坐候事竣領
貨運變而已，是商夥徒有承辦之名，究無承辦之實。而以貨換貨
所有餘羨，盡歸商橐，以致先前虧項，至今尚未完補，此公云無
益者也。至換貨餘羨，如果商受其利，亦屬恤商之道，屢據商夥
張有瀾稟稱交易雖有餘利，但雇覓夥伴赴肅者數十餘人，工價食
用既已不少，兼之置辦各色紬緞茶線等物，山路馱運，腳費更
繁，每次所入實不敷出，難免賠墊甚多等語。」商辦既屬有名無
實，兩無利濟，黃廷桂乃奏請「交易仍照從前歸公官辦，所得羨
利，先以之抵補未完虧缺銀兩，嗣後再令全數充公，而領變銷貨
則責成商夥，不但夷貨無虞堆積，即該商一切夥伴食用運貨腳費
均可節省，不須賠累，在官在商似屬均益。」⑰黃廷桂任甘肅巡
撫多年，目擊中外交易情弊，其略節所陳，不無所見，惟廷議以
「外夷貿易止應商人與之辦理，若官為辦理，似於體制不合。」
並將黃廷桂所開略節抄寄新任陝甘總督尹繼善斟酌妥辦。尹繼善
覆奏稱「查交易之事，惟商人素所熟習，如需用紬緞茶線等項應

在何處置辦，收回皮貨等物應分何處變售，俱望籌畫無遺，及與夷人講價貿易，彼此交換貨物，衰多益寡，均須通盤計算，前後牽搭，方不至大有虧折。若在官承辦，而令商領銷，不特官與外夷錙銖較量，有乖體制。而以官員置買貨物，其貨本價值，必不能如商人之斟酌減省，勢必於高低貴賤之間，官商彼此爭執，且將所得各項餘銀以歸公，而令商人毫無所利，是官暗中巧取，而商賠本還官。」所以尹繼善奏請「應照依廷議仍令商辦交易變售之事，而官為之統攝照應。」準噶爾貿易，定例申子辰年在肅州交易，寅午戌年在京交易，因乾隆十三年正月其使臣唵吉等入京奏請肅州貿易人數，比照進京貿易人數加增至二百人，奉旨允准，並准其於入京貿易年分就近在肅州交易，易言之，在三年之內須交易兩次。歷屆商人交易既畢，將皮貨發運硝熟，已過本年銷售期限，必待次年變售，又需一年歸賑，而預貯交易貨物，必須先於上年購足，是商人承辦交易一次，必越三年之久，商本始能轉輸。若令其隔年一次接續領辦，勢必貨物陳陳相因，本盡停壓，雖有殷商，力亦難支，何況陝甘地處極邊，殷實商賈甚少，承辦交易每次按十萬上下計算，則非有數十萬家貲者不敢承辦，而且郎中王鍾歷年賠累虧本甚多，遠近傳聞，商人莫不以王鍾為前車之鑒，裹足不前，不肯以有限脂膏填外夷無窮慾壑，所以商辦亦屬窒礙難行。乾隆十四年（1749）八月二十四日，尹繼善復奏請暫准官辦，前後所奏意見游移，自相矛盾。是年十月二十二日，準噶爾大宰桑諾落素伯等率領商隊三百零一人，內達子一百零四人，纏頭一百九十七人，自伊里起程，行走六個月零七日，於乾隆十五年（1750）四月二十九日抵達哈密東打坂。據宰桑口報貨物數目，羊十五萬六千餘隻，牛馬駝隻俱以千計，各項皮貨共六七萬張，統計不下二十餘萬兩。從前節次交易，甲子年計銀

四萬一千餘兩，丙寅年計銀九萬五千餘兩，此次各物遞增至數倍，而且乾隆十三年多帶人數僅三名，今竟多至一百零一名。因此尹繼善指出「查準夷之性，詭而無恥，貪而無厭，見小圖利，是其慣技，自交易以來，貨物日見遞增，從前皮張不過一、二萬，而今增至六、七萬矣。從前之牲畜不過數萬，而今竟增至十六、七萬矣，從前之人不許過一百，而今增至二百，竟又來三百矣。彼處皮張不費資本，牛馬駝羊孳生繁衍，遍地皆是，且將纏頭牲畜沿路包攬趕逐隨行，故近年交易有日增無已之勢，若聽其任意而來，不至於數十萬不止，如果可以將就辦理，原不必與之較錙銖，乃從前商辦之時，諸事令夷人便宜，所定價值未免太貴，而換來之貨，內地難銷，又須減價售賣。王鍾承辦數次，皆謂大有賠累，臣先猶未深信，及今歲官辦，臣悉心講究，通盤核算，其中底裏，方得悉知。在官辦運送貨物，俱用驛站車輛，可以節省腳價，並裁減一切雜費，或可不至虧賠，若商人承辦，無不損折。原本肅州交易，後隔一年一次，前貨未售，後貨又來，若每次有數十萬之夷貨，即每次需數十萬之本銀，即有富商大賈，力量亦難以為繼，此所以聞說畏阻無人敢於承辦也。況夷貨既多，須分銷變賣，奈陝甘邊地窮寒，各項皮張，全賴四路商販，每年所銷不過二、三萬張，羊隻不能遠販，只可在安西、甘肅一帶發銷，每次最多亦不過銷三、四萬。王鍾從前之貨陳陳相因，至今皮張堆積未售者尚有數萬，羊隻雖給販戶分領，而至今羊價拖欠不清。若此後貨物日漸增多，內地愈難銷售，派累附近商民均受其累。在夷人以無用之物耗內地之財，所關係者猶小，而以百姓有限之脂膏，供外夷無窮之貪壑，致令縱肆無度，玩視中華，此有關於國體者甚大。」⑱質言之，準噶爾傾銷過剩畜產，清朝商辦固不如官辦，然而無論商辦或官辦，其歲竭中國脂

膏，實已不可勝數，天朝為撫恤遠夷，而施恩允准準噶爾商民來華貿易，今閉關不可，互市徒增嫌隙，為顧全國體永靖邊圉，對準噶爾必須大張撻伐，以杜後患。

二、準噶爾內亂與清軍進勦之原因

　　噶爾丹策零汗在位後期，準噶爾內部已經呈現不安跡象。乾隆九年以後，境內出痘死者甚衆，墨得格齊巴圖魯宰桑等俱因出痘身故。噶爾丹策零畏懼出痘，遠至北部哈薩克邊境藏避。其所屬吉爾吉爾部頭目甘班圖伯克等乘機作亂，修築薩瓦爾格里雅城，截奪往來商旅。噶爾丹策零自避痘處返回伊里，派兵三千名擒殺甘班圖伯克。至於阿木賓禪、阿卜都爾噶里木汗等更因兵力充足，佔據四處部落，不聽約束。乾隆十年正月，噶爾丹策零遣回民巴克達呼雅遜都喇嘛沙巴勒賓等四十人前往阿卜都爾噶里木部落，竟遭截殺。噶爾丹策零調遣厄魯特兵二萬四千名、哈薩克兵四千名、吉爾吉爾兵二千名，命其同族臺吉策卜登圖拉爾等率領進勦。據內附準噶爾人孟克稱「色布滕領了三萬達子，往阿布都克齊木出兵去了，得了兩處城，一處叫瑪兒格郎，一處叫烏蘭特滿。」是年九月，噶爾丹策零病歿，在位十八年，準噶爾遂陷於長期內亂，篡奪相尋。噶爾丹策零遺有三子一女，長為喇嘛達爾扎（Lama darja），次為策妄多爾濟那木扎爾（Tsewang dorji namjal），三為蒙庫什（又作莫克什）。女為烏蘭巴雅爾（又作鄂倫拜牙喇）。準噶爾宰桑議立喇嘛達爾扎，因喇嘛達爾扎係噶爾丹策零庶子，準噶爾嫡庶觀念很濃厚，故大宰桑滾布、達什達巴、活拖洛等反對立庶子，而改立嫡子策妄多爾濟那木扎爾。據脫出準噶爾部人俄爾機圖供稱「當日噶爾旦策凌死後，裏頭的宰桑就要立這拉木額爾多呢巴兔兒，因為守邊界的大宰桑滾布、達

什達巴、活拖洛說拉木額爾多呢巴兔兒是噶爾旦策凌占了別人的女人帶來的，不是親骨頭，澤旺多爾濟納木扎爾是噶爾旦策凌的嫡子，宰桑也很愛他，應該立他才是。因此把澤旺多爾濟納木扎爾立了。」又云「大策凌敦多、小策凌敦多都合噶爾旦策凌是伯叔弟兄，當日阿剌蒲坦死後，噶爾旦策凌是大策凌敦多與小策凌敦多保著坐了位，後來噶爾旦策凌死了，滾布、達什達巴、活拖洛要立澤旺多爾濟納木扎爾。」⑲拉木額爾多呢巴兔兒就是喇嘛達爾扎，澤旺多爾濟納木扎爾就是策妄多爾濟納木扎爾。當策妄多爾濟納木扎爾坐床意為即位時，年方十二歲，由其胞姊烏蘭巴雅爾及姊夫賽音伯勒克等代管諸務。策妄多爾納濟木扎爾殘暴嗜殺，日以屠狗為戲。據鄧比（Denby）稱「策妄多爾濟采扎爾即位後，第一步行動就是將其弟置於死地，其次又欲將其兄置於同樣命運。」⑳烏蘭巴雅爾等每以善言規勸，禁其暴亂，然而屢諫不納，竟聽信讒言，疑其姊欲自立為扣肯汗即女人掌國事者。策妄多爾濟納木扎爾遂將烏蘭巴雅爾及賽音伯勒克押解回部地方羈禁。

　　策妄多爾濟納木扎爾即位後，準噶爾用事大宰桑主要為納慶、活拖洛、必齊漢插漢、巴雅斯、瑚朗、博和爾岱、哈柳、和卓、吹納木克等，惟因主少臣疑，彼此不睦。活拖洛是小策凌敦多布之子宰桑達什達巴的外甥，也是策妄多爾濟納木扎爾的母舅。納慶之母是策妄多爾濟納木扎爾的嬭母，乾隆十一年冬間，納慶被誅。準噶爾醫生拜牙喇於乾隆十二年五月內附後供稱「澤旺多爾濟納木扎爾今年實在歲數纔十四歲，新近在克忒卡倫上看守我的兩個人說澤旺多爾濟納木扎爾原是宰桑納慶的娘嬭大的。昨年冬上，宰桑博活爾岱向納慶說澤旺多爾濟納木扎爾年輕，準噶爾部落很重，掌不住事情，你是他的嬭哥，他有個姐姐叫鄂倫

拜牙喇，若給了你幫著他辦幾年事，等澤旺多爾濟納木扎爾長到二十多歲上，他就好管事了。納慶說，這個話我不好說，你替我去說。博活爾岱原與納慶兩個很是相好的，把這個話向澤旺多爾濟納木扎爾說了，沒有回話，把博活爾岱就殺了，把納慶拏住，剝了衣服，放黑鷹抓他，納慶把黑鷹腿摔折了。澤旺多爾濟納木扎爾又把木籠裏養的俄羅斯狗放了幾條，把納慶扯死了。」㉑因納慶之妻為活拖洛之妹，策妄多爾濟納木扎爾又命必齊漢插漢率兵二百名前往納文地方擒拏活拖洛，其他如策卜登圖拉爾及其叔果莽堪布喇嘛等俱遭誅戮。策妄多爾濟納木扎爾殘暴嗜殺，對外亦喜用兵。據自準噶爾脫出厄魯特人博克供稱「我逃來的時節聽見人說，必齊漢插漢傳知各處要派二萬人往俄羅斯地方出兵去哩。」又供「俄羅斯與準噶爾家從前原和好，如今不知為什麼事情出兵，現今烏魯木齊之墨特宰桑管的一千家人內派下一百一十五個人都收拾馬匹衣服器械口糧，三月二十七日就要起身哩。」㉒至於哈薩克等部亦虎視眈眈，欲窺伺準噶爾邊境。乾隆十五年（1750），策妄多爾濟納木扎爾終於被弒，各宰桑改立其庶兄喇嘛達爾扎。其廢立時間，據準噶爾貢使額爾肯稱是在本年秋間，並稱因病被廢：「澤旺多爾濟納木扎爾原有心瘋病，不能管事，我們辦事大宰桑，從前商量要立澤旺多爾濟納木扎爾的哥哥拉木額爾多呢巴兔兒。因拉木額爾多呢巴兒說先教澤旺多爾濟納木扎爾管事，如病不好，再作商量，如今病漸沈重，是以將拉木額爾多呢巴兔兒立了。」㉓額爾肯欲隱諱準噶爾內情，所述似非實情。據脫出準噶爾人俄爾機圖稱，策妄多爾濟納木扎爾被弒發生於是年春間：「澤旺多爾濟納木扎爾打圍到半路裏，拉木額爾多呢巴兔兒迎著來要拿澤旺多爾濟納木扎爾，兩下裏打了一仗，跟隨澤旺多爾濟納木扎爾的人，都歸順了拉木額爾多呢巴兔兒。澤

旺多爾濟納木扎爾見勢頭不好，跑回來到半路裏遇見宰桑博活洛岱，把澤旺多爾濟納木扎爾拿住，獻給拉木額爾多呢巴兔兒，將眼睛治瞎，送到阿庫素地方，死活不知道。」㉔宰桑敦多布亦供稱「策旺多爾濟那木扎勒自知兇暴淫亂，懼衆人謀害，可代伊立為臺吉者，惟喇嘛達爾扎。有臺吉賽音伯勒克與為首宰桑厄爾錐音、袞布、鄂勒吹鄂羅什瑚、巴哈曼集、那木扎多爾濟、博和爾岱商謀，乘策旺多爾濟那木扎勒行圍，即將伊擒住，另立喇嘛達爾扎為臺吉，經小策零敦多布之子達什達瓦密告其謀。策旺多爾濟那木扎勒聚兵將厄爾錐音拏獲，袞布等聞知，隨即領兵將厄爾錐音奪回，復將策旺多爾濟那木扎勒擒住，矐其兩目，併達什達瓦，俱送往阿克蘇囚禁，遂立喇嘛達爾扎為臺吉。」㉕是年九月，準噶爾宰桑薩喇爾率衆投誠，經軍機大臣詢問，據稱策妄多爾濟納木扎爾已為其屬下所弒。高宗授薩喇爾為散秩大臣，賞給畜產，編設佐領，安插於察哈爾。

　　喇嘛達爾扎坐床後，報復過分殘忍，引起內部不安。大策零敦多布之孫達瓦齊，在額爾齊斯沙喇泰地方游牧，地險人衆，「是狠有根基，有力量的人」。喇嘛達爾扎欲誅宰桑達什達巴等，達瓦齊頗不以為然。據俄爾機圖供稱「把沙喇奔地方住的防哈薩克的小策凌敦多的兒子宰桑達什達巴，並達什達巴的外甥，是活拖洛的兒子名叫拖洛孟可都拿了的緣由打發人向沙喇泰住的大策凌敦多的孫子名叫達巴氣說去，達巴氣說，達什達巴又沒爭他的位，為何拿他，旣然拿了，向我說著怎麼樣呢？」達瓦齊議立策妄多爾濟納木扎爾幼弟蒙庫什，喇嘛達爾扎遂誅殺蒙庫什。據準噶爾部人烏巴什供稱「從前策旺多爾濟那木扎爾被害時，尚存幼弟蒙庫什。有臺吉達瓦齊及阿睦爾撒納等欲立蒙庫什，遣二宰桑前往蒙庫什處，為喇嘛達爾扎所覺，與蒙庫什俱被害。」㉖

乾隆十六年（1751）夏秋之間，喇嘛達爾扎傳喚達瓦齊，欲藉口議事而誅除之。達瓦齊預知其謀，不敢離開其游牧。準噶爾部人伯勒克供稱「喇嘛達爾濟坐了臺吉時，有四個辦事的大宰桑說大瓦齊有反意，只說商量事，叫大瓦齊來伊里，把他拏住就除了害了。因差人去叫大瓦齊，大瓦齊對來人說，這明是你們四個宰桑哄我去害我，如今叫他四人都住我這裏來，我再往伊里去。喇嘛達爾濟即差兩個宰桑，一叫阿什，一叫索那木帶兵去拏大瓦齊。」㉗準噶爾商民鄂魯特西拉布等亦稱「我們聞得本年秋間，我們臺吉拉嘛達爾濟差宰桑博和爾岱往近這面邊界所住臺吉達哇氣處傳，說我所坐以來，你竝未來見，你今即隨博和爾岱來我處，有國事商量。達哇氣隨說先前爾等拏澤旺多爾濟納木扎爾之時，竝未令我知道，如今有何事向我商量，看來爾等竝無好心，我是不去的等語。宰桑博和爾岱回去，將此話告訴拉嘛達爾濟。拉嘛達爾濟說，看來達哇氣斷非與我們一氣之人，我們如今相應派兵一萬征勦。拉嘛達爾濟隨派宰桑博和爾岱、鄂爾惴統領征勦，後達哇氣屬下喇嘛格隆聽見此話，隨即逃回，盡情告訴與達瓦齊知道。」㉘達瓦齊與臺吉達什、策凌烏巴什等商議投誠天朝，定於乾隆十六年九月中旬起程，達什等暗將達瓦齊私謀告知喇嘛達爾扎，喇嘛達爾扎即發兵來追。是月二十二日，達瓦齊帶領所屬五千人前往霍通哈爾蓋地方，喇嘛達爾扎拿策凌烏巴什領兵追趕，爲達瓦齊所敗，損失過半，惟策凌烏巴什仍帶殘兵尾追不已。宰桑博和爾岱、鄂爾惴等則領兵一萬名屯駐於納林布魯爾河及阿爾泰山等處。十月十七日，喇嘛達爾扎遣庫本、土美等六十人，將達瓦齊屬下赴邊貿易回民苦楚克木魯特等三十六人、厄魯特孟可等十六人俱綁送伊里。達瓦齊與輝特臺吉阿睦爾撒納、班珠爾等議定款關內附，因恐阿爾泰山地狹難行，爲屯兵堵截，

乃率所屬人眾由額爾齊斯往投哈薩克。據伯勒克等供稱「大瓦齊
先得了信，帶了部落下的人要投哈薩克，被喇嘛達爾濟的兵趕
上，將他家眷部落下人拏回。大瓦齊只剩得一百多人，內有塔爾
巴哈臺地方住的一個頭目叫阿木爾沙那，一同投往哈薩克地方去
了。喇嘛達爾濟知道了，把阿木爾沙那管的人分給眾人一半，其
餘一半給與阿木爾沙那的叔叔挿克答爾管了，又把大瓦齊家眷拏
到伊里看守，要等拏住大瓦齊一同傷害。」㉙喇嘛達爾扎遣兵前
往哈薩克追勦達瓦齊，其兵竟倒戈相向，轉投達瓦齊，結連哈薩
克兵潛返舊游牧，收集部屬，於乾隆十七年（1752）十一月二十
七日進攻伊里，十二月二十一日，喇嘛達爾扎被殺。據伯勒克稱
喇嘛達爾扎「差人往哈薩克處去要大瓦齊，哈薩克不給，喇嘛達
爾濟隨派了兩個宰桑，一叫賽音伯勒克，一叫納墨苦吉爾哈爾帶
領三萬人去拏大瓦齊。哈薩克的人商量，如今準噶爾派人來拏大
瓦齊，如不給他，必須交兵，莫若把大瓦齊、阿木爾沙那兩個人
送去，免得費事。有哈薩克一個小頭目與大瓦齊相好，就把情由
告訴大瓦齊，幫了一匹馬一個人，叫大瓦齊自己取便，大瓦齊隨
同阿木爾沙那並原帶的一百多人，又帶了素日相好哈薩克的幾個
人逃走，路上看見準噶爾的兵，大瓦齊們暗暗的遶路，走到原住
的塔爾巴哈臺地方，同阿木爾沙那將原管的舊人都收了，又把挿
克答爾全家殺壞，挿克答爾管的人都歸順，共湊有一千多人。有
從前天朝來過的呢瑪回去，被喇嘛達爾濟拏來交給卜爾他喇嘛地
方看守，大瓦齊路過，將呢瑪放了，一同帶上。一路遇見的人，
也有殺的，也有收的，直來伊里拏喇嘛達爾濟。喇嘛達爾濟聽見
復差四個宰桑，一叫兔勒苦，一叫烏克兔，一叫阿什爾，一叫卜
地，著在沿邊地方挑兵截拏大瓦齊。這個四宰桑兵還沒有挑齊，
走到半路，就迎著大瓦齊，這兔勒苦、烏克兔兩個就順了，阿什

爾、卜地兩個不順，被大瓦齊趕上殺了。去年十一月二十七日就到伊里，把喇嘛達爾濟拏住殺害，大瓦齊坐了臺吉將自己家眷收回，是我索諾木桑吉親眼見過，還與他磕過頭。」達瓦齊等襲殺喇嘛達爾扎的經過，據烏巴什供稱「哈薩克汗阿布賚向達瓦齊言，此地恐不能相容，達瓦齊遂與阿睦爾撒納率所屬乘間逃至舊游牧地，會兵四百人，沿途收集，以兵扼闖勒奇嶺，十一月二十七日黎明，猝至喇嘛達爾扎處，焚其盧帳，喇嘛達爾扎爲阿睦爾撒納射傷身殞，達瓦齊自立爲臺吉。」貿易纏頭回民伙賞亦稱「我前年跟額連胡哩貿易回去，那時達瓦齊正領著人到伊里，與喇嘛達爾濟打仗，將達爾濟營盤圍了兩天。有達爾濟辦事的纏頭頭目，大家商量說是爲他一個苦了衆生，遂將喇嘛達爾濟拏去獻與達瓦齊，那是臘月二十一日，達瓦齊就把達爾濟殺了，自己坐了臺吉。」③

　　達瓦齊篡位自立後，喇嘛達爾扎親信舊人，多遭誅戮，漸失人心。據準噶爾人巴兔兒供稱「底下的人都說達瓦齊不是正經主兒，人心離亂的狠，裏頭的喇嘛也都不服，又與哈薩克、布魯特家打仗。」伯勒克亦稱「舊日辦事的宰桑頭目，也有殺了的，也有看守的，並發往別處去的。大瓦齊將自己舊日原管的地方給了阿木爾沙那管著，又把他舊日原管的人都收回來，沒有牲口的都給了牲口，仍叫在原地方上住，都都交給阿木爾沙那經管。」「大瓦齊又差額爾沁向從前帶兵去拏他的宰桑塞音伯勒克、納墨苦吉爾哈爾二人說你們若是投順就罷，若不投順，就要發兵來拏，納墨苦吉爾哈爾原與大瓦齊是好朋友，就順了，這塞音伯勒克不順，逃走，被納墨苦吉爾哈爾拏住，交給大瓦齊發到葉爾坎哈什哈爾地方去了。」納墨苦吉爾哈爾又譯作訥默庫濟爾噶爾，是小策零敦多布之孫，旋與達瓦齊因隙成仇，兵戎相見。杜爾伯

特臺吉錫第之子策凌及達賴泰什之子策凌烏巴什原係達瓦齊宗族，因達瓦齊與訥默庫濟爾噶爾連年搆兵，俱向策凌及策凌烏巴什求助，策凌及策凌烏巴什惶惑不安，莫知所從。回民伙賞供稱「策令、策令五把什住在俄羅斯烏裏洋海的夾空子裏，因起先達瓦齊叫他出兵與納木庫濟爾噶爾打仗，沒有去，後來達瓦齊將納木庫濟爾噶爾殺了，又叫他去，他害怕，就帶領所管的人投奔天朝來了。」乾隆十八年（1753）十月二十一日，策凌及策凌烏巴什率領所屬人衆，由額爾多斯河起程款關內附。十一月初九日，抵達烏里雅蘇臺，其投誠人衆合計三千一百七十七戶，內含臺吉五員、喇嘛二百九十三名、從前被俘內地滿洲綠旗五十名及男婦老幼等總數不下萬人。高宗命侍郎玉保前往照料，辦理安插。達瓦齊篡弒坐床，阿睦爾撒納返至舊游牧塔爾巴哈臺雅爾地方駐箚，管轄五個游牧，防守準噶爾北境。阿睦爾撒納精明能幹，處事果斷，漸爲達瓦齊所忌，兩人之間遂因細故爭吵，終成水火。據厄魯特卜倫供稱「達瓦齊坐了臺吉，聽人說，與阿木爾沙那不和，動兵打仗哩。」又供「聽得從前喇嘛達爾濟有一個大宰桑叫達什，是策令、策令五把什的哥哥，係阿木爾沙那的丈人，原先向喇嘛達爾濟說過達瓦齊的不好處，要害達瓦齊。後來達瓦齊坐了臺吉，將達什拿了，阿木爾沙那討要，達瓦齊不與，把達什殺了，因此阿木爾沙那不忿，與達瓦齊打仗。」[31]《異域瑣談》亦載「達瓦齊立，不能統馭所屬，其下歲多叛亂，必阿睦爾薩納來爲之紀理也。阿睦爾薩納數訕讓之，達瓦齊遂以隱恨成隙。其後達瓦齊漸與國人和睦，則以阿睦爾薩納賊狠起兵欲殺之。」[32]達瓦齊嗜酒好殺，阿睦爾撒納屢諫不聽。乾隆十九年（1754），阿睦爾撒納屬人巴兔兒、俄里最、滿果什三人脫出後供稱「去年十月裏，阿木爾沙那差的得木器，名叫巴牙兒帶了我們九個人往伊

里，與達瓦齊投送字兒，並向巴牙兒當前吩咐，你見了達瓦齊就說我說的，他和我相與的，好酒要少吃，不可聽底下人的話，將阿拉臺一帶地方撥給我管。我們到伊里，將這言語向達瓦齊說了，把字兒投上，字兒內情由，我們不知道。達瓦齊看了字兒，把我們十個人圈起看守了，到十一月裏，聽的達瓦齊發兵與阿木爾沙那打仗。」又供「阿木爾沙那同達瓦齊自哈撒克帶兵回至伊里，將喇嘛達爾濟攻滅，向達瓦齊曾說伊里以北讓我管理，卜羅塔拉以南給達瓦齊管理，後因達瓦齊不允，所以爭殺。」㉝達瓦齊命沙克都爾曼濟臺吉等領兵三萬名前往塔爾巴哈臺，攻打阿睦爾撒納。阿睦爾撒納與訥默庫率眾移居都蘭哈拉。達瓦齊復遣宰桑巴雅爾、布林、瑪林特、哈薩克錫喇、臺吉諾布追趕搶掠。阿睦爾撒納力量不敵，而且對於準噶爾永無止境的累世家族仇恨，已感到十分厭倦，乃與訥默庫、班珠爾等率眾由博東齊、烏英齊向內地遷移，沿途又為扎那噶爾布等帶兵搶掠，邊戰邊走，損失甚重，行四十餘日，於乾隆十九年七月初六日抵達北路喀爾喀邊境，並遣其部人得齊卓特巴恰巴彥鄂爾特克前往卡倫請求內附，是月初八日，其屬眾進入卡倫，計四千餘戶內含兵丁五千名及婦孺老弱二萬人，共二萬五千餘人。高宗命貝子扎拉豐阿帶領乾清門侍衛德善等齎物賞賜，從前投誠的散秩大臣薩喇爾隨同前往迎勞，並命員外郎唐喀祿以副都統銜會同侍郎玉保前往辦理安插事宜，遵旨將投誠人眾俱於烏里雅蘇臺附近安插居住。

　　準噶爾連年戰亂，厄魯特人及纏頭回民紛紛入邊避亂。達瓦齊篡位自立後。眾叛親離，所屬臺吉宰桑款關內附，接踵而至，其戶口多達數萬人。高宗即位以後，清廷與準噶爾雖曾議定疆界，確立通商章程，惟未曾議及刷還逃人問題。其歸順人眾，若卻之塞外，既不足以彰「天下共主」之仁，處之緣邊，則適足以

滋藩封之患，高宗於是力排衆議，決心大張撻伐，攻佔其地，衆
建而分其勢。乾隆十八年（1753）八月，舒赫德曾議及遣使前往
伊里修好，高宗雖無意乘亂興師，但於修好之說，則頗不以爲
然。「所稱遣使修好，殊爲不曉事體，前之止兵修好，是與噶爾
丹策凌修好而已。至達瓦齊本係別支，膽敢作亂弑君，自爲臺
吉，若係屬國，尚當興師問罪，但我大國無乘亂興師之理。今若
遣使前往，不惟於體制未協，反謂我國畏彼，每立臺吉必皆遣使
任意干請。況準噶爾之性，無事尚欲捏造妄言，若欲定議修好，
彼必遣使往返，言之不已矣。」㉞永常奏請循例先期預備官辦貿
易，高宗亦不准其照常貿易。是年十二月二十日寄信上諭稱「永
常奏稱準夷貿易之期將屆，請仍舊暫爲官辦，照例動帑預備等
語。貿易貨物，看來可以不必先期預備，達瓦齊此時與訥木濟爾
噶爾彼此搆釁，應無暇計及貿易之事。但該夷有利必趨，或仍循
舊例，遣人到哈，亦未可定，可傳諭永常令其即行卻回，並曉以
從前因加恩噶爾丹策令，是以准其按年貿易，嗣策旺多爾濟納木
扎爾及喇嘛達爾濟先後襲爲臺吉，念其皆係噶爾丹策令之子。今
達瓦齊非其族類，乃由弑奪而得，且達瓦齊亦並未遣使請安奏
明，何得仍循往例，妄生冀倖，矧近日馬木達前來北路，闖入卡
倫，繼復畏懼逃回，現在遣人前往問究，若果達瓦齊犯界非理，
縛獻自贖，並遣使奏明，或可仍准貿易，此時不當遽准貿易。」
安西提督王進泰以哈密毘連準噶爾，厄魯特人衆紛紛內投，因而
密飭各卡倫防守兵丁將大隊降夷阻留卡外，拘其器械馬匹，不肯
輕加收留。十二月二十五日，高宗於寄信上諭中指出「此奏所見
甚小，撫馭外夷之道，原在隨時籌酌，相機辦理，從前策旺多爾
濟納穆札爾及喇嘛達爾濟先後襲爲臺吉，念其皆係噶爾丹策凌之
子，是以加恩准其遣使入覲。今彼中現在紛爭搆釁，皆篡弑之

人，達瓦齊又非其族類，何屑以和好爲言。其所屬夷人避亂投誠
到卡，乃窮蹙來歸，天朝自當收留安置，何必阻留卡外，絕其內
附之心。如何追兵來趕，即當守我卡倫，無令闌入，彼若闌入，
即當拘執，方爲正理，且投誠人等有何不便收留。奏中又稱拘其
器械馬匹，此向來綠旗小見飾詞，旣許其內屬，更不當示以猜
疑，使之駭懼，非推誠布公之道。」厄魯特人衆性如犬羊，篡奪
相尋，頻年以來自相吞噬，人心離散，正是天賜討逆安夷的良
機。乾隆十九年五月初四日，高宗諭稱「達瓦齊篡立，則係伊之
僕屬矣，今伊貢使前來，若仍前相待，我朝當全盛之時，國體攸
關，不應委曲從事，以示弱於外夷，若少示貶損，準夷素性猜
疑，陰懷叵測，將來必致搆釁滋事，不得不先爲防範。況伊部落
數年以來內亂相尋，又與哈薩克爲難，此正伊處人心離散，事會
有可乘之機，若失此不圖，再閱數年，伊事勢稍定，必將不能忘
情，然後倉卒預備，其勞費必且更倍於今。況伊之宗族車楞、車
楞烏巴什等率衆投誠至萬有餘人，亦當思所以安插之道。朕意機
不可失，明歲擬欲兩路進兵，直逼逵里，即將車楞等分駐游牧，
衆建以分其勢，此從前數十年未了之局，朕再四思維，有不得不
辦之勢。」清廷籌辦進勦準噶爾軍務，所有漢大臣皆未與議，滿
洲大臣如策楞、舒赫德等俱不主用兵，惟大學士傅恒仰承旨意，
奏請辦理。是年七月以後，阿睦爾撒納、瑪木特等先後率衆來
降，高宗盡悉準噶爾內情，認爲時機業已成熟，遂決心乘其內亂
興師征討。十月十三日，高宗召見滿洲王大臣宣示辦理準噶爾原
因云「朕於準噶爾，初無利其土地人民之念，而彼又極恭順，朕
是以置之度外，任其存留而已。今達瓦齊係噶爾丹策零屬下之
人，獲罪於喇嘛達爾扎，奪據臺吉。朕果貪取其地，乘伊之亂，
何難興師問罪。惟是準噶爾究屬邊夷，達瓦齊誠能守分，遣使乞

恩，朕亦必加容恕，是以杜爾伯特臺吉車凌等投誠，朕尚遣人於
黑龍江等處，勘視通肯呼裕爾地方，安置伊等，並無用兵之意。
不意達瓦齊今歲遣使敦多克等以闡揚黃教休養眾生，假辭陳奏，
則其意竟欲與朕相埒。達瓦齊弒君悖亂，詎可以鄰國自居，且今
歲輝特臺吉阿睦爾撒納等又領數萬眾投誠。朕以天下大君，焉有
求生而來者不爲收養之理，轉致被達瓦齊戕害。夫收之則必養
之，若令附入喀爾喀游牧，非惟喀爾喀等生計窘迫，數年後必有
起釁逃避之事，則喀爾喀等轉受其累矣。況達瓦齊作亂之人，今
即收其數萬眾，雖目前不敢妄舉，而日久力足，必又蠢動，侵我
邊圉，與其費力於將來，不若乘機一舉，平定夷疆，將軍凌、阿
睦爾撒納安置原游牧處，使邊境永遠寧謐之爲得也。然準噶爾之
事，自皇祖皇考時，頻煩聖慮，歷有年所，因機無可乘，故大勳
未集。今事機已值，無煩大舉，以國家之餘餉，兩路並進，不過
以新降厄魯特之力，少益以內地之兵，即可成積年未成之功。」
質言之，高宗欲改變從前和平政策，大張撻伐，以夷攻夷，坐收
事半功倍之效。陝西巡撫陳弘謀可算是各省督撫中於摺奏時喜用
辭藻最能與高宗舞文弄墨者之一。陳弘謀奏稱「我皇上以天地爲
心，視中外如一家，準噶爾向化輸誠，已非一日，今被庶孽篡
立，鵲巢鳩居，正派之臺吉反無寸土得安住牧，此亦準噶爾之大
變也。聖主惻然憫念車楞等之失所，遠來安置，犒賚爵賞有加。
至於達瓦齊逆惡滔天，殘害蒙古，罪不容誅，皇上赫然震怒，興
問罪之師，行弒逆之討，蓋興滅繼絕，治亂持危，聖主所以懷柔
遠夷，而非乘危襲取，利其疆土也。」㉟易言之，高宗鋤強扶
弱，興滅繼絕，振興黃教，替天行道，乃是王師弔民伐暴之舉。

三、清軍初定準噶爾之經過

　　內地通準噶爾主要有二路，北路出烏里雅蘇台即進入準噶爾境，西路再分二道，一在甘肅哈密迤西由烏克兒打坂至巴里坤，一在青海迤西柴達木由噶斯出口。在青海地方駐有蒙古及西寧鎮兵數千名以供調遣，哈密為西陲屏障，築有新舊二城，相距里許，新城設有駐防兵二千名，舊城則係回民居住之所。在哈密以西共有五堡，相隔較遠，回民散處耕種，放牧牲畜，一遇警報，總兵督率回民將人畜收入堡內，閉門固守。準噶爾大隊人眾每乘濃雲大霧及風雨寒凍昏黑陰晦之際潛至邊界，掠奪牲畜。官兵則採堅壁清野之策，於每年九月以後，將防兵馬匹收槽餵養，使準噶爾野無所掠。防守卡倫兵丁，遇警傳遞煙火，晝煙夜火。其起火點放之法，是預在柴堆內埋藏易燃引火物體，上拴走線，繫於墩臺上面，點燃起火順線直入柴堆，不待卡兵親點，其火自舉。傳煙之後，各卡鱗次飛捲歸城，各城堡俱豎立高竿，晝則懸旗，夜則懸燈，使官兵回民易辨方向。哈密一名即從回語哈勒密勒音轉而來，哈勒即瞭望，密勒即墩臺，哈勒密勒原意即瞭望墩台。惟駐防官兵專主堅守，缺乏攻擊力量，為大張撻伐聲罪致討，必須添調滿洲勁旅，始克集事。

　　乾隆十九年閏四月，策凌及策凌烏巴什所屬人戶，遵旨編設旗分佐領，高宗賜名為杜爾伯特賽音濟雅哈圖部落。是年五月，封策凌為親王，策凌烏巴什為郡王，高宗御澹泊敬誠殿召見新封親王及郡王，垂詢準噶爾內情，策凌將達瓦齊日在醉鄉，人心乖離情形，一一奏聞。高宗乃降旨於明年由北路阿爾泰及西路巴里坤二處進兵，軍機大臣遵旨議覆，北路派兵三萬名，西路派兵二萬名，內含京城滿洲兵四千、黑龍江兵二千、索倫巴爾虎兵八

千、綏遠城右衞兵二千五百、西安滿洲兵二千五百、涼州莊浪滿州兵一千、寧夏兵一千、察哈爾兵四千、新降厄魯特兵二千、歸化城土默特兵一千、阿拉善即西套蒙古兵五百、哲哩木兵二千、昭烏達兵二千、喀爾喀兵六千、和托輝特兵五百、宣化、大同綠旗砲手兵一千、甘肅各營安西綠旗兵一萬。原任陝甘總督永常以瓜州扎薩克公額敏和卓深悉準噶爾境內回衆情形，奏請將哈密、瓜州纏頭回民派撥二百名，由額敏和卓率領於西路隨營效力，令其曉諭沿途回民投誠。阿睦爾撒納等內附後，復派厄魯特兵二千三百名進勦，軍機大臣即將原派喀爾喀兵六千名內裁減二千五百名。因準噶爾兵丁習於使用長鎗，興師進勦，利於火器，因此永常又奏請每兵百名內，配搭鳥鎗手七十五名，攜用永勝威字號鳥鎗及鑽布喇鎗，砲手五名攜帶新鑄威遠砲一位，弓箭手二十名，各佩長靶刀一把，弓二張、梅鍼箭五十枝，插帶戰箭數十枝。各兵乘騎馬匹，滿洲蒙古按一兵三馬，二兵一駝，綠旗按一兵二馬，四兵一駝撥給。其領兵將弁每一萬名選派總兵二員、副將五員、參遊十員、都守二十員、千把一百員，以之管領行走。各將弁所帶跟役人數，提督帶四十名，總兵帶二十四名，副將帶十六名，參將帶十名，遊擊帶八名，守備帶六名，千把帶三名，若益以押運人員及隨營醫生匠役人等約計兩路人數不下七萬八千名。是年十一月，閩浙總督喀爾吉善以閩省藤牌兵精悍靈便，施之於平原曠野，衝突邀截，頗有得力之處，奏請派往軍營效力。高宗硃批云「朕此次即滿洲兵丁亦不多用，仍以新歸順之厄魯特攻厄魯特耳，福建藤牌雖好，恐過阿爾台即凍僵而無所施技耳。」至於米麵、羊隻、茶封及專供止渴的秋子等項，永常亦加緊籌辦，高宗卻責其失策。「永常議奏進勦官兵器械糧餉摺內，裏帶官兵跟役口糧至米麵數百萬斛，此係從前岳鍾琪所辦，乃相沿綠旗陋

習，已屬失策。況此番情形，與前更自不同，現在準夷內亂相尋，人心離畔，以天朝餘力乘機進取，正所謂取亂侮亡之時。若裹帶米麵數百萬觔，馱載前往，則兵丁防護不暇，何能輕騎進勦。且與蒙古交戰，惟應仍用蒙古行走之法，加以官軍節制足矣。」簡言之，高宗欲因糧於敵，輕騎前往。軍機大臣定議兩路大軍俱於次年四月抵達軍營。阿睦爾撒納以四月以後進兵爲時過遲，欲乘準噶爾人心離散之際，及早進兵，將包沁扎哈沁人衆先行收服，則準噶爾所屬各部必聞風投順。高宗命永常、策楞、舒赫德、鄂容安、薩喇爾、阿睦爾撒納等一同赴熱河行在陛見，商議進兵事宜。乾隆十九年九月，阿睦爾撒納所屬人衆賜號輝特額爾德尼諾顏部落，賞用鑲黃旗旗纛，班珠爾所屬人衆賜號和碩特清伊扎固爾圖部落，賞用正黃旗旗纛。惟阿睦爾撒納等以大兵進勦爲使準噶爾人衆易於辨識，奏請仍用舊纛，奉旨允准。十一月十二日，高宗駐蹕避暑山莊，御行殿，召見阿睦爾撒納等，賜宴賞賚，阿睦爾撒納面陳平定準噶爾方略。次日，封阿睦爾撒納爲親王，訥默庫、班珠爾俱封爲郡王。禮親王昭槤述阿睦爾撒納入覲情形云「阿入覲，上以撫綏事急，乘馬三日至熱河，命王公大臣皆往陪宴，阿行抱見禮，上從容撫慰，並賜上馴與乘，親與分較馬射，以蒙古語詢其變亂始末，賜宴而退。阿悚然，時多月最寒，汗下如雨，退告其人曰，眞天人也，敢不讋服。」㊱是年十二月，高宗命班第爲定北將軍、阿睦爾撒納爲定邊左副將軍，親王固倫額駙色布騰巴爾珠爾、親王銜琳沁、郡王訥默庫、班珠爾、郡王銜青滾雜卜、尙書達爾黨阿、將軍阿蘭泰、內大臣瑪木特、護軍統領烏勒登等爲參贊大臣，俱由北路進兵。以永常爲定西將軍、薩喇爾爲定邊右副將軍、親王額琳沁多爾濟、策凌、郡王策凌烏巴什、貝勒策凌孟克、色布騰、貝子扎拉豐阿、總督鄂

容安等爲參贊大臣，俱由西路進兵。是時，達瓦齊意料官兵於春草出青以前，斷不能進兵，阿睦爾撒納奏請乘準噶爾馬畜疲乏時出其不意，於二月間先進兵五六千名。乾隆二十年（1755）正月，高宗命阿睦爾撒納、薩喇爾帶領厄魯特哨探兵先行前進。議定北路於二月十五日由烏里雅蘇台進兵，西路於二月二十八日由巴里坤進兵。旋因總管阿克珠勒稟報阿睦爾撒納之兄巴特瑪車凌與哈薩克之兵往征達瓦齊，博羅塔拉以外已被搶掠。高宗見準噶爾即將瓦解，恐哈薩克僥倖獲利，遂命兩路相機前進。阿睦爾撒納提前三日，於二月十二日起程，薩喇爾於二月二十五日起程。

在北路方面，阿睦爾撒納進兵後，因厄魯特兵尚未到齊，沿途緩行前進，二月二十四日，抵達庫卜克爾，三月初一日，至齊齊克淖爾。三月初三日，將軍班第統領後隊官兵抵達庫卜克爾。初六日，參贊大臣達爾黨阿帶領其自行揀選的索倫勁卒三百名自烏里雅蘇台起程。十五日，班珠爾將降而復叛的巴朗及們都等擒獲。額林哈畢爾噶宰桑阿巴噶斯、哈丹兄弟及烏勒木濟三人迎降，其所屬人衆共計四千餘戶。達瓦齊至是始令宰桑丹津、瑪瑪什、蘇拉爾噶爾等三鄂拓克派兵防守闔勒奇、察罕烏蘇、摩垓圖嶺各處要隘。十九日，班第抵達額爾齊斯以西郭勒阿里克臺地方後，將所帶察哈爾兵一千五百名內揀選六百名星夜緊隨阿睦爾撒納進發。高宗卻諭以大兵進勦應略分先後，前隊既有哨探兵，復有將軍隨後帶兵繼進，聲勢聯絡，軍威益振。如將軍、副將軍合併一處，則衆人惟知有將軍，不復更知有副將軍，轉置阿睦爾撒納於無用之地，不足以盡其所長，因此命班第與阿睦爾撒納酌量相離數日程途，不得同在一隊行走。至於西路方面，薩喇爾於三月初七日抵達準噶爾邊界扎哈沁游牧地方，得木齊巴哈曼集率所屬三百戶迎降。初九日，宰桑敦多克率一千二百餘戶投誠，高宗

授敦多克爲散秩大臣，巴哈曼隻授爲三等侍衛。是日，將軍永常帶領綠旗及回兵自巴里坤起程，高宗以口糧甚少，不應帶此「無用綠旗兵汲汲先進」，命其在中途等候，俟索倫兵到齊後再行前進。初十日，阿巴噶斯舊宰桑德濟特之弟普爾普及其子袞布率領所屬六十戶人衆隨營效力。十二日，薩喇爾遣侍衛瑚集圖隨宰桑扎爾布多爾濟齎帶勅書至額林哈畢爾噶羅克倫地方，曉諭大台吉噶爾藏多爾濟歸順天朝。噶爾藏多爾濟勢力與達瓦齊相埒，達瓦齊篡位後屢向噶爾藏多爾濟徵兵，噶爾藏多爾濟皆置之不理，至是率衆投誠，高宗册封噶爾藏多爾濟爲綽羅斯汗。十三日，布魯特得木齊巴拉等三人所屬五百餘戶、葉克明輝特臺吉托博勒登、噶勒雜特得木齊博勒坤及諾海奇齊台吉等所屬人戶俱聞風歸順。十四日，移居扎哈沁地方的巴爾瑪部得木齊伯克勒特、收楞額庫魯克等率領舊宰桑噶齊拜之子圖爾塔默特六十戶來降。自十六日至二十三日，杜爾伯特扎薩克台吉巴爾等處陸續投誠戶口共計七千四百七十餘戶。二十九日，薩喇爾由羅克倫起程，噶爾藏多爾濟率領甚姪扎那噶爾布請求隨營效力。四月初三日，班第命巴圖孟克前往布圖爾托輝招降噶勒雜特穆哈賚得沁一百餘戶，計四百九十餘口。四月初五日，薩喇爾招降吐魯番纏頭回民一千戶，伯克莽里克率領其子及兵丁一百五十名隨營從征。初九日，額米爾河集賚宰桑齊巴漢率領一千餘戶迎降。阿睦爾撒納遣喀爾喀副都統敦多卜、厄魯特章京錫哈瑪前往收服五集賚人衆。十七日，噶克布集賚宰桑達什策凌率二千戶投誠。阿睦爾撒納又收服塔本集賚八千餘戶。是時達瓦齊帶兵駐箚察布齊雅勒地方。二十一日，薩喇爾、阿睦爾撒納據報後即輕騎前往，二十七日，薩喇爾抵達登努勒台，阿睦爾撒納則於次日抵達尼楚滾地方，兩軍營盤相距僅二十里。達瓦齊移駐伊里西北格登鄂拉，阿睦爾撒納與薩喇爾

商定北路兵由伊里河固勒扎渡口越推墨爾里克嶺前進，西路兵則由喀塔克渡口越加們嶺前進，於三十日兩路同時並進。五月初五日，渡過伊里河，沿岸居住的宰桑、得木齊相繼迎降，堪布喇嘛所屬得木齊鄂咱爾、圖園都布、根都什等厄魯特三百戶、回民一百戶、達瓦齊親兵烏克圖、哈什哈等二十餘戶、回民伯克默美特所屬二千戶、楚爾和特宰桑圖布慎所屬五十一戶、烏魯特宰桑烏勒濟所屬四十三戶、伯克默美特尼默爾所屬一千六百戶、喀什噶爾伯克賽音烏蘇卜等四十九戶，合計四千一百餘戶，先後歸順。在伊里河源朱爾都斯、崆吉斯、哈什等處居住的烏魯特、克勒特一萬餘戶亦漸次投誠。達瓦齊率衆萬人移駐尙圖斯，後負格登鄂拉，前臨泥淖，箚營堅守，惟軍械不整，馬匹疲乏。十四日夜，阿睦爾撒納遣降人翼領喀喇巴圖魯阿玉錫、厄魯特章京巴圖濟爾噶爾等帶領二十二人往探達瓦齊大營。阿玉錫等奮勇突入，往來衝擊，放鎗吶喊，達瓦齊全營驚潰，自相蹂躪，達瓦齊僅率二千人遁走。次日黎明，阿睦爾撒納等收服達瓦齊餘衆四千人，生擒台吉二十人、宰桑四人，達瓦齊親信兵丁五百餘名，獲礮六位。雍正初年由青海叛投準噶爾的羅卜藏丹津亦經擒獲，從前出征準噶爾被俘滿洲蒙古綠旗兵丁俱陸續脫出。十九日，高宗詣暢春園，以西師大捷克復伊里奏聞皇太后。阿睦爾撒納等領兵追趕達瓦齊，沿途勦殺。達瓦齊率殘兵百餘名由奎魯克嶺繞道逃往回部。參贊大臣鄂容安領兵前往達瓦齊舊游牧地方，將其妻子家口及喇嘛等六千餘人盡行收服。阿睦爾撒納命其屬人朗蘇隨回民阿卜都哈里克前往阿克蘇、圖爾璊等回子城曉諭擒獻達瓦齊。圖爾璊阿奇木霍幾斯伯克率衆於各嶺隘口，設卡防守。六月初八日，達瓦齊帶領殘兵在喀什噶爾交界駐歇，霍幾斯遣其弟攜帶羊酒往迎，請其入城暫住，霍幾斯敗伏兵林內，將達瓦齊及其子羅卜

扎、宰桑愛爾齊、丹津等七十餘人悉行擒獲。十四日，班第派索倫兵三百名及喀爾喀，厄魯特兵令副都統額爾登額等帶領前往木素爾口將達瓦齊解送軍營。《異域瑣談》稱「達瓦齊見人心離散，不能與大兵抵觸，計無所出，隱念烏什回城之阿奇木伯克幾斯係伊所立，有恩可以倚庇，遂率其子羅卜藏，並親丁百口，由穆肅爾打坂逃入回城，去烏什四十里屯箚，遣人告知霍幾斯。而霍幾斯已遣人載酒牽羊來迎，達瓦齊之黨以為不可測也，此地去烏什四十里，霍幾斯早知我等來降，僅餽羊酒，不親身來，必有他圖，速他往，不可入其城村。而達瓦齊終以渠遇霍幾斯厚，弟兄四人皆阿奇木伯克，皆達瓦齊所立，必不至於背恩，遂烹羊酌酒，俟俱醉，霍幾斯伏兵起而縛之，達瓦齊之子羅卜扎猶刃傷回子一人，達瓦齊父子就擒，霍幾斯迎接大兵呈獻，霍幾斯受王封。」㊲至此準噶爾全境蕩平，是為第一次準噶爾之役。阿睦爾撒納賞親王雙俸即雙親王，所屬護衛官兵增添一倍，其子加恩封為世子，班第、薩喇爾晉封為一等公，瑪木特晉封為三等公，色布騰巴爾珠爾賞親王雙俸，扎拉豐阿晉封郡王，策凌賞親王雙俸，策凌烏巴什、班珠爾晉封親王，大學士忠勇公傅恒因承旨主張對準噶爾用兵，加恩再授為一等公爵，「以為力矯積習為國任事者勸」，永常則因籌辦軍需不稱旨，未膺封賞。二十五日，班第遣哈達哈帶兵五百名押解達瓦齊入京。十月十七日，解送到京，行獻俘禮。高宗以達瓦齊雖係有罪之人，究屬一部台吉，特優容之，降旨免交刑部，加恩封為親王，賜第京師，帶領其子及舊日屬人四五十戶居住。據稱達瓦齊不耐中國風俗，日惟向大池馳鵝鴨，浴其中以為樂，體極肥而大，於盤腰腹十圍，羶氣不可近。

　是役，師行萬里，不傷一卒，不折一矢，長驅深入，用兵不

及半載，即已掃穴犁庭，沿途厄魯特及纏頭回民望風納款，牽羊
攜酒，迎叩馬前。伊里爲準噶爾諸部會盟之處，準噶爾汗世駐其
地。案準噶爾語「伊里」原意就是光明顯達，其城位於伊里河
岸。伊里，前漢書作伊列，新唐書作伊麗，元史作亦剌，清世宗
實錄作伊里，在清高宗平定準噶爾以前，地方文武奏摺亦作伊里
或迤里，高宗純皇帝實錄改作伊犁。惟其將伊里改作伊犁，首先
開始於梁詩正。乾隆二十年六月十七日，梁詩正撰〈平定準夷
頌〉一篇，恭呈御覽，並於原摺內稱「今我皇上乾綱獨斷，掃蕩
伊犁，奏百年之績於一朝，受諸部之降於萬里。」㊳伊犁一名遂
沿用不替。「伊里」與「伊犁」雖屬同音異譯，然而清廷改「伊
里」爲「伊犁」以寓犁庭掃穴師行神速之意，則其意義極爲深
遠。清廷所以能成此開拓疆域永靖邊圉大功，實由於高宗力排衆
議乾綱獨斷所致，惟其因糧於敵，採取以敵攻敵之策，則以降人
之功居多。乾隆二十年六月初七日，高宗於明發上諭中云「準噶
爾一事，從前我皇祖皇考屢申撻伐，而彼部落藩籬完固，未得機
會，是以暫議撤兵。邇年來，喇嘛達爾扎、達瓦齊等互相爭殺，
內亂頻仍，其台吉車楞、車楞伍巴什、阿木爾撒納等款塞內附，
先後踵至。朕爲天下共主，兼覆並幬，自當爲之經理游牧，以計
長久，而又適當達瓦齊衆叛親離，勢同瓦解，此正機有可乘之
時，因議及兩路進兵，而人心狃於久安，挾畏難之見者多，而具
奮迅之衷者百無一二。今賴上天默佑，克集大勳，計軍需所費，
較之從前，纔及十之一二耳。以機會所迫，一舉可成之功，猶多
苟安懦怯，徘徊觀望，倘更有艱鉅過於此者，尚安冀其勇往從事
乎。滿洲舊習，一聞用兵，無不人人踴躍，以不與爲恥，不意承
平日久，漸成畏葸之習至於如此，是以朕於此次大功克就，遠夷
歸化之時，不爲之喜，而爲之寒心。策楞、舒赫德〔之思葸〕，

既已屢降明旨矣。此次進勦命班第爲北路將軍，永常爲西路將軍，在班第領兵前進，亦不過遵朕所授機宜，黽勉無誤，已邀爵賞，然此爵賞非策楞、舒赫德之所應得者乎。使永常但效班第，豈不同膺寵錫之榮乎，乃伊自授事以來，強欲自用，又以不能預前進之列，更沾沾以接濟兵糧爲必不可緩之事，以見己之長，且曰自二月十二日裏兩月之糧今已將盡矣。獨不思按月齎糧，原祇就大概通融計算，若一一計口授食，久之食量不齊，有日食一盂者，亦有增至數倍者，以食多者一月之用，即可爲食少者數月之儲，乃欲比量而差等之，有是理乎。且因糧於敵，亦從來軍行勝算，永常又獨何明於彼，而暗於此也。今大兵已集，成功迅速，何嘗有軍糧不足之事，設如伊奏辦理，將輾轉輓運，動逾數旬，豈遂能接濟大兵之遄行耶。況用兵萬里之外，斷難斤斤以餽運爲事，永常所見仍兵行糧隨漢人論兵故套，而實昧於機宜，不但此也，此次功成實賴上天篤佑，新附之人深感朕恩，是以迅速集事耳，若稍有相持情形，而永常糧絕之言中於人心，其害尙可問乎。」㉟

四、阿睦爾撒納降而復叛與清軍再定準噶爾之原因

清軍蕩平伊犂後，即分隊撤回內地，將軍班第與參贊大臣鄂容安僅留察哈爾兵三百名、喀爾喀兵二百名駐箚伊犂，辦理善後事宜，因阿睦爾撒納降而復叛，終於導致第二次準噶爾之役。清軍進勦準噶爾以前，高宗已降旨俟平定準噶爾後，將四衛拉特封爲四汗，以策凌爲杜爾伯特汗，阿睦爾撒納爲輝特汗，班珠爾爲和碩特汗，其後噶爾藏多爾濟投誠，封其爲綽囉斯汗，俱依照喀爾喀部落設立旗分盟長，令四汗兼管，即「仍其部落，樹之君長」，所有四部落游牧仍各安原處，不令遷移。惟阿睦爾撒納志

不在此，欲自代爲汗，統轄準噶爾全境，其親信喇嘛亦隨聲附
和，俱望專封阿睦爾撒納一人爲汗。喇嘛呼畢勒罕預言阿睦爾撒
納「有統領準噶爾之分」，班珠爾則聲稱事定以後，高宗必封阿
睦爾撒納一人爲汗，哈薩克亦表示支持阿睦爾撒納，其致清廷國
書中竟稱「聞阿睦爾撒納仍居舊游牧，甚爲喜悅，可復覩噶爾丹
策零之時」等語。官兵進勦準噶爾後，阿睦爾撒納以托忒字㊵奏
請賞給印文以便收服輝特部離散人衆，已露擁衆獨據準噶爾之
意。乾隆二十年四月，阿睦爾撒納抵達塔本集賽後，擁兵不進，
藉口查辦屬人，逗留時日，暗將其屬人遷往博羅塔拉，預爲糾
合，以攫奪伊犂牲隻財物。副都統那蘭圖奏聞阿睦爾撒納爲達瓦
齊逼迫來降，不可深信，高宗以其謀勇兼備，爲以夷攻夷，故加
委任。阿睦爾撒納進兵準噶爾時，所至迎降，志得意滿，專擅獨
斷，其屬下兵丁沿途搶掠，則不加禁止。高宗預燭其反覆，待以
厚恩，以示寵信，復以額駙色布騰巴爾珠爾與阿睦爾撒納言語相
通，氣類相近，令其伺察阿睦爾撒納。惟色布騰巴爾珠爾漸墮其
術中，相習無忌，事事順從，阿睦爾撒納遂倚爲奧援。從前噶爾
丹策零在位時，專用小紅鈐記，其屬下台吉如有私用者，罪即應
斬。阿睦爾撒納竟以準噶爾汗自居，一切行文，概用小紅鈐記，
不用清廷所頒副將軍印信，高宗所賞黃帶孔雀翎，置而不用，亦
不將款關內附實情告知準噶爾各部落人衆。官兵收復伊犂後，阿
睦爾撒納將達瓦齊所有馬駝羊隻據爲己有，隱匿不報。所有投誠
台吉宰桑不遵旨解京，擅行誅戮。其異父同母弟班珠爾起程入覲
時力加阻止，非親信黨羽則遣其遠離伊犂。將軍班第及副將將薩
喇爾等將阿睦爾撒納悖逆情狀悉行密奏。乾隆二十年六月二十八
日，高宗以阿睦爾撒納不能安靜守分，負恩狂悖，妄行圖據準噶
爾，叛跡昭彰，斷難姑容，與其俟阿睦爾撒納勾結煽惑，變遲而

費大，不如先發制人，故密諭班第以會同防範哈薩克爲辭，令薩喇爾及鄂容安帶領所留官兵設法將阿睦爾撒納擒拏，即在軍營正法，並命阿桂等帶領將弁兵丁前往塔爾巴哈台，將阿睦爾撒納妻子及親信宰桑扎木參和通等一併拏送解京。班第以兵寡力單，不敢舉事，轉而奏請高宗面加訓諭，以折其心。高宗前已降旨，令其於蕩平伊犁後即起程入覲，至是復降旨催促，阿睦爾撒納始於六月二十九日隨額琳沁多爾濟等起程入覲。

　　乾隆二十年七月初十日，阿睦爾撒納抵達尼楚讓地方時即與親信隨從密議潛逃，令長史阿穆爾濟爾噶勒等接取扎卜堪游牧妻子人衆，令阿巴噶斯帶兵搶掠額林哈畢爾噶、葉克明安各處游牧牲畜，令庫圖齊納爾、克勒特、烏魯特、綽和爾帶兵分路搶掠駐箚伊犁將軍大臣營盤，令塔本集賽噶勒雜特帶兵由烏隆古一搶掠陸續撤回官兵。高宗命班第追回阿睦爾撒納，惟當班第奉到諭旨時，阿睦爾撒納起程已十四日，追之不及，而且哈薩克遣使入京，與阿睦爾撒納同行，恐其驚疑，不敢追取。八月十九日，阿睦爾撒納一行抵達烏隆古，已近其舊游牧地方。據額琳沁多爾濟稱阿睦爾撒納將高宗所頒定邊左副將軍印信交出，並云先至游牧束裝再行入覲。隨即帶領扎薩克林丕勒多爾濟等率厄魯特及喀爾喀兵三百二十餘名同行，額琳沁多爾濟不疑其詐。八月二十日，阿睦爾撒納不經正路，繞道從額爾齊斯地方潛逃，額琳沁多爾濟一面馳報班第，一面揀選索倫兵二百名、喀爾喀兵一百名前往追捕，阿睦爾撒納已飄然逸去。惟據趙翼等稱是年六月中，額駙色布騰巴爾珠爾奉旨先回，阿睦爾撒納私以總統厄魯特四部之意，請其代奏，相與要約而別。及額駙入京，竟不敢奏聞，阿睦爾撒納待命久不至，途次屢遷延不進，猶望能得恩旨。迨八月中旬，尚無音信，疑事已中變，恐入覲得禍，「遂陰召其衆張幕請額

宴，酒數行起謂額曰，阿某非不臣，但中國寡信，今入境如驅牛
羊，大丈夫當立事業，安肯延頸待戮，呼酒者再，伏兵四起，擁
阿出營去，阿逆徐解副將軍印紐擲與額曰，汝持此交還大皇帝可
也，據鞍馳去，嗾伊犁叛。」⑪易言之，阿睦爾撒納明目張膽負
恩叛逃，額琳沁多爾濟未能乘時擒治，非爲其所紿。八月二十四
日，駐箚烏里雅蘇台辦事大臣阿蘭泰得阿睦爾撒納潛逃信息，即
令普慶帶兵馳往扎卜堪收取其妻子人衆及馬匹，將其妻子解交侍
衞富廉押送入京。侍衞順德訥奉旨帶同厄魯特兆齊往諭阿睦爾撒
納歸順，阿睦爾撒納遞給托忒字奏摺一件，請求轉奏，內稱「臣
受皇上天高地厚之恩，諸事遵循訓示，仰賴威福，將達瓦齊及宰
桑等擒獻闕下，又將準噶爾全部歸附天朝。第班第、薩喇爾諸事
暴急，曾令額駙色布騰巴爾珠爾陳奏。臣又向伊等商議，四衞喇
特人衆，應遵皇上諭旨，取其離散，憫其窮蹙，一切如噶爾丹策
零時，令其安居。今若辦理不善，伊等性情剽悍，必生變亂，且
恐哈薩克、布魯特聞風附和，班珠爾不能聽從。至臣遵旨入覲，
行至烏隆古地方，聞有擒拏之信，不得已潛避，所有頒給印信，
不敢棄置，交與額林沁多爾濟帶回，其班第、薩喇爾如何陳奏之
處，自蒙皇上洞鑒。又班第、薩喇爾乘馬直入喇嘛經堂，將馬繫
於柱上，伊等並坐大喇嘛之上。薩喇爾無忌妄談，言四衞喇特人
衆皆伊管理，並於各鄂拓克內選擇婦女爲妻，復肆行擄掠，宰桑
克什木、巴雅爾拉虎等衆皆切齒，是以臣於未到伊犁之前，忽生
變亂（下略）。」⑫藍翎侍衞達永阿齎捧敕書曉哈薩克後返回伊
犁，乾隆二十一年正月二十八日，阿睦爾撒納向達永阿告稱「我
並未背負大皇帝之恩，此皆喇嘛宰桑等之所爲。我自伊犁撤兵往
阿爾台時，伊等遣人送信說班將軍等將我參奏，一到阿爾台即行
擒拏，而撤回之兵又逐日跟隨圍繞，我甚疑懼。後西北兩路台站

被衆鄂拓克搶掠，我不能進京瞻仰，是以復回博羅塔拉。」⑷阿睦爾撒納所奏雖未盡可信，然而伊犁衆喇嘛倉猝生變，班第等辦理不善，已可概見。官兵進勦準噶爾期間，班第、薩喇爾與阿睦爾撒納之間各存意見，班第等屢次參奏阿睦爾撒納，防範不密，郡王青滾雜卜及瑪木特屬人輾轉告知阿睦爾撒納，復從中交搆，致啓猜疑。高宗亦指出阿睦爾撒納反覆無常負恩背叛，「揆其所由，必因在軍營時與班第、薩喇勒等意見不和，恐其參奏，自生猜疑耳。」

　　阿睦爾撒納背叛潛逃後，準噶爾各部宰桑人衆互相煽誘，紛紛蠢動，搶掠台站，斷絕糧道。乾隆二十年八月二十二日。喀爾喀貝勒旺親扎卜帶兵退守伊犁，班第遣敦多克曼集安撫衆心，並派侍衛扎克素、察哈爾護軍校鄂齊爾圖率兵隨宰桑都噶爾帶兵偵察敵情。都噶爾等先已附和阿睦爾撒納，遂將扎克素等誘往宰桑克什木駐箚處看守。二十三日，克什木、都噶爾、巴蘇泰率兵搶掠伊犁。二十四日，班第、鄂容安帶兵由固勒扎向崆吉斯覓路而出。二十九日，班第等六十餘人於烏蘭庫圖勒被圍困。是夜班第刎頸死，鄂容安本書生，腕弱不能下，命其僕刺腹而死，副將軍薩喇爾帶領達什達瓦及喀爾喀兵百人由珠勒都斯不戰而退，旋爲烏魯特宰桑錫克錫爾格擒送伊犁監禁。阿睦爾撒納糾合阿巴噶斯、哈丹搶掠北路後，復欲搶掠西路台站，進擾巴里坤。是時定西將軍永常駐刮木壘，高宗命其調遣索倫兵接應北路，永常張皇失措，自相驚怖。適遇布庫努特得木齊巴圖爾和碩特及葉克明安宰桑扎木參等率所屬四千餘人前來請求遷移軍營附近居住，永常不審虛實，疑爲詭計，且軍營馬匹疲瘦，烏蘭烏蘇、克什圖等處山險路狹，恐歸路斷絕，乃挾其宰桑置軍中爲質，自木壘兼程卻走，移繳策楞帶兵自巴里坤前往接應，並將遣往安接台站的副都

統阿敏道行文撤回巴里坤。策楞帶領健銳營兵五百名馳往迎接，九月初八日，返回巴里坤，撤回官兵包括索倫、察哈爾、喀爾喀、寧夏涼莊等處共五千八百餘名。永常退回巴里坤後復議棄巴里坤，欲退守哈密，竟置北路官兵於度外，準噶爾全境遂復失陷，高宗以其貽悞軍機，降旨拏解入京治罪。永常於押解入京途中開始患病，兩膀漸覺麻木。據新任陝甘總督黃廷桂等奏稱十一月二十六日夜，永常服藥一劑，次晨仍食稀飯薄餅，二十七日，住宿臨潼，是晚又服藥一劑，夜間痰塞氣絕，猝然病故。

　　阿睦爾撒納背叛潛逃，固因其犬羊反覆，久懷叵測，惟班第等未能防患於未然，優柔寡斷，實不能辭其咎。高宗於檢討此次事件經過時曾頒諭云「額琳沁多爾濟，我之扎睦克親王，班第等以其老成可任，令與阿睦爾撒納同行，乃齊木庫爾既密告其弟逆謀已著，速當擒戮，而恬不知警，但答以我單親王，彼雙親王，不敢便宜從事，夫既為國家叛賊，尚何雙親王之足論。及阿睦爾撒納繳授將軍印信，令伊先行，尚不覺悟，逾日乃知其遁去，始以兵追捕，而已無及矣，此又自失機宜之一大端也。班第、鄂容安、薩喇勒駐箚伊犁，受心膂之寄，當聯為一體，乃班第為人，過於謹慎，氣局狹小，好親細事。鄂容安雖尚知大體，而不能通蒙古語，一應機密籌畫，未能洞悉，頗有漢人習氣。至薩喇勒之在準噶爾。譬之內地王府長史護衛者流耳，今雖授以顯秩，彼衆原所不服，而伊復粗率自大，三人者性習各殊，安望其能和衷共濟。重以阿睦爾撒納之奸，其所不悅，盡遣入朝，三臣之左右，皆其黨與，三臣深信不疑，疎於自衛，兵散處，馬遠牧，緩急無應，而軍營金帛茶布以備賞賚者頗充裕，夷衆眈眈以視，而班第等初不介意，即如敦多克曼集乃阿睦爾撒納所信用，班第等一聞搶掠台站之信，即應立為擒戮，以翦其爪牙，乃轉諭喇嘛，安撫

夷衆，敦多克曼集因得招集群兇，操戈相向，三臣倉卒衝突，賊衆大集，勢不能支，班第、鄂容安捐軀以殞，薩喇勒被執。設班第、鄂容安見機明決，早爲之所，安得至此，此二臣之殞命，種種皆由自誤，無所歸咎，而朕用人失當之誤，亦無可辭也。所可異者，阿睦爾撒納之狂悖情形，色布騰巴勒珠爾在軍營時皆所深悉，且曾受朕密旨防範者，乃毫不知察，反爲其所愚，與班第等如水火，朕是以命其來京，乃在朕前仍無一言奏及，伊親爲額駙，位列藩王，豈其與逆豎同謀，實可信其必無是理，特年少無知，初不料其至此也。」㊹

五、清軍再定準噶爾之經過

　　永常奉旨革職後，高宗改授策楞爲定西將軍，達爾黨阿爲定邊左副將軍，扎拉豐阿爲定邊右副將軍，哈達哈、玉保俱授爲參贊大臣，仍分兩路夾攻。哈達哈帶領喀喇巴圖魯阿玉錫、厄魯特降人丹津挑選索倫、喀爾喀兵一千三百餘名爲前驅，由北路進兵，達爾黨阿等帶領後隊兵丁三千餘名繼進。乾隆二十年十月二十二日，親王成袞扎布前往烏隆古、扎克鄂博地方分兵堵截包沁叛衆，計勦殺肯哲、頻達什所屬丁男三百餘人，俘獲婦孺四百餘人。是月二十二日，玉保率同宰桑車木布等帶領索倫、察哈爾兵五百名自巴里坤起程，前往額林哈畢爾噶進勦。兆惠奉命駐箚巴里坤辦事。高宗鑒於準噶爾厄魯特人衆反覆無常，降而復叛，從前辦理失之太寬，各台吉宰桑喇嘛助紂爲虐，紛紛響應阿睦爾撒納，故降旨嚴行懲治，誅戮勿赦。喀爾喀貝勒車木楚克扎布、台吉唐古忒、宰桑鄂爾奇木濟等分別將已降復叛的宰桑敦多克曼集、鄂拓克得木齊沙喇勒岱五得沁游牧人衆勦滅，諾爾布琳沁亦帶兵將布庫努特三得沁人衆誅戮殆盡。十一月初三日，吐魯番達

爾漢伯克莽噶里克遣其子白和卓派兵效力。策楞進兵特訥格爾地方後，呼爾璊台吉達瓦之弟鄂爾奇達遜帶領宰桑投誠。是月二十日，策楞率同參贊大臣鄂勒哲依等帶兵前進，與諾爾布琳沁會合進勦阿睦爾撒納黨羽阿巴噶斯、哈丹所屬人衆。二十四日，參贊大臣富德與噶爾藏多爾濟率領續到官兵自巴里坤起程，克勒特宰桑巴桑之弟普爾普自伊犁脫出，據稱伊犁宰桑喇嘛烏克圖、錫爾等密議擒獻阿睦爾撒納，並送出副將軍薩喇爾，高宗授普爾普爲三等侍衛。十二月初五日。薩喇爾遣其兄布林帶領和碩特台吉諾爾布敦多克等使臣五人齎送喇嘛書信前往巴里坤軍營投誠，並請求入覲。初七日，玉保帶兵一千餘名，一面遣人招降納木奇，一面分兵前往烏蘭烏蘇、西喇特克等處將阿巴噶斯所屬五得沁游牧人衆勦滅，參贊大臣尼瑪招降九得沁人衆。十七日，阿睦爾撒納前往伊犁坐床。乾隆二十一年（1756）正月初九日，薩喇爾抵達吐魯番，達爾黨阿、富德帶領索倫兵八百名往迎薩喇爾。高宗以薩喇爾畏葸退卻，於班第被圍時率衆先奔，降旨解京拘禁。是時，兆惠遣納噶察前往阿克蘇曉諭回民往擒阿睦爾撒納，策楞亦遣虛衛藍翎侍衛福昭、千總車布登往諭伊犁喇嘛縛獻阿睦爾撒納。各路官兵將抵伊犁，阿睦爾撒納計日可擒，福昭竟誤報台吉諾爾布於是月二十一日在雅木圖嶺擒獲阿睦爾撒納。據福昭稱「由克勒特寨桑處遣伊勒斯拜等四人前往探聽阿睦爾撒納消息，據德木齊巴彥之子俄羅斯告稱巴彥遇見烏魯特之人，詢知台吉諾爾布、固爾班賀卓、貝克博什阿哈什、巴圖爾烏巴什等將額林沁擒斬之後，阿睦爾撒納向哈什處敗奔，因被烏魯特兵截擊，復奔至雅木圖嶺，正在斫冰開道之際，被台吉諾爾布、固爾班賀卓、博什阿哈什、巴圖爾烏巴什等追及擒獲。」㊺玉保以紅旗馳報策楞，策楞不審虛實，亦率爾飛章入奏，露布賀捷，於報捷摺奏插

掛紅旗，上寫「爲恭報捉獲逆賊阿睦爾撒納捷音事」字樣。高宗降旨封諾爾布等爲親王，策楞封爲一等公，玉保賞三等男爵，並以軍務告竣，頒諭宣示中外，各省督撫藩臬接閱邸鈔後，紛紛具摺奏賀。玉保、策楞既得捷報，遂頓兵不進，達爾黨阿先已領兵由珠勒都斯前進，策楞竟咨會停止進兵，巴里坤解送馬駝，策楞亦檄行停止。內大臣鄂爾哲聞福昭捷報後即輕騎減從，馳往伊犁，始知福昭所報竟屬子虛，侍衛莫和里自伊犁脫出後亦稱未聞諾爾布拏獲阿睦爾撒納信息。達永阿自阿睦爾撒納處脫出後即稟明玉保謂官兵與阿睦爾撒納相離僅一日程途，趲行即可追及，玉保並未領兵追勦，祇令達永阿轉告策楞。是時策楞與玉保相距亦僅隔一程，策楞竟託言軍營無馬，亦頓兵不進，彼此推諉，一誤再誤，坐失機宜，以致阿睦爾撒納乘間兔脫，逃往哈薩克。是年四月，高宗降旨將策楞，玉保拏解入京治罪，以達爾黨阿補授定西將軍，兆惠補授定邊右副將軍。其後策楞、玉保由西路押解入京途中，適遇厄魯特再叛而遇害。扎拉豐阿於是年十一月遵旨入京，高宗面詢阿睦爾撒納兔脫情節，據稱「玉保前進時即慮及不能拏獲阿逆，向策楞商問，策楞令伊先行，隨後即領兵策應，後知阿逆已經兔脫，彼時營內只餘四五日兵糧，馬匹亦少，諒力不能追及，是以回至伊犁。」領隊大臣烏勒登亦面奏稱「聞阿逆脫逃之信，即請發兵五百追擒，玉保、策楞俱以伊妄希僥倖，置之不理，後伊隨同玉保前進，復請兵追拏，玉保止發兵五十名，伊同額勒登額追至庫默圖嶺，僅餘二十八人，所騎駝隻又俱疲乏，而阿逆於伊起行之日已經過嶺，竄入哈薩克境內。」易言之，玉保、策楞乖張錯謬，貽誤軍機，實不能辭其咎。

　　阿睦爾撒納逃入哈薩克後，高宗爲除後患，決心追捕首逆，「如阿逆一日不獲，即二年或十年或二十年，兵斷不止。」一面

命達爾黨阿等帶領索倫勁旅往捕，並遣人曉諭哈薩克阿布賫，阿
睦爾撒納所到之處，官兵當即窮追，期於必獲，哈薩克若稍有阻
撓，即將一體辦理，一面將準噶爾境內阿睦爾撒納同族及餘黨逐
一勦滅，以除羽翼。唐古忒係阿睦爾撒納同族，雖已投誠，然早
萌叛志，其所屬精兵計五六百名，經將軍策楞派調，唐古忒止帶
兵百名從征，且觀望不前。當阿睦爾撒納再返伊犁坐床時，唐古
忒即帶領屬眾往附阿睦爾撒納，乾隆二十一年二月初二日，富德
遵旨帶兵前往鄂塔穆和地方進勦唐古忒。訥默庫之姊，嫁阿睦爾
撒納為妻，策楞帶兵入伊犁前，訥默庫將其游牧人眾移往額克阿
喇勒後即欲叛逃。高宗命阿蘭泰飛調烏里雅蘇台兵丁前往堵截，
於二月十九日擒獲解送京師。烏梁海人眾附和阿睦爾撒納，搶掠
官兵，高宗命達哈帶領和托輝特郡王青滾雜卜分兵進勦，其宰桑
鄂木布之子博羅特等兵敗逃入俄羅斯。阿睦爾撒納叛逃時，阿巴
噶斯首先附逆，率其弟哈丹及和津潛匿博羅和里雅地方，五月二
十三日，參贊大臣巴祿即帶領官兵馳往拏獲阿巴噶斯兄弟三人，
解送京師，交刑部監禁後凌遲處死。台吉恩克巴雅爾等隨阿睦爾
撒納往投阿布賫，因不見容於哈薩克，復率屬眾四千人重返準噶
爾，旋為官兵勦滅。青滾雜卜係喀爾喀王公，將軍班第等參奏阿
睦爾撒納時，青滾雜卜竟私行泄漏，高宗念其祖博貝舊日勞績，
未加誅戮。哈達哈遵旨帶領青滾雜卜辦理烏梁海叛眾，青滾雜卜
卻觀望不前。阿睦爾撒納入覲途中叛逃後，高宗以額琳沁多爾濟
袖手旁觀，降旨令其自盡，青滾雜卜以喀爾喀係成吉思汗後裔，
向不治罪，遂憤而擅回喀爾喀，將所有台站卡座悉行撤回，並以
喀爾喀連年用兵，苦累不堪，煽惑眾喀爾喀，貝勒車布登聽信浮
言，旋亦私返喀爾喀，高宗密諭達爾黨阿等拏解入京。青滾雜卜
遣人至哲布尊丹巴呼圖克圖處懇求代奏寬免，高宗不准其請，其

後於逃往俄羅斯交界杭哈將噶斯地方時為參贊大臣納木扎勒擒送京師治罪。副都統職銜唐喀祿帶兵護送侍衛順德訥前往哈薩克，於濟爾瑪台地方遇厄魯特宰桑敦多克來降，唐喀祿以其潛赴烏梁海，形跡可疑，即將敦多克及隨從俱行誅戮，並帶兵八百名馳往其游牧地方，將其屬衆一千七百戶悉行勦滅。阿睦爾撒納親信達瓦藏布潛往額爾齊斯河與烏梁海密謀搶掠官兵，唐喀祿據報後分兵五百名，令索倫總管鄂博什前往辦理，將達瓦藏布屬衆及阿睦爾撒納親信喇嘛四千人逐一誅戮。七月初三日，達爾黨阿領兵至雅爾地方，阿睦爾撒納帶領哈薩克兵二千餘人迎戰，恐官兵認識，阿睦爾撒納改換藍纛。達爾黨阿命努渾、阿里袞、鄂實分路並進，大敗其兵，斬首五百七十餘人，追至努喇地方，復殺三百四十餘人。阿布賚率兵一千餘人自巴顏山前進，欲聲援阿睦爾撒納，為哈達哈所敗。是月十二日，達爾黨阿拘留所俘哈薩克兵阿喇勒拜，遣其兄楚嚕克返回哈薩克傳諭阿布賚擒獻阿睦爾撒納，阿布賚以阿睦爾撒納如窮鳥投林，不忍執獻，請求清廷網開一面，全其一命，並將其女妻阿睦爾撒納，假之以衆。是時天氣漸寒，馬力疲乏，高宗降旨撤兵，改授親王成袞扎布為左副將軍，並命定邊右副將軍兆惠移駐伊犁，以防截哈薩克，彈壓二十一昂吉。惟追勦阿睦爾撒納仍刻不容緩，「叛賊一日不獲，則伊犁一日不安，邊陲之事，一日不靖。」

　　乾隆二十一年十月，阿睦爾撒納親信巴雅爾、哈薩克錫喇、尼瑪、莽噶里克等降而復叛，分兵搶掠洪霍爾拜、扎哈沁游牧，並聲言欲進擾巴里坤、額林哈畢爾噶等處。莽噶里克與厄魯特宰桑暗地相通，設計將官兵駝馬遠調，並通信噶爾藏多爾濟商謀叛逆，復遣其弟糾羅布伯克以押送宰桑布圖庫為名，潛往哈密卡外偵探官兵信息。十一月初六日，將軍和起帶兵百名駐箚闢展，莽

噶里克、尼瑪率兵一千五百餘名圍困和起，和起徒步轉戰，身帶
重傷，遂被殺，準噶爾全境復陷於紛亂之中。據扎薩克公額敏和
卓稱「十月二十九，聞得和將軍來到洋海，公額敏和卓我即時到
禿油克地方見了和將軍。將軍令我急回魯固慶，將你部落人等內
派兵四百名同台吉蘇來嗎一併合往汗都地方等語。本日回來，連
蘇來嗎派兵四百，於十一月初一日起身往將軍營盤住歇，於初二
日自營盤將軍所帶兵、馬公蟒額里克兵六百、我的四百，還有眾
部落蒙古兵一併自汗都起程，至苦克雅爾，有扎那噶爾布差兩個
宰桑來報和將軍說巴雅兒今得一堅固之地，難以攻取，將軍回至
皮鈷（闊展）住歇，俟眾部落齊至之後定日再為攻取，將軍說使
得。初三日，住箚皮鈷，本月初六日日落時候，有博爾合特宰桑
呢瑪達克巴腦海庫楚克同伊弟渾奇克勒特宰桑巴靈噶爾且多爾濟
之兩個宰桑，扎那噶爾布之兩個宰桑共領兵約有一千五百，準噶
爾猛然動手，圍住和將軍亂射。」⑯高宗密諭兆惠將所屬兵丁撤
回巴里坤，並添調索倫兵二千名、察哈爾、吉林兵各一千名、阿
拉善兵五百名前往巴里坤聽候調遣。是時，前已投誠的沙克都爾
曼濟因不堪厄魯特搶掠，向內地設卡遷移，又屢次遣人探聽巴里
坤情形，駐箚巴里坤辦事大臣雅爾哈善疑其同謀叛逆，為杜後
患，於十二月十六日突然發兵勦殺其游牧四千餘人。據稱雅爾哈
善令裨將閆相師率兵五百名，以失路借宿為名，進駐沙克都爾曼
濟營壘，沙克都爾曼濟屠羊以待，中夜大雪，官兵以筋為號，突
襲其臥廬，盡屠其屬眾，沙克都爾曼濟妻從睡夢中驚醒，不忍其
夫死於亂刃，躲而護之，如兩蛇顛撲於穹廬中以至於死，雅爾哈
善濫殺降人已可概見。

　　乾隆二十一年十一月二十五日，兆惠遵旨領兵自濟爾哈朗撤
退，次日，至鄂壘扎拉圖地方，厄魯特大隊來追，官兵半係步

行，祇得堅拒固守，厄魯特兵見官兵馬力平常，疏於設防，十二月初三日，兆惠命索倫委署營總伊靈阿，三達保帶領精兵於是夜五更潛行出營，乘敵不備，奮力衝擊，厄魯特兵潰退，兆惠復派侍衛齊努渾領兵一百餘名將藏匿林藪厄魯特兵丁盡行勦殺，前後殲滅千餘人，官兵陣亡三十餘人，受傷者百餘人。是月二十八日，侍衛圖倫帶兵八百名自巴里坤起程往迎兆惠。乾隆二十二年（1757）正月初五日，兆惠抵達烏魯木齊。噶爾藏多爾濟與扎那噶爾布、尼瑪、哈薩克錫喇等連日會兵圍攻兆惠軍營，官兵因馬駝無多，口糧亦少，故堅守不戰，十九日，圖倫楚抵達伊勒巴爾和碩地方，勦滅巴雅爾屬人一百餘戶，兆惠遣往巴里坤報信兵丁二人亦抵達圖倫楚軍營。二十三日，兆惠抵達特訥格爾，二十六日，厄魯特追兵繞道而走以攔截圖倫楚援兵。次日，沙克都爾曼濟所屬得木齊索諾木車楞百餘人自阿察郭勒地方逃出，俱爲圖倫楚勦殺，二十八日，復殲戮扎哈沁百餘人。次日，進兵察罕烏蘇，巴雅爾屬下宰桑達巴，扎哈沁宰桑塔爾巴津領兵二百名迎戰，爲圖倫楚所敗，達巴及塔爾巴津俱被俘，是夜一更，圖倫楚與兆惠會合，二月二十三日，返回巴里坤。兆惠領兵二千名駐箚伊犁，原非用以進勦，馬匹器械無多，竟能奮勇殺敵，振旅而還，高宗晉封兆惠爲一等伯，賞給圖倫楚副都統職銜。噶爾藏多爾濟已於二月初五日將其游牧人衆遷往伊犁，阿睦爾撒納亦自哈薩克返回準噶爾布空地方，各宰桑在博羅塔拉密議迎接阿睦爾撒納坐床，準噶爾全境遂復失陷。

　　乾隆二十二年正月，當準噶爾全境陷於紛亂之際，高宗即降旨齊集大兵，前赴巴里坤，定期三月內進勦。副將軍成衮扎布熟悉蒙古事務，改授爲定邊將軍，其弟車布登扎布暫署定邊左副將軍印務，舒赫德、富德、鄂實俱授爲參贊大臣，色布騰巴爾珠

爾、阿里袞、明瑞、額爾登額、侍衛什布圖鎧、巴圖魯奇徹布俱在領隊大臣上行走。成袞扎布帶兵七千名議定兩路並進：一由珠勒都斯前進，一由額林哈畢爾噶前進。兆惠自伊犁退回巴里坤，沿途目擊厄魯特人衆反覆無常，奏請將其盡行勦滅。高宗亦稱「此等賊人斷不宜稍示姑息，惟老幼羸弱之人或可酌量存留，另籌安插，前此兩次進兵皆不免過於姑容，今若仍照前辦理，則大兵撤回，伊等復滋事端，前事可爲明鑒。」厄魯特人既爲覆載所不容，必須悉行殲滅，不得更留餘孽。輝特部係阿睦爾撒納所屬同族，自移至扎克賽後，甚不安靜。唐喀祿奏請遷往呼倫貝爾、齊齊哈爾，密邇索倫，辦理較易。高宗以輝特人衆原非善類，科布多駐兵無多，與其遷至呼倫貝爾，又不如即行勦滅，永絕根株。額爾齊斯地方原係杜爾伯特部游牧之處，達什車凌、哈薩克錫喇見官兵深入進勦，紛紛竄往額爾齊斯，高宗降旨將該處厄魯特人衆盡行誅戮。是年四月初一日，尼瑪攜帶羊酒慫恿扎那噶爾布襲殺其叔噶爾藏多爾濟，扎那噶爾布隨即前往博羅塔拉坐台吉床，並煽惑克勒特、烏魯特各鄂拓克人衆搶掠台站，高宗命成袞扎布發兵前往珠勒都斯一帶將克勒特等人衆先行勦滅。是時厄魯特各宰桑亦彼此互相攻殺，尼瑪密謀殺害扎那噶爾布，往迎阿睦爾撒納統轄準噶爾全境，並以官兵毀壞黃教，屠戮喇嘛等語煽惑準噶爾人衆，阿睦爾撒納亦帶兵搶掠扎那噶爾布游牧，兆惠、富德、奇徹布乘其內亂，帶兵四出勦殺。是月初七日，總管端濟布抵達瑪納斯，生擒得木齊鄂羅斯及其所屬男婦三百餘人。二十一日，副都統鄂博什領兵至喀喇烏蘇將庫圖齊訥爾宰桑鄂勒錐及其屬衆一百二十餘人勦滅。惟是時回部亦開始叛變，將副都統阿敏道等殺害，二十七日，成袞扎布欲帶兵進勦回城，高宗以此次進兵專爲勦滅厄魯特人衆，須俟大兵蕩平準噶爾全境後再行辦理，

以免兩面受敵，顧此失彼。成袞扎布令烏魯特得木齊濟木巴傳喚宰桑錫克錫爾格，但錫克錫爾格先已潛通阿睦爾撒納，而將濟木巴拘留，成袞扎布即派兵三百名令總管溫布等帶往進勦。高宗以厄魯特生性兇殘，命成袞扎布勦平鄂托克後不得照從前仍留各鄂拓克舊名。阿里袞駐箚巴里坤，將所有投出準噶爾人衆帶往奎蘇地方正法，高宗以奎蘇距巴里坤甚近，恐洩漏其事，以致厄魯特降人畏懼不前，故命阿里袞將投出降人解送嘉峪關內再行正法。阿睦爾撒納率兵七百名由噶順逃往額卜克特，距富德軍營百里，富德遣奇徹布、達禮善、努三等領兵先進，富德則率圖倫楚繼進。五月初一日，官兵前隊抵達額卜克特山，阿睦爾撒納先已遁走，三十日，官兵深入愛登蘇地方，哈薩克兵迎戰，奇徹布等陣亡，鏖戰數次後，哈薩克兵舉瑪尼纛四桿排立，遣人告稱先因不知官兵到達，故加抗拒，旋即撤回。六月初三日，阿布賚及其弟阿布勒比斯遣得木齊和托圭達木詣營請罪。富德遣參領達里庫等十一人隨來使往見阿布賚，初七日，抵達哈薩克愛呼斯河，與阿布賚相見。阿布賚以托忒字具表請降，遣使納貢，永爲中國臣僕。高宗據奏後在欣慰之餘頒諭稱「叛賊之所以虛張聲勢，煽惑諸厄魯特及回子等衆者，惟恃一哈薩克耳。茲阿布賚旣已請降，約以阿睦爾撒納如入其地，必擒縛以獻，則叛賊失其所恃，技無所施，此一大關鍵也，朕心實爲之慶慰。哈薩克即大宛也，自古不通中國，昔漢武帝窮極兵力，僅得其馬以歸，史册所傳便爲宣威絕域。茲乃率其全部，傾心內屬，此皆上蒼之福佑，列祖之鴻休以成我大清中外一統之盛，非人力所能與也。」易言之，「阿睦爾撒納一日不獲，則邊陲一日不寧，而阿布賚旣降，則阿睦爾撒納不患其不獲，阿睦爾撒納旣獲，則準噶爾全局可以從此奏功矣。」

　　爲察訪阿睦爾撒納下落，兆惠遣順德訥帶兵由古爾班察爾起程，於乾隆二十二年六月十七日至俄羅斯鏗格爾圖喇，次日，俄羅斯喀丕坦等前往額爾齊斯河濱與順德訥相見，喀丕坦稱阿睦爾撒納雖曾差人前來，惟其本人並未投入俄羅斯，順德訥遂帶兵返回富德軍營。十九日，阿布賚駐箚阿爾察圖，適阿睦爾撒納率二十人往投，阿布賚告以次日晨相見，暗中先散其馬匹牲隻，阿睦爾撒納警覺，拋棄衣物，率同親信逸去。阿睦爾撒納既屢爲官兵所敗，復不容於哈薩克，遂渡額爾齊斯河竄入俄羅斯。七月二十三日，順德訥派遣委署參領額林策往見俄羅斯西伯利亞總督瑪玉爾，據稱阿睦爾撒納等二人步行至俄羅斯七倫圖拉，令刈草人稟報喀丕坦，請求遣人操舟引渡，惟久未見阿睦爾撒納入境，喀丕坦復遣人往查，已無蹤跡，但於額爾齊斯河曲尋獲小舟，似係溺死水中。順德訥即令鄂博什派兵沿河打撈，尋覓十餘日，未獲阿睦爾撒納屍身。八月十五日，順德訥復往見瑪玉爾，告以兩國定議不匿逃人，阿睦爾撒納與尋常逃犯不同，請求遵約擒獻，瑪玉爾但以尙無信息支吾推諉。惟索倫委署章京噶布舒塔尼布在森博羅特卡倫詢問厄魯特人伊宛，據稱「七月初旬，見阿睦爾撒納帶領八人，步行至俄羅斯，被刈草人擒獲，我因認識阿睦撒納，並去觀看，阿睦爾撒納問我爲誰，答以達瓦屬人，阿睦爾撒納遂入瑪玉爾室內。是夜即送往察罕汗處，其八人又於次日解送。」[47]從前阿睦爾撒納與達瓦齊往投哈薩克時，已與瑪玉爾熟識，故瑪玉爾多方隱瞞，不肯將阿睦爾撒納縛獻。大學士史貽直恐因此用兵於俄羅斯，奏請放棄伊犁。高宗以「游魂遠竄，將來必不能久甘窮困，勢必滋生事端。」故令理藩院行文俄羅斯薩納特（Senate）衙門，遵照兩國不匿逃犯條約，將阿睦爾撒納即行送出。乾隆二十三年（1758）正月初七日，俄羅斯畢爾噶底爾遣圖勒瑪

齊、畢什拉等至中俄邊境告稱阿睦爾撒納已拏送固伯喇納托爾監禁，旋因出痘病故，請清廷差人前往塞楞格城（Selenginsk）或恰克圖邊界驗看。高宗命喀爾喀親王桑寨多爾濟即遣琳丕勒多爾濟前往恰克圖驗看，並將阿睦爾撒納身屍解送京師。琳丕勒多爾濟於中途病故，改派親王齊巴克雅喇木丕勒及三泰前往，齊巴克雅喇木丕勒見阿睦爾撒納身屍，肌肉尚完，面貌宛然，毫無可疑，惟俄羅斯恐清廷將阿睦爾撒納梟示於邊境，而拒絕將其身屍交出，高宗認為既遣人詳驗確實，毫無可疑，故其屍解送與否，均可不必深論。

六、結　論

　　清高宗以元兇既獲，一面籌劃進勦回部，一面命成衮扎布、兆惠等分兵將準噶爾境內殘餘厄魯特人眾逐一勦滅。乾隆二十二年七月初二日，成衮扎布遣副都統職銜由屯、侍衛占丕納帶兵二百名，於哈什河阿爾察圖山勦滅尼瑪屬人二百餘名。七月初十日，圖倫楚帶兵百名，於阿爾噶凌圖擊敗哈薩克錫喇，殲戮百餘人。克勒特一鄂拓克共十九得沁，除莽蘇爾根達什等八得沁先已移入內地外，成衮扎布於七月十三日遣鄂實帶兵二百名，將其餘十一得沁人眾盡行勦滅。七月二十四日，巴圖魯侍衛濟塞布帶兵將克勒特潛逃餘眾二百人勦滅。八月初八日，由屯於圖爾根河勦殺收楞額博字庫勒百餘人。次日，侍衛老格於濟爾哈朗河勦殺烏魯特四十餘人，初十日，復於博多美和羅勦殺克勒特一百五十餘人。營長伊靈阿勦殺塔里雅圖察克瑪河一百四十餘人。八月十三日，明瑞勦殺瑪哈沁三百餘人。十月二十四日，富德勦殺烏梁海三百餘戶。乾隆二十三年以後，富德帶兵向吹、塔拉斯、沙喇擘勒等處，兆惠則帶兵前往特穆爾圖綽爾等處，搜捕厄魯特餘孽，

凡山陬水涯,可漁獵資生之地,搜山網谷,所至獮薙,櫛比擒
餞,殆無子遺。據明瑞奏稱自巴爾呼特嶺過造哈嶺,納林郭勒、
烏蘭烏蘇,直至大雪山麓,已不見一人。西方史家薛勒
(schuyler)稱清軍不分青紅皂白,大肆誅戮,在進兵準噶爾以
前,全境厄魯特人口共計六十萬人,至事平之後,厄魯特人已無
一倖存⑱。七十一著《準噶爾滅亡紀略》稱「大兵分途進勦,誅
殺厄魯特男婦子女逾百萬人,其餘竄伏於山谷中者,經官兵四出
搜查誅夷盡絕,因而滅其種類。」⑲趙翼著《平定準噶爾正編述
略》亦稱「時厄魯特懾我兵威,雖一部有數十百戶,莫敢抗者,
呼其壯丁出,以次斬戮,寂無一聲,骿首就死,婦孺悉驅入內地
賞軍,多死於途,於是厄魯特種類盡矣。」⑳魏源則謂「王師初
入,兵不血刃,矢不再發,而天不許也。王師再入,師則屢次,
壘則再因,而天又不許也。幾大幸,又幾大不幸,一激再激,以
致我朝之赫怒,帝怒於上,將帥怒於下,合圍掩群,頓天網而大
獮之,窮奇渾沌檮杌饕餮之群,天無所訴,地無所容,自作自
受,必使無遺育逸種於故地而後已。計數十萬戶中,先痘死者十
之四,繼竄入俄羅斯、哈薩克者十之二,卒殲於大兵者十之三,
除婦孺充賞外,至今惟來降受屯之厄魯特若干戶,編設佐領昂
吉,此外數千里間無瓦剌一氈帳。」㉑台吉、宰桑及鄂托克、收
楞額,昂吉等名目,亦不復存在,至此,準噶爾遂成一地理名
詞。厄魯特餘種既滅,則回部更易於平定。

　　明清之際,正俄羅斯積極東進之時,清軍進勦準噶爾,實含
有平衡的意義。清高宗本意,原欲俟蕩平準噶爾後,即分封四
汗,恢復四衛拉特舊規,令其各守疆界,以奉中國號令,聊示羈
縻而已。因阿睦爾撒納負恩叛逃,全境復陷入紛亂,遂至輾轉用
兵,四衛拉特之眾,誅戮殆盡,自取覆滅,雖欲將準噶爾畀之一

人，已無可授之者。高宗亦歎稱「此或上天將以全部衛拉特賜我國家耳。」準噶爾既盡入版圖，高宗明降諭旨，將其星辰分野，日月出入，晝夜節氣時刻，載入時憲書，頒賜正朔。其山川道里，亦須詳細相度，載入皇輿全圖，以昭中外一統之盛。因左都御史何國宗素諳測量，高宗命其帶同五官正明安圖及西洋人二名前往伊犁等處，測其北極高度、東西偏度及一切形勝，經悉心考訂後繪圖呈覽⑫。何國宗年逾七十，遵旨帶同北京東堂天主教士天文學者傅作霖（Felix da Rocha）、欽天監監正高慎思（Joseph d'Espinha）、侍衛努三、哈青阿，郎中明安圖，喇嘛蘇布第等前赴伊犁。乾隆二十一年十月，大段形勢，皆已測繪竣事，因何國宗及西洋人不耐風寒，於是月十五日自甘肅起程回京⑬。

　　清軍既定西陲，隨即派兵屯種，欲使駐防兵丁口食有資，且省甘肅哈密轉餉之繁，勸課力田，以期盡地利而足兵食，並使遠竄的厄魯特人無從退回，復踞舊地。陝甘總督黃廷桂奏請由巴里坤以西伊勒巴爾和碩、木壘、特訥格爾、烏魯木齊、瑪納斯、安濟哈雅、濟爾哈朗等處，以次建堡屯田，派兵駐箚，由近及遠，漸次舉辦，直達伊犁。因厄魯特降人不習耕作，故以綠旗兵丁及回人從事屯種。至其所需牲隻、農具、籽種則由內地供給。乾隆二十二年四月，據駐箚巴里坤辦事大臣阿里袞奏稱，吐魯番自四月初九日至二十三日，已種小米二千三百四十畝。次年二月，調往巴里坤、吐魯番屯田綠旗兵共二千名。是年三月，辦理屯田侍郎永貴奏稱在烏魯木齊、闢展等處復派屯田兵三千六百名，墾地二萬九千二百畝，計播種一千四百餘石。八月，黃廷桂奏報木壘一帶派兵七千名，昌吉派兵三千名往墾。因吐魯番一帶地土多風，糜穀性鬆易落，故多種粟、青稞、小麥等作物。是年十月，闢展等處屯田兵增至三千六百名，通計屯田三萬五百餘畝，每畝

收穫一石四斗至一石九斗，共收穀三萬七千三百餘石，除次年各
處新舊兵丁應需籽種一千五百餘石外，餘穀三萬五千八百餘石，
足敷官兵九千二百人七個月口糧。是月底，派往烏魯木齊等處屯
田兵丁已增至一萬七千名，平均每名種地十五畝至二十畝不等，
合計墾田約三十餘萬畝。而且此項屯兵，准其攜眷前往，分地墾
種，各安其業，生聚畜牧，西陲逐漸與內地村莊無異。準噶爾為
西陲邊患，自明代至清初，垂四百餘年，至是邊圉始靖。

【註　釋】

① Ch. Denby, Jr: "The Chinese Conquest of Songaria," p. 166. Publish-
ed by the Board of officers of the Peking Oriental Society. 1891.

② 松筠等奉敕撰《欽定新疆識略》，以衛拉特即《明史》所稱之瓦
刺，其始祖托渾又稱脫歡太師。《平定準噶爾方略》則稱厄魯特準
噶爾者，別出有元阿魯臺之部，其後聲誤為厄魯特。

③ 《欽定新疆識略》卷首，頁 57，載「孛汗背正妻，與他婦野合而
生烏林臺巴輯太師，其母棄之澤中，孛汗收養之，遂統部落。」

④ Jack A. Dabbs, "History of the discovery and exploration of Chinese
Turkestan," p. 23 Mouton & Co., 1963.

⑤ 《宮中檔》，第 76 箱，730 號，康熙三十六年四月十二日，滿文
奏摺；《文獻叢編》上冊，頁 165，亦載此事，七起爾即齊起爾，
三月十三日，則係閏三月十三日之誤。

⑥ 嘉慶重修《大清一統志》，卷五一七，「新疆統計」，頁 31。

⑦ 《宮中檔》，第 2713 箱，22 包，04469 號，乾隆十八年八月初九
日，永常奏摺。

⑧ 案藏語，清廷官書稱之為西番語、藏語之「招」，漢語譯作「如
來」，即佛像，大招、小招即大佛、小佛。

⑨　Foust, Cilfford M., "Muscovite and Mandarin, Russias' Trade with China and Its Setting," 1727-1805. p. 237. The University of North Carolina Press, 1969.

⑩　傅恒等奉敕撰《平定準噶爾方略》，前編，卷四六，頁 21，乾隆三十七年內府刊本。

⑪　《宮中檔》，第 2754 箱，52 包，011552 號，乾隆二十一年三月二十五日，黃廷桂奏摺。

⑫　《史料旬刊》，第十九期，頁 364-365，乾隆七年正月，永常奏摺。

⑬　《史料旬刊》，第二十期，頁 386-387，乾隆七年二月，尹繼善奏摺。

⑭　《大清純皇帝實錄》，卷二一三，頁 15，乾隆九年三月甲辰，據黃廷桂等奏。

⑮　《軍機處檔‧月摺包》，第 2772 箱，11 包，1450 號，乾隆十二年十一月十一日，黃廷桂奏摺錄副。

⑯　《軍機處檔‧月摺包》，第 2772 箱，17 包，2335 號，乾隆十三年四月三十日，李繩武奏摺錄副。

⑰　《軍機處檔‧月摺包》，第 2772 箱，25 包，3721 號，乾隆十三年十二月初十日，黃廷桂略節。

⑱　《軍機處檔‧月摺包》，第 2740 箱，41 包，5742 號乾隆十五年五月十三日，尹繼善奏摺錄副。

⑲　《軍機處檔‧月摺包》，第 2740 箱，45 包，6402 號，永常奏摺錄副鈔錄俄爾機圖供詞。

⑳　Ch. Denby, Jr: "The Chinese Conquest of Songaria," p. 174.

㉑　《軍機處檔‧月摺包》，第 2772 箱，6 包，727 號，乾隆十二年五月二十八日，李繩武奏摺錄副。

㉒ 《軍機處檔·月摺包》，第 2772 箱，5 包，552 號，乾隆十二年四月二十五日，李繩武奏摺錄副。

㉓ 《軍機處檔·月摺包》，第 2740 箱，45 包，6309 號，乾隆十五年十二月二十七日，永常奏摺錄副。

㉔ 《軍機處檔·月摺包》，第 2740 箱，45 包，6402 號，乾隆十六年正月十四日，永常奏摺錄副。

㉕ 《大清高宗純皇帝實錄》，卷三七三，頁 10，乾隆十五年九月壬戌，錄敦多布供詞。

㉖ 《平定準噶爾方略》，初編卷五四，頁 53，乾隆十八年七月，摘錄舒赫德奏摺。

㉗ 《宮中檔》，第 2713 箱，22 包，4469 號，乾隆十八年八月初九日，永常奏摺。

㉘ 《宮中檔》，第 2723 箱，5 包，1056 號，乾隆十六年十二月二十一日，李繩武奏摺。

㉙ 《宮中檔》，第 2713 箱，22 包，4469 號，乾隆十八年八月初九日，永常奏摺。

㉚ 《宮中檔》，第 2725 箱，30 包，6461 號，乾隆十九年閏四月十五日，永常奏摺。

㉛ 《宮中檔》，第 2725 箱，33 包，7193 號，乾隆十九年七月初九日，永常奏摺。

㉜ 椿園七十一著《異域瑣談》，強恕堂藏板，嘉慶戊寅歲鐫，卷二，頁 3。

㉝ 《宮中檔》，第 2725 箱，35 包，7572 號，乾隆十九年九月初五日，劉統勳奏摺。

㉞ 《大清高宗純皇帝實錄》，卷四四五，頁 11，乾隆十八年八月乙巳上諭。

㉟　《宮中檔》，第 2725 箱，36 包，7946 號，乾隆十九年十月二十八日，陳弘謀奏摺。

㊱　汲修主人輯《嘯亭雜錄》，卷三，頁 149，思堂藏本。

㊲　椿園七十一著《異域瑣談》，卷二，頁 4。

㊳　《宮中檔》，第 2754 箱，45 包，第 10007 號，乾隆二十年七月十七日，梁詩正奏摺。

㊴　中央研究院印行《明清史料》，庚編，第十本，頁 918，乾隆二十年六月初七日，內閣奉上諭。

㊵　哈勘楚倫著「蒙古語文」，頁 273，以托忒蒙文中元音及輔音之音韵深受梵藏文影響，而歸入梵文系統，係通行於衛拉特各盟旗間之變體蒙文。托忒蒙文原意即清楚之蒙文，為十七世紀西藏高僧棍格扎勒散倣原有蒙文字母所創製之新字。

㊶　趙翼著《皇朝武功紀盛》，《平定準噶爾前編述略》，卷二，頁 7；「嘯亭雜錄」卷三，頁 16。

㊷　《平定準噶爾方略》，正編，卷二四，頁 4，乾隆二十一年正月，哈達哈奏摺錄阿睦爾撒納原摺。

㊸　《明清史料》，庚編，第十本，頁 922，乾隆二十一年四月，禮部「為內吸出策楞等奏」移會。

㊹　《大清高宗純皇帝實錄》，卷五〇二，頁 25-27，乾隆二十年十二月戊申上諭。

㊺　《明清史料》，庚編第十本，頁 920，乾隆二十一年二月十三日，策楞等奏摺移會抄件。

㊻　《宮中檔》，第 2754 箱，61 包，13362 號，乾隆二十一年十一月十七日，黃廷桂奏摺。

㊼　《平定準噶爾方略》，正編卷四四，頁 4，乾隆二十二年九月，摘錄伊宛供詞。

㊽ Ch. Denby, Jr: "The Chinese Conquest of Songaria," P. 177.

㊾ 椿園七十一著《異域瑣談》，卷二，頁6。

㊿ 趙翼著《皇朝武功紀盛》，卷二，頁11。

(51) 魏源著《聖武記》，世界書局出版，民國五十九年六月，卷四，頁106。

(52) 《明清史料》，庚編第十本，頁918，乾隆二十年六月十一日，明發上諭。

(53) 《宮中檔》，第2754箱，61包，13310號，乾隆二十一年十一月初十日，黃廷桂奏摺。

三教應劫：
清代彌勒信仰與劫變思想的盛行

一、民間宗教劫變思想的產生

　　有清一代，民間秘密宗教教派林立，各教派為了傳佈其教義思想，多編有寶卷，以供信眾誦習。各教派的寶卷，多屬於變文的形式，敷衍故事，雜揉儒釋道經典、各種詞曲及戲文的形式與思想，編成寶卷，通俗生動，容易為下層社會識字不多的善男信女所接受。各種寶卷的抄寫翻刻，流傳頗廣，成為下層社會裡常見的宗教讀物。從後世所見各種寶卷，有助於了解清代下層社會劫變思想的盛行。

　　在佛經中，劫是一個時空觀念，意即宇宙所經歷的時空和成敗往返的過程。《隋書‧經籍志》有一段記載說：

> 天地之外，四維上下，更有天地，亦無終極，然皆有成有敗。一成一敗，謂之一劫。自此天地已前，則有無量劫矣。每劫必有諸佛得道，出世教化，其數不同。今此劫中，當有千佛。自初至於釋迦，已七佛矣。其次當有彌勒出世，必經三會，演說法藏，開度眾生。由其道者，有四等之果。一曰須陀洹，二曰斯陀含，三曰阿那含，四曰阿羅漢。至羅漢者，則出入生死，去來隱顯，而不為累。阿羅漢已上，至菩薩者，深見佛性，以至成道。每佛滅度，遺法相傳，有正、象、末三等淳醨之異。年歲遠近，亦各不同。末法已後，眾生愚鈍，無復佛教，而業行轉惡，年

　　　　壽漸短，經數百千載間，乃至朝生夕死。然後有大水、大
　　　　火、大風之災，一切除去之，而更立生人，又歸淳朴，謂
　　　　之小劫。每一小劫，則一佛出世①。

　　佛教把宇宙從它形成至末日，分成若干階段，每個階段叫做
劫，共成一個大劫，每一個大劫中包含幾個中劫，每一個中劫又
包括數十個小劫。佛教不僅把整個宇宙和人類的經歷，都看成是
大大小小劫數的組合，而且是無數災難的組合。在每一劫數的末
尾，稱爲劫末，其災難最爲嚴重。劫末過去，則又是另一劫數的
開始，如此循環不已，直到末劫，一切結束。《俱舍論》中對於
劫和災，描述尤爲詳盡。喩松青著《明清白蓮教研究》一書已指
出，「佛教大力宣教劫和災，它的目的就是要闡明經過無數劫災
後的世界，是一個空無一物的世界。用對物質世界的根本否定來
引導人們去嚮往和追尋非物質的彼岸世界。」②明清時期的民間
秘密宗教，吸取了佛教劫數的內容後，極力宣傳劫變思想，使劫
災觀念成爲否定物質現實世界的思想觀念。

　　南北朝時期的《龍華誓願文》、《彌勒三會記》、《龍華會
記》，已將世界分成三個時期，稱爲龍華三會。白蓮教及其他民
間秘密宗教，普遍接受龍華三會的思想，認爲宇宙從開始到最
後，必須經歷三個時期，即：龍華初會、龍華二會和龍華三會。
初會的燃燈佛代表過去，二會的釋迦佛代表現在，三會的彌勒佛
代表未來。在民間秘密宗教的寶卷中，對龍華三會的內容作了補
充及發揮，成爲各教派思想信仰的主要理論基礎。明清時期，民
間秘密宗教的過去、現在、未來三世說法，除了受到龍華三會說
的影響外，還受到三階教、摩尼教的影響。三階教將世界分成三
階，第一階稱爲一乘，是爲正法；第二階稱爲三乘，是爲像法；
第三階稱爲普歸普法，是爲末法。摩尼教有二宗三階說，二宗即

明宗和暗宗，三階即過去、現在、未來。過去是初際，此時明暗相背；現在是中際，明暗相混；未來是後際，明暗相分。

《皇極經》，又作《皇極寶卷》，或為《佛說皇極結果寶卷》的簡稱，或為《皇極金丹九蓮正信皈真還鄉寶卷》的簡稱。《佛說皇極結果寶卷》上、下二卷，卷中對三佛輪流掌教作了詳盡的敘述，節錄一段內容如下：

> 無極生太極，太極煉皇極，皇極煉無極，三極輪轉，豈有虛迷。始皇又問我佛怎麼是煉，佛言真機不可泄漏，緊緊牢記心懷，無極會，燃燈佛掌青陽教立玄爐，曾在皇極會攝頂光而煆煉成三葉金蓮，轉九劫，賢聖以前過去了；太極會，釋迦佛掌紅陽教，曾在無極會內攝身光而入玄爐，煆煉五葉金蓮，轉十八劫；人緣上有皇極會，是彌勒佛掌白陽教，要治那八十一劫，賢聖立玄爐攝內光而煆煉那九葉金蓮，無有修治。咱先差三十六祖下凡交他混下人緣專造當來世界③。

無極、太極、皇極，三極輪轉。三世佛輪流掌教，無極會燃燈佛掌青陽教，煉成三葉金蓮，轉九劫；太極會釋迦佛掌紅陽教，煉成五葉金蓮，轉十八劫；皇極會彌勒佛白陽教，煉成九葉金蓮，轉八十一劫。《佛說皇極結果寶卷》中也說：「念甚麼佛纔是了道法門？佛言：你不知道燃燈佛三葉金蓮，念四字佛成聖，他是過去佛；釋迦佛五葉金蓮，念六字佛成真，這是見在的佛；咱脩的是九葉金蓮，該念十字佛纔了道。」④

《皇極金丹九蓮正信皈真還鄉寶卷》與《佛說皇極結果寶卷》，名稱相近，然而卻是內容不同的兩種寶卷。喻松青著《民間秘密宗教經卷研究》一書指出，《皇極金丹九蓮正信皈真還鄉寶卷》的作者是江西鄱陽縣人黃德輝（1684-1750），於乾隆年

間刊刻。全卷假借彌陀為作者，其主要內容，是鋪演一個彌陀救世的故事，古彌陀教主，奉天神世尊旨命，臨凡住世，去拯救沉落紅塵的九十二億失鄉兒女⑤。寶卷中第十品〈天人證道〉敘述三世佛輪管天盤的內容，頗為詳盡，節錄一段內容如下：

> 爾時無為教主在三真堂，與諸大眾講論名山洞府不提，卻說華藏天華真人忽聞信香，就問當直神：此香是那天聖意？當直神上告：今有後天教主奉天佛遣差在下方九洲漢地無影山前無為府三心堂闡教，要度三會賢良。今有皇極老母散動寶香，普請天上人間名山洞府有道真人同去合手助道。華嚴聽罷，滿心歡喜，當時收什〔拾〕隨身寶物，領定仙童，化道金光，片時來到下方無影山前，化一貧僧，撥開人空闖入堂中，開言便問：尊師你知道過現未來三極道，三極元有多少天，宮闕斗府多少數，靈山多少佛祖仙，甚麼年間治起世，甚麼年來佛收源，三佛共有多少劫，誰多誰少幾千年，講開皇極金丹道敢了殘靈。掌後天祖師睜眼觀看，認的元人威威，笑曰：老僧近前來聽吾分講，一生二意發生真三身化現治乾坤，過去燃燈極嚴劫，現在釋迦掌教尊，未來彌勒星宿會，三佛臨轉下天宮，見前二十七，未來八十一，一百單八劫，諸佛透須彌，過去佛掌了十萬八千年，現在佛該掌二萬七千年，未來佛該掌九萬七千二百年，三佛掌過無當差官，通共一百單八劫，一十令七蓮，一百單八天，三家通用九十六億元來客，三佛共掌二十三萬二千二百年，三元造就古冊，誰敢泄漏⑥。

引文中的三佛三世掌管天盤的說法，使龍華三會增添了新內容和每會的時間極限。在直隸灤州石佛口二里許的圍峰山壽峰寺

內也藏有《皇極金丹九蓮正信皈眞還鄉寶卷》，一部二本，寶卷中以「無極、太極、皇極」爲三教，有「九蓮如意及過去、未來，眞空、無生、九宮、八卦、青陽、紅陽」等字樣散敘於寶卷內，並有「無影山」字樣，據當地人士稱，圍峰山就叫做無影山，壽峰寺就是王姓昔年所建香火廟。嘉慶年間，江南查辦徐幗泰傳習無爲教一案，在徐幗泰佛堂內，起出《皇極經還鄉卷》，這部寶卷就是《皇極金丹九蓮正信皈眞還鄉寶卷》的簡稱。兩江總督百齡指出經文內有「無生父母、天外家鄉、白陽、紅陽、無影山、龍華會、彌勒當極、暗生八卦、五盤四貴、暗鈎賢良」等悖逆語句。據徐幗泰供稱，經文大意是說無生老母在天外家鄉，憫念失鄉兒女，救度殘靈男婦，吃齋出貲入教，即可將靈性逐漸復還，死後不墮輪迴。據徐幗泰之師陸雲章供稱，白陽是仙境，享清淨之福。紅陽是紅塵，享人間之福，齊赴散花天會，稱爲同赴龍華。無影山是天付之性，凡人不能看見，並非世上眞有此山。「彌勒當極」一句是指過去燃燈佛、現在釋迦佛、未來彌勒佛輪流掌教之意，「暗生八卦」一句是說人身上亦有八卦，「五盤四貴」一句是天地人水雲稱爲五盤，朱雀玄武青龍白虎稱爲四貴。「暗鈎賢良」是指引人入教⑦。

二、《三教經》的編造及其思想

　　直隸灤州石佛口王姓世代傳教，並倣照《皇極金丹九蓮正信皈眞還鄉寶卷》編造三教應劫分掌天盤諸說，而成爲各教派輾轉附會的理論根據。《皇極金丹九蓮正信皈眞還鄉寶卷》的卷首指出，聖玄中古佛，造定三元劫數，三佛臨流掌教，九祖來往當機，分定過去、現在、未來三極世界，各掌乾坤。寶卷中所稱三元劫數是和三佛輪流掌教以及三極世界相關的宗教術語。喻松青

著《民間秘密宗教經卷研究》一書已指出，明清秘密宗教，將世界歷史中過去、現在、未來三個階段稱為三極世界，此三極世界中有三佛輪流掌教，三極世界要經歷三次大劫，每次大劫後，世界就發生一次巨大變化，三次大劫，三次巨大變化，稱為三元劫數。三次大劫中的最後一劫是人類所遭遇的最大劫數，就是末劫，或稱紅陽劫。此劫一過，天下太平，彌勒下凡掌世的理想世界隨即出現。所以三元劫數說含有否定和肯定的雙重內涵。否定的是天災和來自現實統治者所造成的人禍；肯定的是上天給予了一次造劫的機會，即用暴力造劫，使世界巨變，彌勒下凡掌世，民間秘密宗教的教主遂多自稱是彌勒或彌陀的化身。劫災說所描述的天災人禍，就是歷史發展進程中經常發生的景象。因此，劫災說或三元劫數說，對於人們具有很強的說服力，也最能吸引群眾，從而使眾多的人民湧入民間秘密宗教的行列⑧。

　　《三教應劫總觀通書》簡稱《三教經》，是清茶門教重要寶卷之一。直隸邯鄲縣清茶門教要犯王克勤家中藏有《三教應劫總觀通書》，據王克勤供稱，《三教應劫總觀通書》是由石佛口王度轉交張成甫，張成甫因無後嗣，而傳給楊殿揆，再由楊殿揆傳給王克勤之母楊氏。《三教應劫總觀通書》以燃燈佛、釋迦佛、未來佛為三劫。有天盤三副，過去是燃燈佛掌教，每年六個月，每日六個時；現在是釋迦佛掌教，每年十二個月，每日十二個時；將來是未來佛掌教，未來佛即彌勒佛，每年十八個月，每日十八個時。未來佛將降生在石佛口王姓家內，如有入教者送給王姓師傅等根基錢，若逢未來佛出世，即得好處，共享榮華富貴。因《三教應劫總觀通書》內有「未來佛降生青山石佛口」字樣，所以王姓傳教之人，俱稱為青山主人，信眾俱尊王姓為爺，寫信者稱為朝上，王姓教主即係主上，磕頭禮拜，有主臣之分。直隸

總督那彥成指出，王姓族人世傳清茶門教，藉未來佛掌盤之說，以煽惑人心，釀啓異謀，毒流數省，害延累代，竟爲各「邪教」之宗，「名爲清茶，似無謀逆之跡，暗圖未來，實爲謀逆之由。」⑨清茶門教傳教的主要理論，就是在宣揚三世佛輪管天盤的思想。教犯王三顧在湖北傳教時也指出，世界是由過去、現在、未來三世佛輪管天盤，凡皈依吃齋者，可避刀兵水火之劫，各送給師父水錢、線路錢，爲來世根基，可以富貴。王三顧聲稱，其祖上現在天上掌盤，有一聚仙宮在西方，凡入教吃齋者身故以後，度往聚仙宮，享清淨之福，免受刀兵水火之劫⑩。湖北教犯張建謨供稱，王姓師父傳教時，宣揚說過去燃燈佛所管天盤是每四十日爲一月，六個月爲一年；現在釋迦佛所管天盤是每三十日爲一月，十二個月爲一年；未來彌勒佛所管天盤是四十五日爲一月，十八個月爲一年⑪。教犯王殿魁被捕後亦供稱：「我家內並無經卷，止記得祖母講過，教內過去的是燃燈佛，九劫，一年六個月，一日六個時；現在是釋迦佛，十八劫，一年十二個月，一日十二個時；未來的是彌勒佛，八十一劫，一年十八個月，一日十八個時，並相傳未來佛將來出在王姓。」⑫據清茶門教犯樊萬興供稱：

> 王秉衡等說起他是直隸灤州石佛口人，祖傳習教，從前有人吃齋的，只到他家祖先牌位前磕頭，就算皈依門下爲徒，送錢與他使用，後因犯案查抄，還居盧龍縣安家樓居住。弟兄同族各自四出傳教收徒，捏説世界上是過去、現在、未來三佛輪管天盤：過去者是燃燈佛，管上元子丑寅卯四個時辰，度道人道姑，是三葉金蓮，爲蒼天；現在者是釋迦佛，管中元辰巳午未四個時辰，度僧人尼僧，是五葉金蓮，爲青天；未來者是彌勒佛，管下元申酉戌亥四個

時辰，度在家貧男貧女，是九葉金蓮，爲黃天。他們王姓
祖上即是彌勒佛托生，世傳清淨門齋，到他已有八代。此
時吃的現在佛的飯，修的未來佛的道，將來彌勒佛仍要轉
生到他家。凡皈依他吃齋的，可避刀水火之劫，免墮輪
迴，不入四生六道⑬。

　　清茶門教把三蓮、五蓮、九蓮分別和燃燈佛、釋迦佛、彌勒
佛相配。同時又在龍華三會的思想基礎上，增添了干支、五行、
三教、三元等內容。引文中把每日十二個時辰分爲三元，分別由
三世佛輪管天盤，並表明三世佛所度人群的不同，未來佛所度
的，就是在家貧男貧女，加強了下層社會的貧苦信衆對未來理想
世界的憧憬。鉅鹿人張角起事時已有「蒼天已死，黃天當立」的
說法，清茶門教也以蒼天、青天、黃天分別代表過去、現在、未
來，就是一種劫變思想。

　　孫家望，祖籍湖北黃岡縣，乾隆五年（1740），孫家望祖上
遷至河南光山縣喻家灣居住。嘉慶年間，孫家望因念咒斂錢犯案
被捕，據孫家望供稱：

我平日卜卦算命營生，嘉慶八年六月十三日，我在我妻父
楊易榮家會見我妻子的母舅戴添幅與胡丙秀、蔡奉春同到
我家勸我喫齋。蔡奉春說目下年成不好要死人，此時是三
個佛爺管天盤，先是燃燈佛管天盤十萬八千年，坐五葉青
蓮台，名青陽會青蓮教；燃燈佛管滿又是釋迦文佛管天
盤，坐七葉紅蓮台，名紅陽會紅蓮教；釋迦文佛管滿又是
彌勒佛管天盤，坐九葉白蓮台，名白陽會白蓮教。叫我出
錢四百文，作根基錢，與我天榜掛號，地府抽丁，並說彌
勒現今臨凡投胎⑭。

青陽、青蓮、紅陽、紅蓮、白陽、白蓮，與過去燃燈佛、現

在釋迦佛、未來彌勒佛相配，白陽會即白蓮教，未來彌勒佛所坐
爲九葉白蓮台。過去、現在、未來三世，稱爲三會。教犯王時玉
也供稱：「那燃燈佛九劫，釋迦佛十八劫，彌勒佛八十一劫的
話，是父親傳給我的，說是出在《三教應劫》書上，至《三教應
劫》及《九蓮寶卷》我家裡並沒這兩種書。」⑮

　　清茶門教王姓族人王秉衡在江南儀徵縣傳教時，曾收柳有賢
等人爲徒，柳有賢傳徒金悰有，金悰有又轉收方榮升爲徒。方榮
升編造萬年書，改造曆法爲十八個月之說，就是根據三教應劫三
佛分掌天盤之說而來。方榮升改造曆法就是想藉變天來否定現實
社會及統治政權的威權。湖北人嚴士隴是方榮升的徒弟，嚴士隴
被捕時，官府在他家中起獲《定劫寶卷》一本。據嚴士隴供稱，
方榮升曾告知，天上是彌勒佛管理天盤，將二十八宿增添「如會
針袁辰蒙赤正眞全陰榮玉生昇花」十六字，減去「張井」二宿，
共爲四十二宿。八卦重畫，四卦增爲十二卦，十二支增「元紐宙
曆未酹」六字，而爲十八支，又稱以支屬干，旣有十八支，應有
九甲，以四十五日爲一月，以十八個月爲一年，於是私自重造萬
年時憲書。方榮升改造新曆是爲配合未來彌勒佛下凡的世界作準
備。方榮升宣稱，他自己時常出神上天，從天上看見現在星辰已
改，天上換盤，人間亦當末劫，應廣勸世人持齋，可避劫難。方
榮升自稱爲無終老祖紫微星朱雀星下世。又稱燃燈佛爲初祖，坐
三葉金蓮；釋迦佛爲二祖，坐五葉金蓮；彌勒佛爲三祖，坐九葉
金蓮，現在世界是五濁惡世，彌勒治世，天下皆吃素，即換爲香
騰世界⑯。李普明創立黃天道的最終目的，就是在他所寄託的乾
坤世界。《普明無爲了義寶卷》有一段重要的內容說：

　　　　說《普明寶卷》，此是三元了義，無極聖祖，一佛分於三
　　　　教。三教者，乃爲三佛之體。過去燃燈混源初祖，安天治

世，立下三元甲子，乃是三葉金蓮，四字爲號，五千四十八卷，爲一大藏眞經，五百四十日，爲做一年，一百八十四日，爲做一甲，六個月分做一年，晝夜按著六時，每一時辰八刻，一晝一夜共合四十八刻。五十四祖先天眞炁，一百零八後天祖炁，十日一炁，五日一候，晝夜一度，五百四十日，是一佛理性。一佛分作九千年天數，三佛總計二萬七千年之數，三佛共合九劫，人人長壽，無我無人，靈光各照，草衣遮體，身住巢穴，人吃動融之食，頭上有角，身上生毛，獸面人心，一無邪染，與佛同明，不分異相，一無文字，個個長生。若知一覽大藏經，三佛原來一性同，打開虛空無爲庫，超度九祖去歸宮。説普明如來，又説見在古佛，接續先天，另換乾坤世界。眞金出鑛，水銀汲散，現出牟尼寶珠，照耀乾坤世界。三皇聖祖，十大眞仙，各顯神通，能治萬物。一佛化成六甲，内合一十八界，三周譬喻，按合一十八劫，總而言之，乃爲三界。如何是三界？色界、慾界、無色大界，纔是清淨法身。上有三十三天，下按一十八層地獄。一佛之理，正合六甲天機，三百六十日，爲做一年，三十六祖先天眞氣，七十二候後天靈氣，安立九宮八卦，須彌相天，二六循環，晝夜週轉，出息入息，有明有暗，有圓有缺。人有生死，天有形相，莊嚴爲色。人有形體，五欲邪婬染塵，末世不得長生，人活百歲七十者希。十二個月，爲做一年，三十日，爲做一月，晝夜十二時辰，共合九十六刻，内按九十六億人緣。過去佛度了二億，此是道尼，見在佛度了二億，乃是僧尼釋子，後留九十二億。皇極古佛，本是聖人轉化，全眞大道，乃是在家菩薩悟道成眞。身心清淨，對天各發

弘誓大願，纔是等身命，布施供養龍天，久守齋戒，意轉
無字眞經，個個都是還源。佛說眞語，在家菩薩智非常，
鬧市叢中作道場，都依普賢全眞道，大男小女赴仙鄉。說
普賢菩薩化現富樓，那長者口傳最上一乘無爲妙法，男女
清淨，採取先天一氣，安天治世，都在凡相，所修前天是
後天眼目，後天與古佛同心，只是眾生染塵末世，你強我
弱，爭教爭禪，各分異相，不等原來。佛性本無二心，古
佛收圓了道，調和眾類一心，都是混源一體。迦葉拈花，
直指單傳，乃是老君八十一化。設立乾坤世界，遺留九甲
混源眞經，從換山河，另立星辰，安天治地，倒海移山，
還丹九轉，同登彼岸，南北針停，二九相見。一十八劫已
滿，改形換體，十八個月，爲做一年，十八時辰，乃爲晝
夜。一年正合九甲，四十五日，爲做一月，晝夜一百四十
四刻，循環週轉，總計八百一十日，爲做一年。人人老
少，一十八歲，脫胎換體，都是丈八金身。天地無圓無
缺，人無老少，亦無女相。無生亦無死，無短本無長，纔
是長生大道。壽活八萬一千，天數已盡，又立乾坤世界，
另換一十八歲童顏。又按八十一歲老像，後人不信，金剛
科儀，見有後照，佛留續語，八百餘家呈妙手，大家依樣
畫葫蘆，一祖分了八十一歲，十祖共合八百一十，纔是老
翁，後有千萬億劫，天機說不能盡，不可泄漏⑰。

《普明無爲了義寶卷》中的三世說，反映了民間秘密宗教的
烏托邦理想，由無極、太極、皇極三世佛分別代表過去、現在、
未來，其中皇極古佛即指李普明。皇極古佛是未來掌世佛，一年
十八個月，八百一十日，一月四十五日，晝夜一百四十四刻，十
八時辰。未來佛掌世的乾坤世界，人人老少，脫胎換體，都是丈

八金身，天地無圓無缺，人無老少，亦無女相，無生亦無死，是一個眾生平等的社會。三世說對清代民間秘密宗教產生了巨大的影響。直隸總督方觀承等人具摺時已指出，近年「邪教」不外直隸、山西、河南等省，所有設教名色，其說皆本於普明，「普明一脈，實爲諸案邪教之總。」⑱

推算個人命運的占運術，根據各人誕生時的天文現象，包括太陽在二十八宿中的宿度，相信可以推算出個人的休咎壽夭。按照二十八宿和地上各分野在占星術上的關係，也相信從天象的變異，可以用來解釋國家的吉凶禍福。因此，二十八宿在民間秘密宗教運動中起了相當重要的作用。乾隆三十九年（1774）正月間，河南歸德府鹿邑縣人樊明德因身患病症，延請楊集至家醫治痤癢，楊集將《混元點化經》、《大小問道經》各一本傳給樊明德，樊明德即傳習混元教。在《混元點化經》內有「末劫年刀兵現」、「二十八宿臨凡世」等文句⑲。乾隆四十二年（1777），陝甘地區查禁元頓教即紅單教，拏獲教首狄道州人王伏林等人。教中頭目多爲神佛轉世，或星宿臨凡，其中教首王伏林爲彌勒佛轉世，其手下十二人封爲十二星，其他頭目則封爲二十八宿，以星宿爲內部組織的職稱⑳。直隸新城縣人王思昌傳習老理會，乾隆五十八年（1793）病故，他臨終時囑咐其子王銳，二十八宿至丙戌年落凡，紫微星壬辰年落凡㉑，此外，尚有曜星官，八大菩薩等名目。老理會信眾聽信二十八宿臨凡的時候，就是末劫年，起事的時機就成熟了。

三、干支末劫思想的盛行

民間秘密宗教各教派多宣傳干支劫運思想，認爲從天干地支的變化，可以推算人世的吉凶禍福。南宋江山人柴望著《丙丁龜

鑑》一書指出，在甲子六十年中，凡逢丙午、丁未的年分，天下都有變故，非禍生於內，即夷狄外侮爲患。根據柴望的的統計，從秦昭襄王五十二年（西元前255年），歲次丙午，到五代後晉天福十二年（947），歲次丁未，前後共一千二百零二年間，丙午、丁未歷經二十一次，都是天下動亂的年代，人君必須修省戒懼。因爲丙屬火，色赤；未是十二生肖中的羊，丙午逢丁未，稱爲紅羊劫。紅陽是紅羊的同音字，紅羊劫又稱紅陽劫，民間秘密宗教宣傳紅陽劫盡，白陽當興，彌勒降生，過了丙午、丁未就是紅陽末劫。各教派的宗旨，多在宣傳劫變的思想，天上換盤，人間亦當末劫。江西南昌人李純佑，又名李正顯，曾在湖北江陵縣學習裁縫生理。乾隆三十年（1765）正月，李純佑爲了傳教動人，將《末劫經》改編成《五公末劫經》，加添「戌亥子丑年大亂，刀兵爭奪，寅卯年百姓饑荒，人死無數，辰巳年方見太平」等句，經尾加註「李純佑抄寫」字樣，以掩飾其自行編造痕跡。同年八月間，李純佑正式倡立未來教。乾隆三十一年（1766）五月間，李純佑因所改編的《五公末劫經》語句長短不一，難以念誦，又編添躲兵避劫等言詞，經名改稱《大唐國土末劫經》，並在《定劫經》後尾填寫「正顯抄寫」四字，並自行裝裱成册㉒，「正顯」就是李純佑的別名。

　　除《五公末劫經》外，還有《天台山五公菩薩靈經》，這部經簡稱《五公尊經》，或《五公救劫經》，又稱《佛說轉天圖經》，習稱《轉天圖經》，共二十二頁，計九百八十五句，散文和韻文並用，韻文爲七言、五言雜用，是一部較有系統的經讖寶卷，在它的全部經文中，包括了對五公菩薩和觀音大士的崇敬、亂世悲慘的末劫觀，暗示眞命天子下凡的讖語，天下太平的理想世界，寅卯信仰及其宗教道德修養等等。雖然它的篇幅不長，但

內容豐富，不僅展示了漢民族的一些傳統觀念、信仰和心態，同時也反映了他們的宇宙觀、政治觀、倫理觀等。就其宗旨而言，雖然《轉天圖經》是爲錢鏐圖王製造輿論，但經文內容也反映了人民的疾苦、希望和理想，具有一定的人民性㉓。《轉天圖經》詳細敘述五公的故事，其中誌公又稱志公，五公菩薩就是以誌公爲首，稱爲寶誌。喻松青撰〈《轉天圖經》新探〉一文，對五公菩薩作了詳細的介紹㉔。《太平廣記・釋寶誌》說誌公本姓朱，金城人，少出家，在江東道林寺修禪業，與人言，或賦詩，如讖記，後皆效應。《南史・隱逸傳》也記載了誌公的事跡，他於南朝宋泰始年間（465-471），出入鍾山，往來都邑，年已五、六十矣。齊宋之際，開始顯靈跡。他時而披髮徒跣，時而著錦袍，有時徵索酒肴，有時累日不食，好爲讖記，人稱「志公符」。關於誌公作讖言靈驗和其他靈跡故事很多，譬如齊太尉司馬殷齊之，隨陳顯達鎮守江州，臨行向誌公告辭。誌公畫紙作樹，樹上有鳥，說道：「急時可登此。」後來陳顯達叛變，殷齊之逃入盧山，追騎將及，殷齊之見林中有一樹，樹上有鳥，正如誌公所繪，悟而登樹，果然脫險。五代時，誌公的讖言，在南唐流行，傳說石龍山誌公所作鐵銘，說中了五百年後南唐的亡國。五公菩薩中的第二位是朗公，他原是一位印度高僧，曾師事佛圖澄，碩學淵通，尤明氣緯。第三位是康公，即康僧會，他是康居人，世居天竺，吳赤烏十年（247），康公至建業，有神異事跡，在江東地區享有盛名。第四位是寶公，《明一統志》說他是隋開皇中（581-600）居河北眞定解慧寺的高僧，「嘗砦石爲柱，作門三楹，上爲樓，坐臥其上。後北虜來寇，縱火焚至寺，寶公從樓隙身而下，毫髮無傷。衆寇刃之，刀自斷。寇又舉火焚樓，火自滅。群寇驚駭，稽顙而去。」㉕第五位是化公，他是傳說中的神

仙人物。《轉天圖經》假托的五公菩薩，有的是具有靈驗神術好
為讖記的高僧，有的是碩學淵通，明通氣緯的隱逸，有的是服食
有術的神仙人物。經文大意是說誌公、朗公、康公、寶公、化公
等五公菩薩共集天台山上，觀南閻浮提中華之地，過下元甲子
年，眾生造惡，君不仁臣，臣不忠君，上下相利，強弱相侵，干
戈競起，鄉田凋殘，二十年之內，四海一同受此災劫。於是五公
菩薩商議一計，共撰《轉天圖經》，兼有神符八十一道，以救護
末劫眾生，至末劫子丑年，不論富貴貧賤，上下臣民，家家須用
此經，置黑旗一面，鎮壓四方，轉經七日七夜，燒香供養，黑風
赤雨之神，不入其境。經文中宣傳干支劫運思想，它一再強調末
劫的來臨，有所謂「末劫子丑年，白骨壓荒田」，「子丑之年人
吃糠」，「子丑之年，百姓橫罹災」，「子丑之年天無光」等讖
語。子丑年就是末劫年，世界橫遭殃禍。首先是遭受天災，接著
妖魔競起，諸惡鬼神施放毒氣，於是瘟疫四起，干戈相侵，人我
相食，骸骨滿地。在《轉天圖經》中，以大量的篇幅，描繪子丑
末劫年代的悲慘景況。無論富貴貧賤，上下臣民，只要敬信五公
菩薩和靈符經文，即可度過子丑年，等到寅卯中聖主明王出世，
便是太平世的到來。

四、閏八月的宗教末劫思想

　　民間秘密宗教除了宣傳干支末劫年的思想外，還宣傳閏八月
的宗教末劫論。根據官方頒佈的曆書，從明武宗正德十五年
（1520）至清德宗光緒二十六年（1900），前後三百八十年間，
共經歷了十個陰曆閏八月。正德十五年閏八月，歲次庚辰，王守
仁平定寧王宸濠之亂後，宸濠伏誅，變天失敗。明神宗萬曆五年
（1577）閏八月，歲次丁丑，萬曆二十四年（1596）閏八月，歲

次丙申，萬曆四十三年（1615）閏八月，歲次乙卯，都沒有重大歷史事件變化。明思宗崇禎七年（1634）閏八月，歲次甲戌，車箱峽流寇降而復叛。清聖祖康熙十九年（1680）閏八月，歲次庚申，鄭經兵敗於廈門。康熙五十七年（1718）閏八月，歲次戊戌，沒有重大動亂。清文宗咸豐元年（1851）閏八月，歲次辛亥，太平天國洪秀全稱天王，後來變天失敗。清穆宗同治元年（1862）閏八月，歲次壬戌，上海成立常勝軍。清德宗光緒二十六年（1900）閏八月，歲次庚子，義和團起事排外，八國聯軍進攻北京，慈禧太后、光緒皇帝西狩。在以上十次閏八月的年代裡，變天的機率不大。根據民間流傳的曆書，從明正德十五年（1520）至清光緒二十六年（1900），其間共經歷了十一個閏八月，其中嘉慶十八年（1813），歲次癸酉，閏八月，不見於官方頒佈的時憲書，因此，就官方曆書而言，只有十個閏八月。《清仁宗實錄》記載了欽天監修改曆書隱諱閏八月的經過。嘉慶十六年（1811）四月二十三日〈內閣奉上諭〉的記載如下：

> 前據管理欽天監事務定親王綿恩等奏，查得嘉慶十八年癸酉時憲書，係閏八月。是年冬至在十月內，爲向來所未有，因復查得十九年三月亦無中氣可以置閏，應否改爲十九年閏二月等語。朕思置閏，自有一定，非可輕言更易，恐該監推步之處，或有舛錯，因降旨交綿恩等再行詳細通查。茲據奏稱，溯查康熙十九年、五十七年俱閏八月，是年冬至仍在十一月，與郊祀節氣均相符合。今嘉慶十八年閏八月，冬至在十月內，則南郊大祀不在仲冬之月，而次年上丁上戊又皆在正月，不在仲春之月，且驚蟄春分，皆在正月，亦覺較早，若改爲十九年閏二月，則與一切祭祀節氣，均屬相符，復將以後推算至二百年，其每年節氣，

以及置閏之月，俱與時憲無訛等語。定時成歲，所以順天行而釐庶績，南郊大祀，應在仲冬之月，上丁上戊，應在仲春之月，此外一切時令節氣，皆有常則。今據該監上考下推，直至二百年之遠，必須改於嘉慶十九年二月置閏，始能前後吻合，實為詳慎無訛，自應照此更正。至該監此次推算，據稱係時憲科五官正王嵩齡、何元泰、陳恕、何元海四員將十八年時憲書與萬年書校出之後，向該堂官告知，復行詳查具奏等語。王嵩齡等四員俱著施恩，各加二級，其管理監務之定親王綿恩著施恩，紀錄二次，監正額爾登布福文高、監副吉寧、陳倫、李拱宸、高守謙俱著施恩，各加一級。至從前何以於嘉慶十八年八月率行置閏，彼時職司推步者，實有錯誤，著該監查明如其人尚在，應奏聞候旨治罪㉖。

欽天監更改時憲書的原因，不僅在順天行而已，其主要原因還是由於嘉慶十六年（1811）彗星見於西北方，天象主兵，閏八月又是民間宗教信仰的末劫年，所以欽天監奏請修改曆書，將嘉慶十八年（1813）閏八月改於十九年二月置閏。官方時憲書雖然取消了嘉慶十八年（1813）的閏八月，可是民間依然沿用舊的曆書，流傳閏八月天象主兵對清朝政權不利的變天歌謠。以八卦為主導力量的民間秘密宗教，更是極力宣傳閏八月為紅陽末劫的劫變思想，天上換盤，是變天的年代，紅陽末劫，既已降臨，清朝政權，亦當終結。

八卦教的組織，是按照地理分位，分為八卦，每卦設一卦長，各掌一教。天理教本名三陽教，分青、紅、白三色名目，因分八卦，又名八卦教㉗。直隸宛平縣人林清是天理教起事時的首領，林清等人推算天書後宣稱，彌勒佛有青羊、紅羊、白羊三

教，此時白羊教當興。青羊即青陽，紅羊即紅陽，白羊即白陽。民間習俗常以羊代表陽，古畫中多以繪三羊表示三陽開泰。民間秘密宗教又從而附會未來的太陽是白的，以符合彌勒教或白蓮教尙白的信仰。據天理教坎卦教首程毓蕙供稱：「現在是釋迦佛掌教，太陽是紅的，將來彌勒佛掌教，太陽是白的。」㉘三陽教中的紅羊劫，就是紅陽劫。天理教中的天書內記載著「八月中秋，中秋八月，黃花滿地開放」的讖語。句中第二個中秋，就是閏八月中秋，相當於清廷新頒時憲書中的嘉慶十八年（1813）九月十五日。林清等人推算天書後，算出這一年的閏八月是紅陽末劫，白陽教當興，彌勒佛降生。於是假藉天書，宣傳閏八月交白陽劫，是變天的時機，於是暗中聯絡各卦的卦長，準備起事應劫。嘉慶十八年（1813）四月間，河南滑縣卦長于克敬等人前往直隸宛平縣宋家莊，與當家林清密商大計。林清宣稱閏八月十五日即九月十五日將有大劫，已聯絡武官曹綸、太監高福祿等人爲內應，訂期於嘉慶十八年（1813）「四五月三五日」一齊動手。所謂「四五」，即四加五，和數爲九，將「九」折爲四和五，四五月即九月；所謂「三五」，即三乘以五，積數爲十五，三五日即十五日。「四五月三五日」暗藏九月十五日，即閏八月中秋。林清等人果然於閏八月十五日率眾應劫起事，進入紫禁城，計劃趁嘉慶皇帝回鑾時刺駕。但因八卦各路信眾未能如期會合，起事遂告失敗，天理教首夥信眾，多被拏獲誅戮，善男信女遂成爲宗教末劫論的犧牲品。

【註　釋】

① 《隋書》（臺北，鼎文書局，民國七十六年五月），卷三五，經籍四，頁 1095。

② 喻松青，《明清白蓮教研究》（成都，四川人民出版社，1987 年
　　4 月），頁 92。

③ 《寶卷》，初集，第十冊，頁 236。

④ 《寶卷》，初集，第十冊，頁 295。

⑤ 喻松青：《民間秘密宗教經卷研究》（臺北，聯經出版公司，民國
　　八十三年九月），頁 213。

⑥ 《寶卷》，初集，第八冊，頁 178-183。
　　《寶卷》，初集，第八冊，頁 178-183。

⑦ 《軍機處檔・月摺包》，第 2751 箱，8 包，48454 號。嘉慶二十一
　　年六月十六日，兩江總督百齡奏稿。

⑧ 喻松青，《民間秘密宗教經卷研究》，頁 237。

⑨ 《清代檔案史料叢編》，第三輯，頁 30。嘉慶二十年十二月十四
　　日，直隸總督那彥成奏摺。

⑩ 《軍機處檔・月摺包》，第 2751 箱，1 包，47135 號。嘉慶二十一
　　年四月十三日，晉昌奏摺錄副。

⑪ 《軍機處檔・月摺包》，第 2751 箱，3 包，47551 號。嘉慶二十一
　　年五月十八日，馬慧裕奏摺錄副。

⑫ 《清代檔案史料叢編》，第三輯，頁 47。王殿魁供詞。

⑬ 《清代檔案史料叢編》，第三輯，頁 65。嘉慶二十一年正月二十
　　八日，馬慧裕奏摺。

⑭ 《宮中檔》，第 2723 箱，98 包，18945 號。嘉慶二十年六月十三
　　日，湖廣總督馬慧裕等奏摺。

⑮ 《清代檔案史料叢編》，第三輯，頁 50，王時玉供詞。

⑯ 《宮中檔》，第 2723 箱，100 包，19642 號。嘉慶二十年八月二十
　　二日，百齡奏摺。

⑰ 《普明無爲了義寶卷》，〈如來分爲第三十六〉，《寶卷》，初

集，第四冊，頁 579。

⑱ 《宮中檔乾隆朝奏摺》，第十七輯，頁 457。乾隆二十八年四月十
四日，直隸總督方觀承奏摺。

⑲ 《清代檔案史料叢編》，第九輯（北京，中華書局，1983 年 6
月），頁 167。乾隆四十年五月二十八日，河南巡撫徐績奏摺。

⑳ 《上諭檔》，方本（臺北，國立故宮博物院），乾隆四十三年正月
十二日，党曰清供詞。

㉑ 《上諭檔》，嘉慶二十二年十月二十一日，軍機大臣奏稿。

㉒ 《軍機處檔・月摺包》，第 2771 箱，71 包，10731 號。乾隆三十
四年十月初四日，湖廣總督吳達善奏摺錄副。

㉓ 喻松青，《民間秘密宗教經卷研究》，頁 80。

㉔ 喻松青，《民間秘密宗教經卷研究》，頁 41。

㉕ 《明一統志》，《欽定四庫全書》（臺北，國立故宮博物院，文淵
閣），卷三，頁 59。

㉖ 《清仁宗睿皇帝實錄》，卷二四二，頁 24。嘉慶十六年四月二十
四日庚午，內閣奉上諭。

㉗ 《欽定平定教匪紀略》，卷二六，頁 22。嘉慶十八年十二月十六
日，那彥成奏。

㉘ 《欽定平定教匪紀略》，卷二九，頁 7。嘉慶十八年十二月二十六
日，據章煦奏。

清太宗漢文實錄初纂本
與重修本的比較

　　清初議修太宗文皇帝實錄，始於順治六年（1649）正月，世
祖命大學士范文程、剛林、祁充格、洪承疇、馮銓、甯完我、宋
權等充總裁官，學士王鐸、查布海、蘇納海、王文奎、蔣赫德、
劉清泰、胡統虞、劉肇國等充副總裁官，並擇於是月初八日開
館。惟順治八年（1651）十月二十四日，內國史院大學士希福等
奏稱「恭惟我太祖武皇帝開創豐功，太宗文皇帝嗣位，即命儒臣
纂成實錄，功德昭如日月，謨烈垂諸奕禩。臣等伏思太宗文皇帝
德業弘遠，益擴丕基，必備載史冊，求為法守，用昭我皇上孝
思。且皇上躬親大政以來，事事恪遵太宗心法，纂修實錄大典，
尤不可緩，謹請皇上敕行，期於速竣，則太宗功德彰於永久，而
皇上承先之志彌光。伏乞特頒敕諭，飭臣衙門纂修，應用官員人
役，臣等另疏具奏。」①據此可知大學士范文程等並未遵旨於順
治六年（1649）正月初八日如期開館，其正式開館係始於順治九
年。是年二月初一日，世祖宴纂修太宗實錄官於禮部，且聖祖仁
皇帝實錄亦載「順治九年纂修太宗文皇帝實錄」字樣②。是年九
月初八日，命內國史院學士魏天賞、詹事府少詹事兼侍講學士高
珩、李呈祥充副總裁官。順治十年（1653）正月十九日，以內翰
林秘書院大學士陳名夏充總裁官。順治十二年（1655）二月十二
日，內翰林國史院侍讀黃機以太宗文皇帝實錄纂輯告成，奏請特
命諸臣詳加校訂③。其書題為《太清太宗應天興國弘德彰武寬溫
仁聖睿孝文皇帝實錄》，凡四十卷，每卷一冊，附目錄一冊，此

即太宗文皇帝實錄漢文初纂本，書中於聖祖以降諸帝名諱，直書不避④。世祖命和碩鄭親王等重加校閱，未及蕆事。康熙六年（1667）十一月二十三日，聖祖命內秘書院大學士班布爾善等校對太宗文皇帝實錄。康熙十二年（1673）八月，命圖海爲監修總裁官，勒德洪、明珠、李霨等爲總裁官，特開史局，蒐討訂正。康熙二十一年（1682）九月二十二日，重修告竣，繕錄成編，題爲《大清太宗應天興國弘德彰武寬溫仁聖睿孝隆道顯功文皇帝實錄》。其書合凡例目錄滿洲蒙古漢文各六十七卷，是爲康熙年間重修本。雍正九年（1731）十二月二十日，纂修聖祖仁皇帝實錄告成。十二年（1734）十一月二十九日，大學士鄂爾泰等因三朝實錄內人名地名字句與聖祖仁皇帝實錄前後未曾畫一，奏請派滿漢大臣率同簡選翰林官員，重加校對。世宗命大學士鄂爾泰、張廷玉、協辦大學士工部尚書徐本爲總裁官，理藩院右侍郎班第、內閣學士索柱、岱奇、勵宗萬爲副總裁官，開館訂正，酌改繕寫。高宗即位後，命諸臣繼續辦理，乾隆四年（1739）十二月初十日，恭校繕竣，題爲《大清太宗應天興國弘德彰武寬溫仁聖睿孝敬敏昭定隆道顯功文皇帝實錄》，合凡例目錄滿洲蒙古漢文各六十八卷，即所謂乾隆年間重修本，亦即定本太宗文皇帝實錄。書中凡遇聖祖玄燁、世宗胤禛名諱，俱行改避，易玄爲黑，易胤爲廕。

　　清代改纂實錄，屢見不鮮。太宗實錄一再重修，盡刪所諱，以致史事湮沒不彰。順治八年（1651）閏二月二十八日，刑部尚書固山額眞公韓岱等審議剛林等罪狀，其第七款云「將盛京所錄太宗史册，在在改抹一節，訊之剛林。據供纂修之時，遇應增者增，應減者減，刪改是實，舊稿尚存。」⑤張國瑞氏於《故宮博物院文獻館現存清代實錄總目》書中謂「考清代實錄之纂修，始

於天聰朝，當時滿文為主，漢蒙文則係照譯。及至乾隆四年
（1739），將太祖太宗世祖三朝實錄重加校訂，內中記事多有，
人名地名譯音亦求畫一。」⑥惟雍正乾隆年間但在畫一人名地名
或潤飾字句而已，其重修刪改，實成於康熙年間。乾隆三年
（1738）十月初四日，高宗諭云「雍正十二年十一月內，皇考以
太祖太宗世祖三朝實錄中，人名地名字畫音句之屬，有與聖祖仁
皇帝實錄未曾畫一者，特命大臣等敬謹查對，酌改繕寫，以昭示
萬年。朕即位之初，諸臣正在辦理，因將恭加列祖尊謚字樣增入
書中。惟皇祖實錄未有重修之處，是以恭加尊謚，未曾增入。朕
思四朝實錄，理應畫一，皇祖實錄內，應將恭加尊謚增入，方與
列祖相符。目今正值重繕列祖實錄之時，敬將恭加皇祖尊謚，增
入實錄內，每卷只須換寫前後兩幅（下略）。」⑦方甦生氏於
〈清實錄修改問題〉一文中略謂康熙纂修三朝實錄，前後歷時二
十載，而雍乾校訂，合三朝漢滿蒙文三體，凡六百餘卷，僅歷五
載而成，較之康熙速度四倍，雖或人員多寡不同，要亦因前者為
重修，增飾，須加蒐考，後者則僅校訂字畫音句，畫一人名地名
而已。在乾隆四年校訂告成後，仿前明例，將康熙舊本，焚之蕉
園，惟康熙修纂三朝實錄，未嘗焚稿，故順治所修兩朝舊本，仍
存閣庫，康熙未定稿，流落民間，說者遂執傳鈔稿本，以較校訂
本，遂謂「乾隆朝善改舊修實錄。」⑧康熙六年（1667），內閣
檔案殘題稿述聖祖重修太宗實錄動機甚詳，原稿云「題為請旨
事，康熙六年（1667）十一月十二日，皇上召臣等至內殿諭前修
太宗文皇帝實錄內有字義未當，姓名舛錯者，可詳閱具奏。臣等
欽遵諭旨，將第一套滿字五卷另行謄錄，應更改者更改繕寫，恭
呈御覽訖。〔嗣因〕今臣等續改第二套將原檔〔陸續〕與〔原〕
前修〔副本〕實錄詳加校勘，不惟字義未當，姓名舛錯，且有前

後顛倒者，有〔原檔所載〕於例應存而遺漏者，有瑣屑事務，例不應書而書者，有一事前後重複者，〔有不書干支止書年月日者〕至于年日干支並未書載〔有〕且滿漢文對勘，有詞義舛錯不合者，有〔滿漢〕詞義雖合，而漢文近於俚俗，〔且〕並語氣未順者。實錄一書載我太宗文皇帝聖德神功，垂〔後〕萬世，〔實〕允係大典，諸如此類，〔似〕應增應損，似應重修。」⑨清太宗實錄初纂本，書法質樸，譯名俚俗，成書既早，宜其較近真相，本文即在就太宗實錄順治初纂本與乾隆重修本，互相校勘，列舉其犖犖大端者，以窺其梗概。

在清太祖努爾哈齊時期，其所轄族眾有「女直」、「建州」、「珠申」、「滿洲」、「金」、或「大金」等稱號。市村瓚次郎氏以「滿洲」名稱為清太宗皇太極所偽造，稻葉君山氏亦稱其採用「滿洲」二字，始於編纂崇德朝實錄之日，以前遺錄及文書，實無此說⑩。惟《滿文原檔》「荒字檔」萬曆四十一年九月已載「女直滿洲國淑勒崑都崙汗」字樣，其字體為完全無圈點老滿文，其為天聰六年以前之記錄，應屬無疑。清太宗即位以後，仍常自稱為「滿洲國汗」或「大金國汗」，其與明朝或朝鮮往返文書，亦屢見不鮮。神田信夫氏於〈滿洲國號考〉一文中指出原來國號引起眾人注意，係對國外，非對國內。「金」譯成滿文為「愛新」，「愛新國」字樣主要係與明朝及朝鮮往返文書中所使用，在天聰十年四月改國號為「大清」以前，對外仍稱「愛新」，惟其滿洲語卻為「滿洲」，故於往返文書以外部分俱用「滿洲」，太宗改元以後，其「金」或「滿洲」國號遂不復使用⑪。稻葉君山氏稱太宗諱金之國號而改為清，其主要理由為太祖統一諸部時欲擇一共同思想之象徵，故沿襲前金舊號，以激動女真人之氣。太宗既併內蒙古，征服朝鮮，漢人歸降日眾，太宗雖

屢次與明議和，明人多以宋金前事為鑒，拒與和好，為避免引起
漢人之反感，遂廢棄「大金」舊號⑫。清太宗實錄初纂本多據
《滿文原檔》逐條譯成漢文，故為一種未定稿，其保留「金國」
稱號之處仍多，聖祖時為調和滿漢，亟力避免使用「金國」字
樣，重修本遂將「金國」改稱「滿洲」或「我朝」，如：天聰五
年十二月二十四日，初纂本卷八，頁二六，載參將甯完我上疏云
「萬一有亂政者，言漢制不宜行於金國，又不免將開創嘉謨，中
道廢止矣。」重修本卷十，頁二三，改稱「萬一有亂政者，言漢
制不宜行於我朝，又不免將開創嘉謨，中道廢止矣。」將「金
國」改稱「我朝」。同日，初纂本卷八，頁二八，又載甯完我疏
云「至於服制一節，是汗陶鎔金漢之第一件急事，金國之人，語
言既同，貴賤自別，若夫漢官只因不會金語，嘗被罵詈，嘗被辱
打，至傷心墮淚者有之。」重修本卷十，頁三五，載「至於服制
一節，是皇上陶鎔滿漢之第一要務，滿洲國人，語言既同，貴賤
自別，若夫漢官祇因未諳滿語，嘗被訕笑，或致凌辱，至傷心墮
淚者有之。」將「金語」改稱「滿洲語」，「金國」改稱「滿洲
國」。天聰九年十二月初十日，初纂本卷二一，頁一〇，載「朝
鮮國王致書滿洲汗」，同日又載朝鮮國王致書「金國汗」，同月
二十日，亦載「金國汗」答書朝鮮國王，重修本俱將「金國汗」
字樣刪略不載。崇德元年八月初三日，初纂本卷二三，頁八，載
「蓋州城守官，於城門上見一匿名帖。送至云，爾金國官蔡永
年，通同明國。」重修本亦將「金國」字樣刪略不載。金源是否
即係滿洲，異說紛紜。天聰七年八月十四日，初纂本卷一二，頁
二四，載滿洲國天聰汗諭朝鮮國王云「布占太來自蒙古，乃蒙古
苗裔，斡兒哈與我俱係女直國大金之後，祖居彼地（中略）。若
謂斡兒哈與我不係一國，非大金之後，請擇一知故事者來，予將

世系詳爲說明，若再不相信，觀金遼元三史而世系自明矣。」重修本卷一五，頁二一，載「布占泰來自蒙古，乃蒙古苗裔，瓦爾喀與我，俱居女直之地，我發祥建國，與大金相等，是瓦爾喀人民原係我國人民也。」重修本以滿洲與大金相等，諱稱女直國大金之後。三田村泰助氏謂「滿洲在萬曆末年時攻下葉赫，統一女直民族成功以後，改變成對外稱本國爲後金國，對內稱爲珠申。」⑬天聰九年十月十三日，重修本卷二五，頁二九，載太宗上諭云「我國原有滿洲、哈達、烏喇、葉赫、輝發等名，向者無知之人，往往稱爲諸申。夫諸申之號，乃席北超墨爾根之裔，實與我國無涉。我國建號滿洲，統緒綿遠，相傳奕世，自今以後，一切人等，止稱我國滿洲原名，不得仍前妄稱。」易言之，以珠申爲女直部族稱號，自此以後遂明令禁止使用。惟同月二十四日，初纂本卷二〇，頁四八，仍載太宗上諭云「諭衆於朝曰，國名許稱滿洲，其固山貝勒下人許稱某固山貝勒家諸申云。」據此可知「諸申」之名稱仍然存在。「清三朝實錄採要」所載內容相近，文字略異，太宗實錄重修本則刪除此段記事。黃彰健氏於「滿洲國國號考」一文中稱「由於諸申（女眞）已含有奴才一義，所以他不許人稱他爲女眞，而只許人稱他爲滿洲。女眞人在貝勒家仍稱諸申，但其實所征服的女眞人，仍從其主人之名而稱滿洲。」⑭

　　太宗實錄初纂本成書較早，保存史料較多，重修本每因隱諱而刪略史事。天命十一年八月二十六日，初纂本卷一，頁八，載蒙古廓兒沁國吐舍兔汗聞太祖崩殂，遣使弔喪，並致書云「前生積善，上天作君，至尊、至強、至明汗更易，奧把台吉（吐舍兔汗之名也）書以慰衆貝勒云，昔察希兒把敦汗主四方，握七寶，數盡則必亡，雪山白獅，其力甚大，若限到則亦死，深海內其寶

無窮，及龍之死，雖有寶亦不能救，以至寶尤愈之身，如石之擲而委去也。汝國主父汗，捨寵姬愛子，視之不見，呼之不應而逐崩。歷來帝王之死，號泣亦不能復生，汝盍勉遵先汗所遺之規，所行之跡，修內圖外。寡婦守貞，始爲烈女，孤子創業，方稱奇男，宜專治國政可也。」廓兒沁吐舍兔汗國書俚俗不雅，且其口氣竟以上國自居，待滿洲如屬邦。重修本改繫其事於是年九月二十六日，刪略尤多，其文稱「蒙古科爾沁土謝圖汗奧巴，遣使來吊太祖喪，並致書，勸上節哀。」天聰八年正月初一日，初纂本載太宗往大貝勒家拜節云「上行三跪九叩頭禮，大貝勒令其子芍托阿格跪奏曰，上行九拜，異日必生九子，一統天下，永享遐齡，共樂太平。」重修本卷一七，頁二，載「詣大貝勒代善第拜之，以代善兄行，有加禮。代善令其子碩託跪奏曰，上恩優渥，臣無以報，惟願上富壽多男，一統天下，永享太平。」太宗位居人君，仍向代善行三跪九叩頭禮，且因九拜而生九子，近乎無稽之談，重本遂諱而不載。同年八月二十四日，初纂本卷一五，頁三四，載明崇禎皇帝以諭帖揭於北樓，以間諜滿洲，其書云「我國人有得罪逃去及陣中被擒，欲來投歸者，若拏汗來，賞金萬兩，封萬戶侯，得貝子來，賞金三千兩，陞金吾衛官，即不能如此，隻身來歸，亦令永享富貴，滿洲蒙古一體恩養。」懸賞拏人，明代官書，記載甚詳，重修本卷一九，頁三六，但稱「我國人有得罪逃去及陣中被擒，欲來投歸者，不拘漢人滿洲蒙古一體恩養。」天聰九年正月二十二日，初纂本卷一八，頁六，載「插漢兒國衰出格生格戒桑，奉掌高兒土們固山福金來附，途中私自配合。上曰，此非臣下所宜爲，遂命拆離，乃賜後附奇他特撤兒貝爲妻。」重修本卷二二，頁七，載「以察哈爾掌高爾土門固山事福金，賜祁他特車爾貝爲妻。」太宗將業已私自配合之福金，

強爲拆離，改賜後附之人，重修本遂諱而不載。天聰九年二月初八日，初纂本卷一八，頁一九，載沈佩瑞奏稱「我國兵馬威武奮揚，別無可慮，但恐軍餉或不敷耳。臣係南人，素曉龜卜，凡事吉凶，可以豫斷。近思屯田一事，於新春正月十五日，虔誠灼得一卦，殊爲可喜，是以敢在汗前言之，我國不必窮兵深入，徒勞無益。」預斷吉凶，近乎迷信，故重修本將沈佩瑞素曉龜卜一段刪去不載。同年八月二十五日，初纂本卷二〇，頁一六，載「和芍兔額夫妻格格，不遵禁約，私養娼妓在外，一娼縊死於祖可法妻弟之家。」《滿文原檔》多次記載娼妓（gise hehe）之事，重修本卷二四，頁二三，改稱「初額駙和碩圖所尚公主不遵訓誡，致一婦人縊死於祖可法妻弟之家。」其訓誡爲何，不得其詳。同年十二月初三日，初纂本卷二一，頁一〇，載「莽古兒泰貝勒六子邁答里、光袞、查哈量、阿哈塔、舒孫、噶納亥，得格壘貝勒之子鄧什庫等俱爲庶人。初滿洲國本族婦女及伯母叔母嫂等，皆無嫁娶之禁，後汗以亂倫嚴禁之。莽古兒泰，得格壘二貝勒既行悖逆之事，即爲仇敵，因令衆貝子願者便娶莽古兒泰二妻，和格貝勒納其一，姚托貝勒納其一，得格壘貝勒一妻，阿吉格貝勒納之，其餘侍妾竝罪犯之妻妾，俱各配人。」重修本卷二六，頁一〇，僅載「莽古爾泰六子邁達里、光袞、薩哈聯、阿克達、舒孫、噶納海，德格類子鄧什庫等俱降爲庶人，屬下人口財產入官。」滿洲婚姻舊俗，已難窺之。崇德七年（17643）七月初三日，初纂本卷三九，頁四，載「正黃旗厄里克淫其父婢女生子，又滿洲壯丁十七名，止編兵三名。」重本卷六一，頁二五，惟載「正黃旗額爾克，所屬滿洲壯丁十七名，止編甲三名。」重修本每因事不雅，諱而不載，且因刪略，以致史事不詳。崇德元年（1636）十月十五日，初纂本卷二三，頁二九，載和碩睿親王、

和碩豫親王往征明國，至錦州臨近下營，城內善友崔應時為首，同五十人議定差胡有升持書來投，書內歌謠詳述滿洲為大金之後，並謂牛八即朱家勢數已盡，大金後代天聰皇帝應運坐殿北京，掌立世界乾坤。其書云：「天荒地亂亦非輕，古佛牒文下天宮，紫薇大金臨凡世，天聰世間侵北京，奉佛天差一帝王落凡住世，大破乾坤，只因牛八江山絕盡，今該大金後代天聰，掌立世界乾坤。普天匝地，大地人民，久等明君出現，救度男女，總歸一處，東有四處金兵皈順，北有插酋降伏皈順。此主不非輕，天差下世，替舊換新，改立乾坤，重立世界。牛八江山功滿回天宮，天聰掌教，各位諸佛諸祖下世，擁護當今天聰皇上掌教，從混沌分下世界乾坤。天降真印，南朝皇帝時蹇，失落西夷之手，五百年間興赴皈天聰掌立，后會彌勒大地乾坤，好人落凡，通你金身，不敢言出。天下十三布政，都有賢人，救苦觀音，護你掌教。陝西秦地，出一真佛，通著乾坤，要見金身，終日兩淚悲傾。昨有山西平陽府西河王府，差四人來到遼東，單請天聰，掌立世界。四人五月到彼今至未回山西，等候真君，見君一面，訴說前因。我山西平陽府人民，久等君到，收聚人民，只用三四千人馬，各處地方歸順我王，同上北京坐殿。南省、湖廣、四川、浙江、福建、廣東、廣西、齊通山西平陽府一人，串同四夷，夥同一處，扶天聰掌教乾坤，能扶一主，不扶二主。此字請主另差金兵，多則一萬，少則五千，關王顯聖，領你親到山西平陽府城縣道，接一好人，來到燕京，扶你坐殿。若他不到，你金殿還遲三四月，接他到彼見你金身，剎那之間，重立中京，天下人民，齊來皈投一朝帝王，因你掌立天下，多人難曉。山陝秦晉，聖地出一明人，夜夢境中觀你金身，他要見你，山遙路遠，難以來到，久等至今。乾坤變亂，該你大破燕京，四面八方，齊來護你

坐殿。觀世音菩薩，空中顯化，高叫天聰。我朝眞印，今差送你，不能曉的。崇禎功圓果滿，劫盡回宮，該你掌教。天差捕酋，親送眞印，救苦觀音菩薩，彌勒菩薩，各佛諸祖，都在空中擁護，送印執掌乾坤，此兵數萬，得進北京，不是非輕。觀音菩薩顯化，領你大兵進墻，你怎得知，二千五百大劫以盡，該你大金掌立天下，非同小可。金兵西夷，只是各處搶奪東西財物，不能成大事，要你親來領兵，分付各營金兵，守至某處，戰得燕京，此寶無窮。關東八城，兵馬盡都西征調去，空缺城池，清虛冷淡，你要領兵，淨行大路，不用費力，八城山關，北京天下，十三布政，若你不得，你把我擎拏殺床與衆諸將觀看，自願死矣。放著現成世界，不會用兵，只顧貪財，不是大人作事。天下兵馬，見了金兵，膽戰心寒，等就丙子丁丑，該天聰北京坐殿，百戰百勝，無人敵鬬。東勝神州，出一帝王，名大金，前有大元大明二帝，不滿五百年間，而大金皇上隆興，恢復舊治，掌立乾坤，是彌勒佛出世，天下人民改換，天聰掌立世間乾坤，天差各位神兵，九曜星官，二十八宿，三十六祖，四十八祖，五十三佛，六代菩薩，關王領兵助陣，八十一洞眞人，三千徒衆，子路顏回，齊來出世，同助天聰掌立，大破燕京，八方兵馬，一處聚兵，盡死在你手，天兵天將，現將大金，從赴舊位，等就劫年，該你出世，山海關津，各處地方，都有敗壞，破一家乾坤粒碎，成一家大金，復興替舊換新，改立乾坤天年大事，盡都知聞，百般依吾，見見成成，佛說大慈悲救苦觀音，護大金乾坤立世，普天下天聰超生，若不是天年時盡，誰肯言這箇年成。普天下黎民都有，都只在夢中光陰，末劫年天差下俺護大金，掌立乾坤薆中境無所不曉，只在心訴與誰聽。你在東天隔兩岸，我在西不敢動身，終日家睡思夢想，眼睜睜望的眼昏，擎住泪不敢言語，痛傷

心肚內成汪，捨死命在要去了，丟家鄉妻兒苦辛。爲我王乾坤世事，從立天改換年成，大鬧四海運州城捨損黎民，天年盡該你掌教，你的心從改一番，別比那前朝古帝，另立你世間乾坤，只天年你通曉，天差你紫薇星君，換新春另立世界。天下臣等候明君，破燕京牛八退位，立中京你在夢中，神安年新換世界，長安界大破西秦，收吾體調理大事，別量我臭亂僕根。從累劫混沌分下，初立世又是一同。戊午年天差下你，塵世間收聚緣人，薄福的刀兵收去，有緣的護你爲君。二十年干戈不定，纔等到丙子年成，發大兵燕京大戰，破燕京好座龍墩。你動非同小可，天佛差玉皇勑令，八方境齊都護你，普天下你總收攏，只些事吾都知到，懷在心久等爲君，說乾坤禮儀穿龍袍腳登雲履，要行吾天朝大事，留髮戴網帽，想當初不得我天朝，照依你金兵削髮度日。今得天朝，照依大明皇帝官員布巾，大小頭領從新改立，一樣相同。先日大凌河，我爲你打發一人，到你營送信，叫你拏住此人，不要鬆放，誰想你撒了手放了來，那時不放他回來，北京早得了，不等到如今。只一遭他領兵西征，崇禎陞他都元帥，天下官員，盡與他管，總隨領兵還有你心，天下大事說不盡。看了此字急發大兵，你領徑走大路，無人阻隔，送信人打發一人回來，我只里好防，八城得一城，都是現成，別比前番，一擁到關，安住大兵，立下營寨，不用費力，八城急隨，堵住路口，他何處逃走，千萬急來。天佛牒文，玉皇勑令，護你爲君，分付金兵，不愛財物，得了金鑾寶殿，坐住龍墩，另立新春，從換官員，殺盡不平男女贓官，改換世界，赴皈舊位，另掌乾坤。我今說下，大金原根，大元大明，不滿五百年間，大金皇上，赴興恢復舊治。今五百年間，必有聖人生者，我皇上是也，萬萬餘眷。」道人崔應時原書長達二千餘言，固嫌冗長，惟臣民建白有關政事者，實

錄當書。因書中所載多道教釋氏玄機，且屢言滿洲爲大金之後，重修本卷三一，頁一四，遂刪其全文，但云「先是和碩睿親王多爾袞、和碩豫親王多鐸往征明國，至錦州下營，城內有道人崔應時，首與其黨五十人同謀，造爲歌謠，其書數千言，大約言明國當滅，我朝當興，宜速進兵，攻取山海等關之意。」崇德四年（1640）七月十六日，初纂本卷三一，頁五，載「是日，宴中，以和碩睿親王於濟南德王府中所得龍卵一枚，及龍卵作成二碗，命衆觀之。」重修本不載此事，民間關於龍蛋傳說，由來已久，修史諸公或以其荒誕不經，故刪略之。

初纂本語法質樣，文字俚俗，重修本以其語氣未順，詞義不當，而逐句潤飾，以致史事常見失眞之處。清太宗即位後，積極向外發展，屢次對外用兵，且廣納叛民，故賞賜甚厚，初纂本詳載頒賞人員，物件名稱及數量，重修本多將物件數目刪除不載。如：天聰六年七月初五日，初纂本卷十，頁一一，載「各衛蒙古貝子辭歸，上賞孫都稜，打喇亥、兀格善納哈處、生格、伊兒都契、木章、敖漢七貝子，每人蟒緞十疋，紬二十疋，木豸土眛之子、喇嘛石希二臺吉各蟒緞四疋、紬六疋，擺松俄著力格兔、布戶瘦思二人各蟒緞一疋、青布八疋，哈兒馬、豸桑，吐舍兔三人各蟒緞一疋、青布六疋，敦多惠、代把土魯、脫格脫和、賴沙、都思哈兒五人各蟒緞一疋、青布七疋，葉速特、胯喇徹徹里格二部十二貝子各緞一疋、青布八疋，吐舍兔額夫、嘉賴特、都兒白特三衛貝子各蟒緞十疋、緞二十疋，卜他七、哈談把土魯蟒緞五疋、素緞十疋，喇嘛石布蟒緞四疋、緞六疋，胯喇沁部代打喇漢、畢拉石、喇什希布三人各蟒緞二疋、緞三疋、青布二十疋，把特馬蟒緞一疋、緞二疋、青布十疋、善巴蟒緞一疋、青布八疋，瑣訥木蟒緞一疋、緞二疋、青布十疋，巴嶺衛滿柱石里蟒緞

一疋、青布十疋，阿祿衛四子部各蟒緞五疋、緞六疋，蒙古貝子受賞謝恩。」重修本卷一二，頁一四，載此事甚簡略，其文作「外藩蒙古貝勒孫杜稜等辭歸，各賜緞有差。」《滿文原檔》於賞賜物件記錄甚詳，重修本或以其事屬瑣屑，故不應書。天聰元年正月（1626）二十八日，初纂本卷二，頁二〇，載阿敏貝勒答高麗書云「辛酉年，我來拏毛文龍，凡係漢人，拏獲殺死。」因恐引漢起人反感，重修本卷二，頁一六，改作「辛酉年，我軍攻勦毛文龍，惟明人是問。」且將其事改繫於是月二十七日。天聰五年（1631）六月十九日，初纂本卷七，頁七，載大貝勒代善第五子巴喇瑪病痘卒，太宗從避痘處欲往弔，大貝勒聞知，再四遣人請止曰「上未出痘，不可來。」重修本卷九，頁八，改稱「聖躬關係重大，臣民仰賴，蒙上溫慰。我安敢不節哀，無煩車駕親臨也。」崇德二年七月初五日，初纂本卷二六，頁四，又載太宗諭旨云「前朝鮮既平，朕因未出痘，懼而先回。」重修本俱將太宗未出痘之事刪略不書。天聰六年（1632）正月十九日，初纂本卷九，頁九，載太宗以古人門都等膂力絕倫，善角觝，各賜以號。其文云「賞悶杜豹皮外套一頒，賜名阿兒思朗即獅子也、吐失兔卜庫即善跌交，賞都魯麻虎皮外套一領，賜章卜庫即象也。賞特木德黑虎皮外套一領，大刀一口，緞一疋，賜名巴兒把土魯卜庫即虎也。」重修本卷一一，頁一一，作「賞門都豹裘一，賜號阿爾薩蘭土謝圖布庫，杜爾麻虎裘一，賜號詹布庫，特木德赫虎裘一、大刀一、緞一、賜號巴爾巴圖魯布庫。」重修本為使語氣通順，而將旁註獅、象、虎等不雅字樣刪略之。阿兒思朗或阿爾薩蘭，其原義即獅子，滿文讀作"arsalan"，經重修本刪略後，其原義已難知曉。

　　初纂本以數序記事，祇書年月日，不書干支，重修本則改書

干支。初纂本有記年月而闕日者，亦有但記年而闕月者，重修本為整齊體裁，俱為補朔。初纂本記事，記月而日期不詳者，重修本多繫以干支，且初纂本原書日期，重修本改繫異日，以致與原書日期互有出入。如：清太祖崩殂後，皇太極即位，頒詔國中，初纂本未書明日期，重修本則將「頒漢官漢民勿逃詔」改繫於天命十一年（1626）九月甲戌，將「頒不復新築城郭以恤民力詔」改繫於是月丙子，將「頒編漢人戶口諭」改繫於是月丁丑。初纂本卷二，頁一〇，將太宗與諸貝勒遊幸次於遼河岸一事，繫於天聰元年四月初八日，重修本卷二，頁一二，改繫於三月初八日乙亥。初纂本卷四，頁六，載天聰三年（1629）二月二十日，太宗駕次遼陽，遍閱寺廟，次東京城外，並遣阿什打喇漢納哈處等齎詔往諭蒙古各處歸降貝勒。重修本將太宗次遼陽改繫於二月二十三日己酉，次東京城外改繫於二月二十四日庚戌，將諭蒙古貝勒改繫於二月初二日戊午。太宗命儒臣分為兩直，繙譯漢字書，初纂本卷四，頁八，繫於天聰三年（1629）四月，未書日期，重修本卷五，頁一一，繫於天聰三年五月二十三日，重修本卷五，頁一五，改繫於是月二十四日戊申。初纂本卷四，頁一七，載天聰三年（1629）九月二十二日「蒙古胯喇沁國兒亥都台吉進緞幣來朝，上欲興大兵，先差人往諸歸降蒙古貝子處，令各率兵來會。」重修本卷五，頁二一，將布兒亥都改作布爾噶都，其來朝日期與初纂本相同，惟將差人往諭蒙古貝勒改繫於九月二十三日甲辰。初纂本自天聰十年四月起改稱崇德元年，重修本自五月起始改元崇德。初纂本卷三〇，頁二五，載崇德四年（1639）二月三十日「高太監祖總兵，由寧遠差官三員，率兵九百，座船十隻，往援杏山。」案是年二月為小月，故重修本卷四五，頁二〇，改繫其事於三月初一日戊午。初纂本卷三四，頁二三，載

崇德五年（1640）十二月初三日命和碩睿親王等率官兵往代圍錦州之和碩鄭親王，初四日，安平貝勒下肫泰、傅喇塔、葉什、石賴、尼滿等五人首告本貝勒，重修本將遣兵往代鄭親王事改繫於是月初四日庚戌，而將首告安平貝勒事改繫於是月初三日己酉，兩事舛錯倒置，其餘類此者，不勝枚舉。

　　初纂本人名地名，多俚俗不雅，即聖祖所稱姓名舛錯者，重修本皆加以潤飾，前後畫一。如：蒙古喀爾喀，初纂本作「胯兒胯」，查薩克圖汗，初纂本作「扎撒兔汗」、侯痕巴圖魯，初纂本作「喉恨把土魯」，車徹克圖，初纂本作「扯成兔」。大致而言，初纂本所載人名地名與清太祖武皇帝實錄譯法相同，其重修本則與高皇帝實錄相同。如：《大清太祖武皇帝實錄》卷四，頁三，載「太祖未即位時先娶之后生長子出燕，賜號阿兒哈兔土門，次子帶善，號古英把土魯。繼娶后所生莽古兒泰，得格壘，中宮皇后生皇太極，即天聰皇帝也。繼立之后生阿吉格，多里哄，號默里根歹青，多躲號厄里克出呼里。皇妃生阿布太，又三妃生五子阿拜，湯古太，塔拜，巴布太，巴布亥。」《大清太宗文皇帝實錄》初纂本卷一，頁一，亦載「初太祖武皇帝微時，先娶哈哈納扎親爲后，生長子出燕，先號洪把土魯，後號阿兒哈兔土們，次子帶善，號古英把土魯，繼娶滾代，生二子，莽古兒泰，得格壘。孝慈昭憲純德貞順成天育聖武皇后孟古姐姐生皇太極，即上也。繼立之后阿把亥，生三子，阿吉格，多里洪，多躲。多里洪號默里根歹青，多躲號厄里克出呼里。皇妃賴生阿布太，又三妃生五子，阿拜、湯古太、塔拜、巴布泰、巴布亥。」《大清太宗文皇帝實錄》重修本與《大清太祖高皇帝實錄》譯音一致，「出燕」改作「褚英」，「帶善」改作「代善」，「得格壘」改作「德格類」，「阿吉格」改作「阿濟格」，「多里洪」

改作「多爾袞」，「多躲」改作「多鐸」，「阿布太」改作「阿巴泰」，「巴布亥」改作「巴布海」。太宗實錄重修本復將「武皇帝」改稱「高皇帝」，所有后妃女子之名俱刪去不載，后「哈哈納扎親」改作「元妃佟甲氏」，「滾代」改作「富察氏」，「孝慈武皇后孟古姐姐」改作「孝慈高皇后葉赫納喇氏」，「阿把亥」改作「大妃烏喇納喇氏」，「皇妃賴」改作「側妃伊爾根覺羅氏」，例繁不備舉。初纂本以太宗皇太極爲太祖武皇帝第四子，與「滿洲實錄」所載相同，重修本則將皇太極改爲太祖高皇帝第八子。由太宗實錄初纂本與清太祖武皇帝實錄體裁、書法、譯音等俱相同而觀之，似可推知兩書告成時間相距甚近，其史館纂修人員多未更動。初纂本所載人名地名與重修本歧異之處，亦屢見不鮮。初纂本卷二，頁一三，載天聰元年（1627）正月十四日滿洲兵進攻義州，愛同把土魯潛入先登，義州判官崔夢亮死之。重修本將「愛同把土魯」改作「巴圖魯艾博」，「崔夢亮」改作「崔鳴亮」。天聰元年（1627）二月初六日，初纂本卷二，頁二三，載滿洲兵至鳳山下營，重修本將「鳳山」改作「平山」。天聰元年（1627）五月十五日，初纂本卷二，頁二八，載太宗命綏占、兀格二人至錦州城議和，「綏占」《滿文原檔》作“suijan”「兀格」作“uge”重修本則將「兀格」改作「劉興治」。同月二十八日，初纂本卷二，頁四一，載錦州之役，滿洲遊擊宗室拜山等入陣中，被創而死。案覺羅與宗室有間，清高宗上諭曾屢次述及，重修本則將「宗室拜山」改爲「覺羅拜山」。天聰五年五月初三日，初纂本卷七，頁二，載滿人張喜綴從寧遠逃來，重修本將「張喜綴」改作「張士粹」。天聰五年（1631）七月二十八日，初纂本卷七，頁一六，載「昔大金伐宋，宋將有李顯忠者，曾敗金兵十三陣。」重修本將「李顯忠」改作「宗

澤」。天聰八年（1634）三月十二日，初纂本卷一八，頁四，載副將尚可喜差都司金汝貴上奏，重修本將「金汝貴」改作「金玉奎」。崇德四年四月初六日，初纂本卷三〇，頁三六，載「是日，將所留紅衣砲四位及輜重營兵命五衛兵護送至屏城。重修本將「屏城」改作「藩城」。崇德七年（1642）三月二十九日，初纂本卷三八，頁二三，載朝鮮咨報日本國情，述及江戶及德川家康事，重修本將「江戶」改作「江澔」，「家康」改作「甲康」。由前舉數例可知重修本將滿蒙人名地名因譯音舛錯或詞義不雅而重加畫一外，部分漢人姓名亦經修訂。在譯音方面，初纂本與重修本有同名異譯者，如初纂本所載「羅特」，因滿蒙發音問題，常於「羅」字前加置「俄」或「厄」音始易讀出，故重修本將「羅特」譯作「厄魯特」（ūlet）。至於官職等名稱，初纂本多據《滿文原檔》用漢音譯出，重修本則將其原義譯出。如：漢語之「護衛兵」，滿文讀作"bayara"，初纂本所載「擺牙喇」，重修本俱改作「護軍」。輕重之重，滿文讀作"ujen"漢音譯如「烏眞」，漢語之兵士，滿文讀作"cooha"，漢音譯如「超哈」，初纂本所載之重兵作「烏眞超哈」（ujen cooha），實即清太宗時期歸附後編成之「漢軍」，重修本遂將「烏眞超哈」改作「漢軍」。漢語之「承當」或「承擔」，滿文讀作"aliha"漢音譯如「阿力哈」，初纂本所載「阿力哈超哈」（aliha cooha），意即滿洲蒙古之騎兵，重修本亦將「阿力哈超哈」改作「騎兵」。漢語之「專管」或「專擔」，滿文讀作"enculehe"漢音譯如「恩出勒赫」，初纂本所載「恩出勒黑牛彔」（enculehei niru），重修本改作「專管牛彔」。地名方面，亦有類似之處，如：漢語之「湖泊」，滿文讀作"omo"漢音譯如「鵝模」，初纂本所載「大兒鵝模」，重修本改作「大兒湖」。

漢語之「地方」或「路」，滿文讀作"golo"，初纂本所載「撓羅戈羅」，重修本改作「闈雷地方」。漢語之「黑龍江」，初纂本作「查哈量兀喇」（sahaliyan ula），重修本改作「黑龍江」，類此之例甚多，無煩備舉。

　　初纂本太宗實錄記載史事，多據《滿文原檔》譯出漢文，康熙以降諸帝重修實錄時，史事較爲清楚，故有補記或改正之處，間可補初纂本之疏漏。天聰元年（1627）正月二十七日，初纂本卷二，頁一九，載滿洲兵至中和，高麗二使，一係元帥姜弘禮之子，一係參將朴國英之子，朴國英滿文作"piyoo guiing"同年七月，初纂本將「朴國英」改作「朴蘭英」，前後不一致，重修本將「姜弘禮」改作「姜宏立」並將「朴國英」畫一作「朴蘭英」，案朴國英與朴蘭英實係兩人。天聰元年五月十二日，初纂本卷二，頁二六，載「錦州城紀太監、趙總兵差守備一員、千總一員來探上意。」重修本將紀太監改作「太監紀用」，趙總兵作「總兵趙率教」。天聰五年（1631）正月二十八日，初纂本卷六，頁七，載「去歲秋，成吉思汗之四弟，與其子姪，率國遠來歸服。」成吉思汗若指元太祖，則其四弟當必身歿已久，故重修本改作「去年秋，成吉思汗四弟之後裔，舉所部來歸。」初纂本記事，每多追憶之處，以致前後間有重複者，重修本或加刪略，或加釐正。如：天聰元年（1627）八月二十二日，初纂本卷二，頁五二，載「牛莊城守來報遼河有明船十隻，我差船三隻，小船六隻，向前不動，三固山人欲與之戰，遙見西船相繼而來。上命姚托貝勒率八大人，領兵三百往探之，至其處。探子回報曰，來船據住遼河，止有小船三隻，大船一隻，入潮溝，被吾守邊大人東什路、法篤、代合、哈兒答、他兒畢希五人，領兵夾攻，盡獲之，殺守備一員，千總二員，百總二名，共二百餘人。」同年九

月初二日，初纂本又載「明朝徐參將領船十隻，至三岔河。先遣船四隻入潮溝探消息，被守邊步兵分截水口，獲船兵二百，盡殺之。」重修本以其前後重複，將九月初二日獲船兵事刪除不載。《大清太祖高皇帝實錄》增錄上諭多達五十三道，俱不見於《大清太祖武皇帝實錄》，《大清太宗文皇帝實錄》重修本增錄上諭及史事之處亦不少。如：天聰二年（1628）正月初五日丁卯，重修本卷四，頁二，載「上諭侍臣曰，喪葬之禮，原有定制。我國風俗，殉葬燔化之物過多，徒為靡費，甚屬無益。夫人生則資衣食以為養，及其死也，間有用之物為之殉化，死者安所用之乎。嗣後凡殉葬燔化之物，務遵定制，勿得奢費。」初纂本及《滿文原檔》俱不載此道上諭。且其上諭與天命十一年諸王逼令太祖大妃殉葬，盡以珠寶飾之，及侍婢殉葬故事，實大異其趣。天聰三年（1629）二月十三日己亥，重修本卷五，頁八，載「先是，陵寢未成，奉太祖梓宮，暫安瀋陽城內時，有僧名陳相子者，私率徒眾於梓宮前，旋繞誦經。護守官奏聞，上使問其故。相子對曰，我誦經者，欲求佛引太祖英靈，受生善地耳。上曰，太祖神靈，上升於天，豈待眾僧禱求，始受生善地耶，自來惑眾罔民者，皆此輩僧人也，因下相子於所司，杖四十，勒令還俗為民。」此事不見於初纂本。天聰四年（1630）二月二十二日壬申，重修本卷六，頁二四，載「上諭貝勒諸臣曰，明之土地人民，天已與我，是其民即我民也，以我之人民而我顧加以侵暴，則已服之國，將非我有，他國人民，亦無復有來歸者矣，爾鎮守諸貝勒眾臣，宜嚴飭我國軍士，毋侵害歸順之民，儻有違悖，該管牛彔額眞以下，俱治罪。」初纂本不載此道上諭，《滿文原檔》繫其事於二月十四日。重修本記事有見於初纂本而敘述較詳者。天聰四年（1630）二月十四日甲子，初纂本卷五，頁一八，

載「上於三年十月征明朝，至是年二月而回，次於灤河，三日，凡攻戰有功者分別陞授。」重修本卷六，頁二三，則載「上自天聰三年十月征明，抵燕京，轉克遵化、永平、灤州、遷安諸地，至是班師。命貝勒阿巴泰、濟爾哈朗、薩哈廉偕文臣索尼、甯完我、喀木圖率正白、鑲紅、正藍三旗將士，鎮守永平府。文臣鮑承先、白格率鑲黃、鑲藍二旗將士鎮守遷安縣。以灤州係邊地，命固山額眞圖爾格、納穆泰爲帥，偕文臣庫爾纏及高鴻中率正黃、正紅、鑲白三旗將士守之。又命察哈喇爲帥，偕文臣范文程率蒙古八旗將士，鎮守遵化，於是駐蹕灤河，留軍三日，敍將士戮力行間，攻克城池功。分別陞職。」增載史事甚詳，俱不見於初纂本。

　　清初史館人員增損舊檔，杜撰史事，屢見不鮮。清太宗實錄，經聖祖以降歷朝輾轉重修，整齊體裁，斟酌損益，辨異審同，畫一譯名，增刪潤色，湮沒史實，雖有正誤之功，究難掩諱飾之過。其初纂本未經校訂，字義欠當，同名異譯，重複史事，瑣屑俚俗，固屬瑕中之疵，惟其成書旣早，保存史料較豐，實不失爲清初較可信之官方紀載。

【註　釋】

① 《大清世宗章皇帝實錄》，卷六一，頁 15。順治八年十月戊辰，據希福等奏。

② 《大清聖祖仁皇帝實錄》，卷二二，頁 23，康熙六年七月己巳，據禮部議奏。

③ 邢志良撰〈故宮博物院所藏的清實錄〉，《大陸雜誌史學叢書》，第二輯，第四，《明清史研究論集》，頁 242．大陸雜誌社印行。邢氏謂太宗實錄，順治九年正月初纂，告成年月失載，惟據光緒會

典事例順治十二年載太宗文皇帝實錄業已告成字樣，謂其告成時期當在順治十二年以前。

④ 康熙二十一年九月二十二日，聖祖御製〈太宗文皇帝實錄序〉云太宗文皇帝實錄，舊編六十有五卷，蒐討訂正後，卷帙如舊，似非指初纂本而言。

⑤ 《大清世宗章皇帝實錄》，卷五四，頁 22，順治八年閏二月乙亥上諭。

⑥ 張國瑞編《故宮博物院文獻館現存清代實錄總目》（民國二十三年十一月），頁 1。

⑦ 《大清高宗純皇帝實錄》，卷七八，頁 8，乾隆三年十月癸未上諭。

⑧ 方甦生撰〈清實錄修改問題〉，《輔仁學誌》，第八卷，第二期（民國二十八年十二月出版），頁 142。

⑨ 徐中舒撰〈內閣檔案之由來及其整理〉，《明清史料》（國立中央研究院歷史語言研究所，民國六十一年三月再版），第一本，頁 10。

⑩ 但燾譯《清朝全史》（台北，中華書局，民國四十九年九月），頁 69。

⑪ 神田信夫撰〈滿洲國號考〉，《故宮文獻》，第三卷，第一期（國立故宮博物院，民國六十年十二月），頁 47-48。

⑫ 但燾譯《清朝全史》，頁 57-58。

⑬ 三田村泰助著《清朝前史之研究》（東洋史研究叢刊之十四，昭和四十年十月出版）頁 473。

⑭ 黃彰健撰〈滿洲國國號考〉，《中央研究院歷史語言研究所集刊》，第三十七本（民國五十六年六月），頁 470。

汗自繼位以來國勢日豐何嘗借資爾輩出財出力那時
貝勒言甚念。阿布太貝勒阿吉格貝勒和碩厄里克出
呼里貝勒聞之皆念怒與查哈量貝勒無異及告和碩
姚托貝勒姚托貝勒變邑而作曰德格壘貝勒焉有此
理必妄言耳堂子亦在議論之中乎言畢絕無念衆
貝子大臣等遂將其事審實莽古姬格格併其夫瑣諾
木及莽古兒泰德壘兩貝勒之妻子與同謀佟布路
愛把里闈族皆擬斬冷生機兔坐亦無功其二貝勒壯
丁戶口家產等物皆歸

《清太宗實錄》初纂本
天聰九年十二月初三日

清代國史館的傳記資料
及列傳的編纂

一、前　言

　　歷史記載，最主要的是在人物，有人始有歷史。太史公作史記，以本紀、表、書、世家、列傳的體裁，撰寫歷史，就是一種紀傳體的方法。在史記一百三十卷中，本紀、世家、列傳共佔一百一十二卷，表與書合計僅占十八卷。易言之，史記是以紀傳爲本體，而以八書爲總論，十表爲附錄，亦即以人物爲中心。太史公特創列傳一體，將每一個歷史人物的事蹟，都歸納在其本人的名字下面，加以有系統的敘述，年經月緯，層次井然，於是從許多個別歷史人物的記載，可以顯露出某一個時代的社會概況或特徵。列傳的意義，就是列事作傳，敘列人臣事蹟，以傳於後世①。班固以來修史者，多省世家入列傳。太史公創造這種列傳新體裁，爲以後二十四史所沿用。

　　有清一代，人物傳記的撰述，種類固多，爲數尤夥。例如碑傳集、續碑傳集、碑傳集補、大清畿輔先哲傳、清代學者象傳、中興將帥別傳、國朝先正事略、國朝耆獻類徵等，內容廣泛，頗具參考價值②。私家著述，固不待論，即官修傳記，更是汗牛充棟。清朝初年，即倣漢人制度，設立史館，編纂史書，其中尤以列傳及當時所搜集的傳記資料爲數最多，其價值實非碑傳集等私家撰述所可同日而語。《清史稿》倉卒成書，繆誤百出，不足徵信。傅振倫撰〈清史稿評論〉已指出「滿清所謂之國史館，列傳

記事，其道甚詳，對於其人升遷降貶之年月，大都詳載不遺，稽考頗便，及民初修清史，大半刪除，讀者惑焉，試以清國史館所刊之滿漢名臣傳，及中華書局印行之清史列傳，與此比較，其詳略疏密可知矣。」③本文撰寫的目的即在就現存清代國史館檔案，以探討傳記資料的來源，並略述列傳的編纂，俾有助於清史的研究。

二、清代國史館的設立

清代國史館的設立，可以追溯到入關以前。太宗天聰三年（1629）四月，設立文館，命儒臣分直，繙譯漢字書籍，並記注滿洲政事。天聰十年（1636）三月，改文館爲內國史、內祕書、內弘文三院，分職辦事。其中內國史院的職責爲「執掌專記言動，收御制文移，國政征伐一切史書，郊天祭文，即大位表，祭宗廟文，歷代祖宗史書墓誌，凡一切密書，及官員陞降冊井奏疏，追封貝勒勅書，六部所辦事宜，可記者記之，封功臣母妻誥命，及篆印文，外國往來書，纂修入史。」④簡言之，編纂史書就是內國史院的主要職掌之一。康熙二十九年（1690）三月，山東道御史徐樹穀以國初史事若不及時彙輯成書，恐歲久人湮，諸臣事蹟，致有闕略。因此，疏請纂修太祖、太宗及世祖三朝國史，經禮部等衙門議准。同年四月，以大學士王熙爲監修總裁官，大學士伊桑阿等爲總裁官，尙書張玉書等爲副總裁官。滿洲入關之初，兵事方殷，不遑制作，國史的纂修，迄未著手。至是始議設館修史，其館址設在東華門內，額設纂修八員。旋設滿洲總纂四員，滿總纂六員，滿洲纂修十二員，漢纂修二十二員⑤。除總纂、纂修以外，尙有協修、提調、清漢文總校及謄錄、校對官等人員。

雍正元年（1723），勅纂功臣傳。乾隆元年（1736）三月，禮部左侍郎徐元夢爲續修國史，奏請將雍正年間諸王文武群臣的譜牒、行述、家乘、碑誌、奏疏、文集，在京文臣五品以上，武臣三品以上，外任官員司道總兵以上，身後具述歷官治行事蹟，勅令八旗直省查明申送國史館，以備採錄傳述。經總理事務王大臣議准辦理，諸臣章奏有奉旨及部院議准者，亦應錄送，作爲志傳副本⑥。同年十月，國史館總裁大學士鄂爾泰等進呈太祖高皇帝本紀，其他各朝本紀仍在編纂中。鄂爾泰等欲俟四朝本紀編纂完竣後，始將表志列傳等項，次第排纂。清高宗恐曠日持久，成書太遲，故諭令一面辦理本紀，一面排纂表志列傳。乾隆三十年（1765），宗室王公功績表傳告成。清高宗以國史館原纂列傳，僅有褒善，惡者貶而不錄，不足以傳信。因此，降旨重修，並飭詳議條例。同年，國史館總裁等議覆開館事宜，滿漢大臣定以官階分立表傳，旗員自副都統以上，文員自副都御史以上，外官督撫提鎮等凡有功績學行，或獲罪廢棄原委，俱爲分別立傳。清高宗以國史館所議尚未詳備，列傳體例，以人不以官，不當以爵秩崇卑爲斷，有表無傳者，必其人無足置議，有傳無表者，必其人實可表彰。質言之，凡居官事蹟無多者，僅列入國史大臣年表，不立專傳。

清初以來，國史館承辦各書，當每一書告成時即繕寫正本，奏請移送皇史宬尊藏，但臣工列傳向來是按季分單陸續進呈，仍發還館中收存。因纂輯並非出自一人，其體例參差不一，而且每傳各爲一册，卷帙未分次第。亦有立傳在先而追加爵銜諡法廕卹在後，以及身後削奪職銜者，俱須覆加檢輯，畫一體例，方可尊藏，昭垂永久⑦。清高宗亦指出從前編纂列傳時是彙總進呈，未及詳加確核，抑揚出入，難爲定評，所以在乾隆三十年特頒明

旨，簡派總裁，董率纂修各官，將清初以來滿漢大臣已編列傳者，通行檢閱，核定事實，增刪考正。其未編列傳的文武大臣，京官自卿貳以上，外官自將軍督撫提督以上，綜其生平事蹟，各為立傳，並令博採旁搜，舉凡儒林、隱逸及列女等俱覈實兼收，另為立傳⑧。

　　國史館所修列傳，分為漢字列傳與清字即滿文列傳，國立故宮博物院現藏清代國史館的列傳稿本主要為漢字列傳，清字列傳僅存三十餘本。清高宗在位期間，曾屢飭國史館趕辦列傳，例如乾隆四十五年四月，軍機大臣遵旨交查國史館稱「所有睿親王、鄭親王、豫親王及國初三大臣等表傳，纂輯已久，何以未見進呈？大學士于敏中故後，此書何人接辦？」是月十六日，據國史館覆稱「四十三年正月初十日奉旨復還睿親王封號，交國史館恭照實錄所載事蹟，增補宗室王公傳內，又諭武功、慧哲、宣獻、通達四郡王事實交國史館補為立傳，附於宗室王公之後，欽此。隨經大學士于敏中派令纂修官彭紹觀、管幹珍二員承辦。現在武功、慧哲、宣獻、通達四郡王傳、恪恭貝勒傳，又重辦睿親王傳俱已完藁，因現有滿漢大臣列傳備進，是以尚未繕寫正本進呈。」⑨乾隆四十八年（1783）十月，清高宗飭國史館諸臣將乾隆四十年以前表傳速為纂辦，勒限五年，陸續進呈。其中蒙古王公表傳，原限四十八年二月完竣，原定二十八卷，後增纂至六十四卷，但至乾隆四十九年（1784）七月，僅進過十四卷，經奏請展限至次年四月完竣。宗室王公表傳，原定十卷，限四十八年（1783）五月完竣，亦因逾限奏請議處。乾隆五十三年（1788）十二月，清高宗諭令國史館將乾隆四十年（1775）以後至五十年（1785）王公大臣表傳查據內閣紅本及軍機處檔案，詳悉纂輯，以次進呈。國史館進呈列傳，平均每月至少應在十本以上，惟國

史館諸臣纂修列傳，進度既遲緩，數量亦少。例如乾隆五十七年
（1792）自六月至八月，三個月內共進過滿漢字列傳各四本，逆
臣列傳二本，共計十本，未達預定進度，於是國史館總裁及纂修
各官俱奉旨交部察議⑩。

　　國史館纂輯列傳，固然講求體例，尤重書法，雖一字褒貶，
亦必求其至當。清初纂修列傳，對於明季諸臣，概從貶斥，清高
宗頗不以為然。例如乾隆三十一年（1766），國史館進呈新纂洪
承疇列傳，於前明唐王朱聿鍵加書「偽」字。清高宗指出一字所
繫，予奪攸分，明朝至崇禎十七年，其統雖亡，但福王在江寧；
尚與宋室南渡相彷彿，且唐王為明室子孫，其封號承自先世，並
非異姓僭竊，因此，特降明旨，不當加書「偽」字，不必概從貶
斥⑪。至於人臣身終後，或書「卒」，或書「故」，義例綦嚴，
不得誤用。據清高宗所定列傳書法，人臣立品無訾，有始有終
者，方得書「卒」。乾隆五十七年十一月間，清高宗披閱錢玨、
蔡珽列傳。據載錢玨為御史時，參劾山西巡撫穆爾賽貪婪，並條
陳各款，似有風裁，及用至巡撫時，輒於所屬知縣婪贓情事，聽
受私書，徇情銷案，不能自踐其言。蔡珽在雍正初年曾極陳年羹
堯的種種貪暴，及擢至總督後，竟挾嫌誣陷岳鍾琪、田文鏡，祖
護黃振國，以至獲罪。在二人列傳內對其身故，俱書作「卒」，
體例皆未允協，故飭國史館將二人列傳末俱改書為「故」，並頒
諭稱「嗣後除特行予諡，及入祀賢良祠者，自當書卒外，其雖無
飾終之典，而品行克保厥終者，仍一例書卒。若初終易轍，營私
獲罪之人，傳末止當書故，不得概書為卒。」⑫質言之，人臣言
行始終無玷者，始可稱之為卒，凡是言行不符，朋比取戾，營私
獲罪者，概書為故，以便與立朝本末粹然者，有所區別。自乾隆
年間以降迄清季光緒末年，國史館纂輯列傳，始終不曾間斷。現

藏清代國史館的列傳，主要爲兩大類：一類爲乾隆年間以降陸續
進呈的朱絲欄寫本；一類爲傳包內所存的各種稿本，其數量均極
可觀。

三、現藏清代國史館朱絲欄寫本的列傳

清代國史館朱絲欄寫本的列傳，有原纂本、續纂本、改訂本
及定本的分別，包括親王列傳、宗室列傳、大清國史宗室列傳、
欽定宗室王公功績表傳、欽定外藩回部王公表傳、欽定續纂蒙古
回部王公表傳、欽定續纂外藩蒙古回部王公傳、欽定續纂外藩蒙
古王公傳、國史忠義傳、國史忠義傳正編、國史忠義傳次編、國
史忠義傳續編、清史滿蒙漢忠義傳、欽定國史忠義列傳、大清國
史功臣列傳、大清國史大臣列傳、清中漢大臣列傳、清史大臣列
傳、清史大臣列傳續編、國史大臣列傳正編、國史大臣列傳次
編、國史大臣列傳續編、欽定國史大臣列傳正編、欽定國史大臣
列傳次編、欽定國史大臣列傳續編、清史儒林傳、清史文苑傳、
清史循吏傳、清史貳臣傳甲編、清史貳臣傳乙編、欽定國史貳臣
表傳、清史逆臣傳、欽定國史逆臣列傳、昭忠祠列傳續編等，合
計約一千六百餘冊，或一人爲一冊，或數人爲一冊，列傳人物，
合計約六千餘人，較中華書局出版《清史列傳》所載人物多達一
倍以上。國史館朱絲欄寫本的列傳，因屢經改訂，故有重複者，
例如現存多爾袞列傳共計四冊，分別見於大清國史宗室列傳卷
二、卷四及親王列傳。親王列傳不分卷，其中題爲《和碩睿忠親
王多爾袞列傳》一冊，內容較簡略，不附表，另一冊題爲《睿忠
親王列傳》，記事較詳，末附王爵承襲世次表。李永芳列傳共計
四冊，分別見於貳臣列傳甲編、清史列傳、清史功臣列傳、欽定
國史貳臣表傳。又如閩浙總督滿保即覺羅滿保，大清國史大臣列

傳卷二八作覺羅滿保列傳，而國史大臣列傳九三則作滿保列傳。各列傳除本傳外，多含附傳，例如欽定國史忠義列傳卷七爲滿洲人七十一列傳，其附傳包括存柱、巴金、常住、伊郎阿、瑞琳、富通阿、韋和、阜慶、凝祿、音德赫、增福、德勝、卓凌阿等十三人。又如忠義列傳卷十訥清額本傳內含有豐盛圖等三十四人的附傳。在朱絲欄寫本內雖然同一人常有重複數傳，但因本傳以外，多含有附傳，減除重複各傳後，其總人數實相差無幾。在這些列傳內，包含清代各朝的文武功臣等，清初人物較多，間有清末的大臣列傳，例如丁日昌、丁寶楨、賽尙阿、文祥、左宗棠、向榮、毛昶熙、毛鴻賓、江忠源、沈桂芬、沈葆楨、何桂清、李鴻章、李鴻藻、李瀚章、李鶴章、曾國藩、曾國荃、曾紀澤、葉名琛、薛福成、薛煥、雷以諴等。在儒林傳內如方東樹、梅文鼎、魏源等列傳，俱書明「陳伯陶總輯」字樣。朱絲欄寫本內，在原輯本及增訂本中多粘貼黃簽，重繕改訂。例如國史忠義傳，爲素紙封面，稱爲原纂進呈本。除素紙封面外，另有黃綾本，於封面飾以黃綾，內含黃綾進呈本與黃綾定本，例如大清國史功臣列傳，屬於黃綾進呈本，粘簽改訂，板心不書人名，其中扎爾固齊費英東列傳首頁粘貼紅簽，書明「纂修朱佩蓮重校，謹案每篇列傳有以賜號及人名連書者，在標題則可，在傳內必須分明，以免後人疑惑，如扎爾固齊，賜號也，費英東，人名也。列傳首句似宜書費英東，滿洲鑲黃旗人，其第七行妻以女孫下添入賜號扎爾固齊六字。」扎爾固齊，蒙文讀如「Jargūci」，意即審事人，其職掌爲聽訟治民⑬。在朱絲欄寫本內冠以「欽定」字樣者，則屬於黃綾定本，例如欽定國史大臣列傳正編、次編、續編、欽定國史逆臣列傳等，板心書寫列傳人名。其粘貼黃簽者已屬罕見，在欽定國史貳臣表內如乙編上原載馬光遠謚誠順，乙編中馮銓謚

文敏，乙編下党崇雅諡文清，修成定本後，旋奉旨追削諡號，故粘貼黃簽，書明「擬削」字樣。各類列傳，都有其凡例，例如大清國史宗室列傳所載凡例爲：「一凡列聖諸子，無論有無封爵及得罪削爵除籍，俱按名立傳；一凡列聖諸子之子孫，其襲封者，自王以下，至輔國將軍以上，無論有功及得罪，俱附於祖父傳後，仿世家體，各爲立傳；一凡列聖諸子之子孫，其支庶有官至一品及顯樹功烈者，亦附傳於祖父傳後，餘則第於宗室表中見之，概不立傳；一凡宗室王貝勒以下至輔國將軍，其順治年間授封者，俱按名先行立傳，至康熙年間授封者，俟恭進訖，再查明具奏，續行立傳。」

中華書局出版《清史列傳》所刊宗室王公傳計三卷，將代善、阿濟格兩人置於卷一，但大清國史宗室列傳計五卷，卷一爲景祖及顯祖諸子，卷二至卷四爲太祖諸子，卷五爲太宗諸子，而且在內容記載上有很大的出入。例如代善列傳敘述天命十一年（1626）八月擁立太宗皇太極的經過，據《清史列傳》云「十一年八月，太祖龍馭上賓，岳託偕弟台吉薩哈璘議以告父代善曰：四貝勒才德冠世，深契先帝聖心，衆皆悅服，當嗣大位。代善曰：此吾素志也，天人允協，其誰不從。代善告阿敏、莽古爾泰及衆貝勒，皆曰：善，遂合詞請太宗文皇帝嗣位。」⑭大清國史宗室列傳則云「十一年八月庚戌，太祖上賓，代善於諸子中最長，至功德茂異，夙有君人之度，衆望尤屬太宗，特諸貝勒大臣以次序素定，未敢言也。代善慨然與子岳託、薩哈璘自作議書，具言紹承大統，必得聖君，始能戡亂致治，以成一統大業，自顧德薄，願共推戴太宗嗣位，入朝，遍示大貝勒阿敏、莽古爾泰及諸貝勒阿巴泰等，衆皆大喜。」兩書同述一事，彼此歧異。因清太祖臨終前並無立皇太極的遺訓，故皇太極的即位問題，中外學

者的討論，莫衷一是。據清代實錄等官書記載，首先倡議擁戴皇太極繼承汗位者爲岳託、薩哈璘，大清國史宗室列傳卻謂由代善首先提議。尤其文中所稱「代善於諸子中最長」、「次序素定」等語，寓意深長。

國史館對降清的明臣別立貳臣傳，欽定國史貳臣表傳附錄史臣案語，略謂「史家類之名，儒林、循吏、游俠、貨殖，創由司馬，黨錮、獨行、逸民、方術，昉自蔚宗，厥後沿名隸事，標目實繁。顧四千餘年，二十二家之史，從未有以貳臣類傳者（下略）。」朱絲欄寫本洪承疇列傳末書「今上乾隆四十一年十二月詔於國史內增立貳臣傳」等語，「今上」即清高宗，由此亦可知洪承疇列傳就是乾隆年間的進呈本。清高宗令國史館總裁等將諸臣仕明及仕清朝的降臣，查考姓名事實，編列貳臣傳，據實直書，以補前世史傳所未及⑮。明臣降順後，其立朝事蹟，各不相同。洪承疇南征，頗樹勞績，李永芳亦屢立戰功，始終效忠於清朝。至如錢謙益率先歸降，卻於詩文內極力詆毀滿人，進退無據。龔鼎孳曾降流寇，接受僞職，後又投順清朝，而再仕以後，靦顏持祿，毫無事蹟。若與洪承疇等同列貳臣傳，不示等差，實不足以彰善癉惡。乾隆四十三年（1778）二月，清高宗命國史館總裁將明季貳臣傳，詳加考覈，分爲甲乙二編。現藏《欽定國史貳臣表傳》，內含表一卷，傳六卷，俱分上中下三部分：凡明臣投誠清朝後遇難殉節者如劉良臣等列於甲編上；明臣投誠清朝後著有勳績者如李永芳等列於甲編中；明臣投誠清朝後略有勞效者如祝世昌等列於甲編下。明臣投誠清朝後無功績可紀者如孫得功等列於乙編上；明臣投誠清朝後曾經獲罪者如夏成德等列於乙編中；明臣先從流寇，後降清朝及初爲流寇黨與降明後又投誠清朝者如梁清標等列於乙編下。其餘雖身事清朝，而在前明時僅登科

第未列仕版者，則不必概列貳臣傳。乾隆五十四年六月，國史館
進呈貳臣傳乙編薛所蘊、張忻等列傳。據清高宗指出薛所蘊、張
忻二人先經順從流寇，後始投降清朝。嚴自明等既經投誠，於尙
之信起事反清時即歸順尙之信，三藩兵敗後又與尙之信同降清
朝，反覆無常，進退無據。至如馮銓、龔鼎孳、金之俊、錢謙益
等人，其行蹟亦相仿，不可與李永芳等相比，不值爲之立傳，因
此降旨，令國史館將其列傳概行撤去，僅爲立表，排列姓名，摘
敘事蹟。同年十二月，清高宗復頒諭旨，以吳三桂、耿精忠等降
而復叛，「靦顏無恥」，不得稱爲貳臣，特立逆臣傳，另爲一
編，使其生平穢蹟，難逃「斧鉞之誅」⑯。

四、現藏清代國史館的傳包

　　清代國史館的傳包，包括兩大部分：一爲國史館纂修的各種
列傳原稿，有初輯本、重繕本、校訂本、增輯本及定稿等的區
別；一爲國史館爲纂修列傳所咨取的各種傳記資料。國史館所立
列傳，包含宗室傳、大臣傳、儒林傳、孝友傳、學行傳、文苑
傳、循吏傳、名宦傳、隱逸傳、忠義傳等。中華書局出版《清史
列傳》，不含孝友、學行、名宦、隱逸等傳。傳包內的列傳，以
忠義傳人數爲最多，其中武職人員包括總兵、副將、參將、遊
擊、守備、防禦、佐領、參領、協領、前鋒、驍騎校、都統、副
都統、都司、千總、把總等，多不見於《清史列傳》。列傳人物
清初較少，清末人數較多，資料亦較豐富。在循吏列傳內如李
棠、李森、周際華、周灝、施沛霖、秦聚奎、曹大任、郭文雄、
郭世亨、陳宗海、陳朝書、張楷、張衡、焦雲龍、雲茂琦、景其
沅、彭洋中、雷銘三、劉世墀、劉遵海、鄭伸、薛時雨、魏式
曾、嚴以盛、竇以筠等人的列傳，俱不見於《清史列傳》。其餘

人物不見於《清史列傳》者，實不勝枚舉。傳包原封紙面間亦書明纂輯、校閱人員的姓名，例如丁日昌傳包，其原包封紙外書明「施老爺紀雲校輯」字樣，岑毓英傳包，其原包封紙外書明「陳老爺田纂輯，張老爺星吉覆輯，李大人閱，光緒二十一年夏季三單。」內含傳稿四本，其中三山齋本封面書明「協修陳田纂輯」字樣，其餘三本，分別爲重繕本，校訂本及定稿。陸在新傳稿計三本，其中三山齋本是由張履春纂輯，是爲初輯本。第二本則由李嘉猷繕寫，任端斌校對，纂修尹慶舉覆輯。此本是據初輯本繕抄，內多增刪。第三本封面右下角書明「吳廷獻繕寫，趙壽松校對」字樣，是傳包內的定稿。左宗棠傳稿計五本，其中一本題爲「重輯左宗棠傳稿」，封面粘簽云「此本左文襄傳，係原傳呈進後，查有漏略，重爲纂輯，事蹟較詳，考覈確實，應行存館，俟辦畫一傳時，可據此爲正本，十六年十二月十六日記。」左宗棠卒於光緒十一年七月，此十六年，即光緒十六年，左宗棠列傳重輯本就是《清史列傳》大臣畫一傳的正本。

　　傳包的內容，除傳稿外，多保存了當時爲纂修列傳而咨取或摘鈔的各種傳記資料，例如事蹟冊、事實清冊、訃聞、哀啓、行狀、行述、咨文、履歷片、出身清單、奏摺、片文、祭文、年譜、文集、政績或功績摺等俱爲珍貴的列傳資料。其中事蹟冊是據上諭檔、月摺檔、奏摺、議覆檔、剿捕檔、外紀等檔案，摘錄簡略事由，按年月先後排比。上諭有明發上諭與寄信上諭的區別，《樞桓記略》云「特降者曰內閣奉上諭，因所奏請而降者曰奉旨，其或因所奏請而即以宣示中外者，亦曰內閣奉上諭，各載其所奉之年月於前，述旨發下後即交內閣傳鈔，謂之明發，其諭令軍機大臣行，不由內閣傳鈔者謂之寄信。」⑰君主特降的諭旨，由內閣傳鈔後宣示中外，故又稱爲明發上諭，並冠以「內閣

奉上諭」字樣。明發上諭，初由大學士撰擬，乾隆年間以降，已由軍機大臣撰擬。寄信上諭由軍機大臣撰擬呈覽，經述旨後交兵部，以寄信方式由驛馳遞，因其寄自內廷即軍機處，故習稱爲廷寄⑱。奏摺是臣工呈遞君主的文書，月摺檔則是據奏摺選鈔後裝釘而成的檔冊，議覆檔爲軍機大臣遵旨議奏的檔冊，剿捕檔爲選鈔辦理地方事件的奏摺裝釘而成的檔冊，外紀檔爲內閣漢票籤處所鈔外省奏摺的檔冊，皆具有頗高的史料價值。例如丁日昌傳包內，除傳稿外，尚存有事蹟冊二本，其中一本爲松竹齋朱絲欄稿紙，是摘錄同治年間的上諭、奏摺、剿捕三種檔案的資料。另一本事蹟冊則爲摘鈔咸豐、同治、光緒三朝的上諭、月摺、奏摺、剿捕、外紀五種檔案的資料。耆英傳包內，除傳稿外，尚存有事蹟冊四本：一本摘鈔道光四年至三十年的廷寄、剿捕檔；一本摘鈔道光二年至三十年的月摺、奏摺、議覆、夷務、回疆等資料；一本摘鈔道光三年至三十年的外紀檔；一本摘鈔嘉慶二十年至咸豐八年的上諭檔，以上所鈔，或爲耆英摺奏事件，或耆英奉旨事件，即所謂官方的傳記資料。

　　事實清冊，是由各地方造送國史館的傳記資料，例如嘉慶七年九月，浙江桐鄉縣知縣李廷輝呈送馮浩事實清冊一件，書明造送清冊緣由云「嘉興府桐鄉縣呈爲公舉題請崇祀鄉賢事，卑縣今將故監察御史封鴻臚寺卿馮浩行過事實，造具清冊，呈送察核施行，須至冊者。」文中開列馮浩事實，略謂「已故御史馮浩字養吾，號孟亭，浙江桐鄉縣人。雍正十二年，入縣生。乾隆元年丙辰恩科，本省鄉試舉人。十三年戊辰科，殿試，二甲進士，改翰林院庶吉士。十六年辛未，散館，一等。授職編修。壬申春，充順天鄉試同考官，秋，充會試同考官，教習庶吉士，充咸安宮學總裁，續文獻通考館纂修。丙子，江南副考官，陞掌山東道監察

御史。丁丑，會試監試，殿試監試。丁憂服滿，告病在籍。五十五年，以子應榴官誥封中憲大夫，戶科掌印給事中，加二級。六十年，奉恩旨重赴鹿鳴宴，封鴻臚寺卿。嘉慶六年六月，卒於家，年八十有三。」又如江南寧國府宣城縣造送阮爾詢等事實清冊，其記載與「國朝耆獻類徵」阮爾詢本傳略有出入。據事實清冊載阮爾詢於康熙二十一年壬戌，進士，欽點翰林院庶吉士，於二十四年散館，以科道用。二十七年，補授廣東道御史。阮爾詢本傳謂康熙二十三年奉旨以科道用。二十四年，丁父憂回籍，服闋，補廣東道監察御史。其餘出入尚多，而且詳略亦不同，例如事實清冊載阮爾詢於康熙二十八年六月二十二日疏請採行三聯串票，以杜錢糧私徵雜派的積弊，原疏略謂「錢糧雖有全書，而輸納總憑印票。今各省州縣錢糧分十限完納，小民所納之數，多寡不均，皆今自經於印票中。其票一樣貳紙，一存官，一付民應比，法至善也。歲久弊滋，吏胥緣以爲奸，往往磨對爲名，收入應比之票，久不給發，遂有已完作未完，多徵作少徵者，且印票不發之後，民間完欠無據，而官吏反得借逋負之名肆行其誅求，私派悉由於此。臣請行三聯印票之法，一存官，一付民應比，一付民自執，其應比之票，令州縣官收入核對，不必給發，至自執之票，不難完欠瞭然，而官吏知民有自執之票可據，斷不敢以已完作未完，多徵作少徵矣。至正編之外，一切雜稅之銀兩米豆之升合，皆可以此法行之，私徵雜派之弊，何難不禁而自止乎！」州縣徵收錢糧，以完作欠，徵多報少的現象，極爲普遍。事實清冊所載疏請採行三聯印票一節，似即鈔錄原疏進呈，阮爾詢本傳所述杜絕錢糧積弊辦法則甚簡略，因此，事實清冊實爲珍貴的史料。光緒九年十二月，武進陽湖縣教諭姚定山、訓導朱瑞呈送孫星衍事實清冊，封面書明「武進陽湖縣儒學呈」字樣，首頁敘明

册送緣由，本文內開列孫星衍生平履歷，此外附呈《武陽邑志文學傳》、《先正事略經學傳》等。阮元所撰孫星衍本傳，即據先正事略經學傳等資料彙輯成編。

　　張之洞傳包內，除傳稿外，另存有「哀啓」、「訃聞」等，前者由張權、張仁樂、張仁況、張仁實、張仁蠡具名，啓文中指出張之洞前後身膺疆寄垂三十年，「無一日不辦事，無一事不用心。」「生平不喜藥，病亦不服，以是致疾之故多途，而防患之法甚鮮。甲午秋，在兩江患痔匝月。庚子冬，復患痔匝月。癸卯、留京，手訂學堂章程，凡十餘萬言，痔疾復大作。」文末對張之洞的病情、醫療經過，敍述甚詳。另存訃聞一紙，封面左下角書有「幕設地安門外泉斜街本宅」字樣，全紙上下寬約五十三公分，左右長約七五四公分。在國史館傳包內間亦存有行狀、行述等，行狀是記述死者行誼及其爵里生卒年月的一種文體，漢代祇稱作狀，自六朝以後始稱爲行狀，因其爲乞人撰文而作，故稱之爲行狀。行述，又作事略，亦即行狀，近人敍述死者行義徵求銘傳的文字，多稱爲行述。俱不失爲重要的傳記資料。年譜，是用編年法記載一人生平的資料，主要爲後人就其著述及官私資料所載事實而考訂編次的記載，近世亦有出於自作或子孫爲之編訂者。片文爲禮部、吏部等衙門聲覆國史館的簡單文書，因以片紙繕而得名。例如張之洞傳包內存有吏部及禮部片文，其中吏部片文書明緣由「爲覆大學士孫家鼐、張之洞履歷由」，片文內容云「吏部爲片覆事，准國史館片稱本館現辦已故大學士孫家鼐、張之洞二員列傳，應查明該故員等係何省何縣人？由何項出身？並歷任升遷各年月日，希即詳細聲覆，以便纂輯等因前來，相應將該二員履歷鈔錄片覆可也，須至片者，右片行國史館。」傳包內的履歷單就是由吏部開送各員出身及歷任升遷的經歷清單，各傳

包多存有片文及履歷單。例如在兩江總督牛鑑傳包內存有吏部開送的履歷單及牛鑑原籍涼州府武威縣知縣蘇文炳造送的出身清冊。其出身清冊內首先敘明造冊緣由云「同知銜涼州府武威縣爲造齎事，遵將前兩江總督牛鑑出身，並歷任陞遷各年月日，理合造具清冊齎核，須至冊者。」易言之，出身清冊與履歷單，性質相近，惟履歷單是由吏部造送，而出身清冊則由地方造呈，兩種資料，詳略不同。例如履歷單謂「兩江總督牛鑑，甘肅人。嘉慶十九年，進士，由庶吉士散館。二十四年四月，授編修，八月，充國史館協修（下略）。」出身清冊則稱「前兩江總督牛鑑係甘肅涼州府武威縣人，由廩膳生於嘉慶十八年癸酉科選拔貢生，鄉試聯捷中式舉人。十九年甲戌科貳甲進士，改翰林院庶吉士。二十四年，散館，授職編修。二十五年七月，充國史館纂修官。」又據履歷單載道光十一年六月，牛鑑補授雲南糧儲道，出身清冊則繫於是年五月二十七日，其餘出入之處尚多，不勝枚舉。此外如政績或功績摺等，多由地方開造，咨送國史館，即所謂宣付史館的資料。清代國史館爲纂輯列傳，咨取各種傳記資料，其可信度亦高，館中諸臣排比考訂官私資料，彙編成稿，然後將各種資料，與列傳稿本，包封一處，而保存了珍貴的原始傳記資料。

五、現藏清代國史館的長編檔冊

現藏長編檔是清代國史館爲纂輯列傳而彙鈔的檔冊，在性質上是屬於一種史料。作編年史者，首先摘取各種資料，按次排列，這種史料彙編，在體例上來說，就是一種長編。宋代司馬光修資治通鑑，先採擷異聞，按年月日作叢目，叢目既成，乃纂長編，復加刪節，始成通鑑。因此，事無闕漏，而文不繁，實爲史家的遺法。其後李燾紀載北宋九朝史事，亦踵通鑑體例，編年述

事，成績資治通鑑長編，李燾謙稱長編，不敢稱爲續通鑑，即表示其書僅爲史料的彙編，以備修通鑑者的採擇，所以寧失於繁，而不失於略。

清代長編檔册，包括長編總檔與長編總册二類。總檔是國史館長編處咨取內閣、軍機處的上諭、外紀、絲綸、廷寄、月摺、議覆、勦捕等檔案，分別摘敘彙鈔成編。其中絲綸簿是漢票籤處摘記紅本即題本書由及硃批聖旨的簿册，取「王言如絲，其出如綸」之義⑲。長編總册則爲總檔目錄，亦即人名索引。以總檔爲經，人名爲緯，按日可稽。例如光緒十年正月分長編總檔，初三日載「張樹聲奏陳遵辦廣東海防情形。覽奏均悉，著該督隨時會商彭玉麟、倪文蔚，督飭各軍力守虎門，並將此外各口扼要嚴防，毋稍疏懈。」同日，長編總册的記載爲「張樹聲、彭玉麟、倪文蔚。」由此可知長編總册就是長編總檔的目錄，頗便於纂輯列傳。

辦理道光十六年至二十五年總檔凡例內詳述其史料來源，原文略謂「一移取內閣書三種鈔錄存館，首上諭檔，凡臣工除授、罷斥、褒功、論罪應入傳者，照原文恭錄，其餘關係地方百姓交各督撫辦理者，恭節數語，雙行註明，內中有人名者，必須敘出。次外紀檔，可以存檔，不必全錄各疏，將特旨允行及王大臣覆准交外省督撫查議者，俱節錄案由，仍帶敘人名，交部議者歸入絲綸簿，覆期不必摘敘。次絲綸簿，吏兵二部題補文武官員，內而九卿翰詹科道，外自府道以上，旗員參領佐領以上，各省武員遊擊以上，恭照硃批原文錄入，凡部覆關係地方利弊建置沿革者，俱照簿內事由錄入，註明吏戶等科，每月之末，標是月某科清字本若干件；一移取軍機處檔案三種鈔錄存館，首上諭檔，已見內閣檔外，凡特諭王大臣及廷寄外省事件，發謄錄繕寫，仍節

數語，帶敘人名。次議覆檔，凡覆准件，鈔錄記載與外紀相同。次奏摺，按日檢查，該部議奏者不必鈔錄，其應入傳者總括事由人名入檔，原文全錄另存，每月之末，標是月鈔軍機若干件；一各書內關涉宗室王公外藩蒙古事及文武大臣自陳履歷祭葬，檢查紅本史書，俱按年月各編一冊，以便檢查。以上內閣書分三項，軍機亦為三項，標硃印於上方，應鈔存查本者，標硃印於下方，將內中人名另彙一冊，以總檔為經，人名為緯，按日可稽，不致遺漏，先難後易，於編纂列傳有益，謹請裁定。」長編檔冊的彙輯，既有益於列傳的編纂，足見總檔與總冊俱為纂修列傳的重要傳記史料。

　　國立故宮博物院現藏清代長編總檔與長編總冊，始於乾隆朝，迄光緒朝，數量頗多。其中乾隆朝，或每季一冊，或兩季一冊，或全年一冊，嘉慶以降，總檔增為每月一冊，總冊增為每季一冊，間有譯漢長編總檔與總冊，是譯自滿文的檔冊。國史館彙輯列傳長編，先修底本，由供事摘敘各檔事由，硃批全錄，故又稱為摘敘本。乾隆、嘉慶兩朝，其底本的形式為小方本，長寬約二十三公分，道光朝以降，改為小長本，長約二十五公分，寬約十二公分。摘敘本由協修官或纂修官彙輯，並初校後，復經提調官覆輯或覆校，間亦由校閱官詳校，然後改繕清本，其長約三十公分，寬約十九公分。乾隆朝長編總檔清本，始自乾隆元年秋季，每季一冊，總檔底本，始自乾隆三年秋季，兩季一冊。清本經國史館總裁、副總裁閱定後正式繕定本，是為正本，長約三十公分，寬約十九公分，朱絲欄寫本。嘉慶朝以降，長編總檔正本，每月一冊，長編總冊正本，每季一冊。由於長編檔冊的資料來源頗為豐富，史料可信度亦高，記述內容簡明扼要，年經月緯，帶敘人名，查檢容易，實為纂輯大臣列傳最珍貴的史料彙

編。

六、國史館傳稿的纂輯

　　清代國史館諸臣編纂列傳，是以吏部造送的履歷單為主，並輔以事蹟冊、奏摺、年譜等資料。例如徐用儀傳包內存有履歷單，其中同治年間的升遷如下：

> 同治元年七月，記名以軍機章京補用，八月，在軍機章京額外行走。二年五月，在各國事務衙門行走。三年七月初四日，奉上諭，昨因江寧紅旗捷報，令軍機王大臣將滿漢軍機章京等分別等第，從優保獎五品銜刑部候補主事，徐用儀著無論題選咨留遇缺即補，並賞給軍功，加壹級，欽此。十二月十一日，補授雲南司主事。四年七月，在江南糧台捐免試俸。五年七月初二日，總理各國事務衙門循案保獎，請加四品銜。十月二十一日，奉上諭，此次軍機處繕修漢字檔冊，總司校勘之刑部主事徐用儀著俟題補員外郎後，遇有本部郎中缺出，不論題選咨留，即行奏補，欽此。六年十月二十七日，補授軍機章京。七年四月二十日，補授廣西司員外郎。七年，總理各國事務衙門保奏，請加三品銜，七月十六日，奉旨，七年七月十八日，奉上諭，昨因捻逆蕩平，紅旗報捷，降旨令恭親王等將滿漢軍機章京分別保獎，以示鼓勵，員外郎徐用儀著賞戴花翎，欽此。八年二月二十五日，補授湖廣司郎中。八年五月，方略館添派郎中徐用儀充纂修官。十一月初三日，引見，奉旨著記名以御史用，欽此。九年八月，方略館收掌兼纂修官著徐用儀充補。十年三月十七日，奉上諭，本日引見之截取郎中徐用儀著開缺，以五品京堂候補，欽此。十一

年八月二十七日，奉上諭，恭親王等奏，纂輯剿平粵匪出力，方略告成一摺，恭親王等奉命纂辦數年，陸續呈進，尚屬詳悉，所有大小出力各員自應優獎，候補五品京堂徐用儀著俟補缺後，以四品京堂候補，並加隨帶貳級，欽此。十二年四月二十五日，奉旨補授鴻臚寺少卿，二十八日，到任，七月初二日，聞訃丁父憂。十三年正月，丁母憂。

徐用儀傳稿計五本，分由鄧起樞纂輯，何作猷、章梫覆輯。徐用儀與許景澄、袁昶，並稱三忠。三忠傳稿覆輯後，袁昶傳增十三開，徐用儀傳增三開，三傳各有刪略之處，經閱定後，交供事鈔繕一分留國史館中。國史館徐用儀傳稿三山齋本為現存傳包內的傳稿初輯本，其中記述同治年間的事蹟如下：

> 同治元年，充軍機章京。二年，充總理各國事務衙門章京。三年，補主事。七年四月，補員外郎，七月，因捻匪蕩平，軍機大臣奏保賞戴花翎。八年二月，補郎中，五月，充方略館纂修。十年，奉旨開去郎中，以五品京堂候補。十一年，因剿平粵匪方略告成，奉旨俟補五品京堂後，以四品京堂候補。十二年四月，補鴻臚寺少卿，七月，丁父憂回籍。

比較履歷單與傳稿初輯本後，得知徐用儀傳稿是據吏部開送的履歷單摘錄編纂而成，因列傳體例置月不繫日，履歷單詳載日期，傳稿將徐用儀升遷日期俱刪略不載，易言之，履歷單就是徐用儀傳稿的主要資料來源。

關於孫詒讓治學的經過及其著述，《清史稿》敘述頗詳。孫詒讓對於近代新式教育的提倡，厥功至偉，《清史稿》則略而不載。國史館協修官汪昇遠所纂孫詒讓傳稿為初輯本，記載孫詒讓

提倡教育一節云：

> 詒讓居浙之溫州，僻處海濱，士鮮實學。詒讓於後進之請
> 業者，甄植眾多，創立學計館及方言學堂，承學之士雲集
> 飆起，浙中學子之開通，詒讓提倡之力居多。詒讓以溫處
> 二郡距省窵遠，文化蔽塞，非設一總絜學務機關不能教育
> 普及，呈請浙江巡撫特設溫處兩府學務處，大憲韙之。當
> 事者公舉詒讓總理其事。又請以溫州校士館改爲師範學
> 堂，以小學所需格致教員孔亟，乃一再開設博物理化講習
> 所，其中畢業諸生，多好學深思之士，辦學三載，兩府中
> 小學堂。增至三百餘所，所籌各款，均與地方官紳切實規
> 畫，其苦心孤詣有足多者（下略）。

檢查孫詒讓傳包內的資料，存有軍機處聲覆國史館片文，並
粘貼翰林院侍讀吳士鑑於光緒三十四年八月初十日奏請將已故刑
部主事孫詒讓宣付國史館列入儒林傳原奏一件，其中有關孫詒讓
提倡教育一節云：

> 詒讓於後進之請業者，甄植甚眾，創立學計館及方言學
> 堂，承學之士雲集飆起，浙中學派之開通，實詒讓提倡之
> 力。溫處二郡離省窵遠，文化阻塞，謂宜立一總絜學務之
> 機關，請於浙江巡撫，設溫處兩府學務處，當事者公舉詒
> 讓總理其事。復請以溫州校士館改爲師範學堂，以小學需
> 格致〔教〕員甚亟，乃開兩次博物理化講習所，畢業者皆
> 好學深思之士。詒讓辦學三載，兩府中小學堂增至三百餘
> 所，而所籌之款，均與地方官紳切實規畫，其苦心孤詣有
> 足多者。

對照前引吳士鑑原奏及傳稿初輯本，其遣詞用字，俱極相
近，汪昇遠纂輯孫詒讓傳稿，其中於提倡近代新式教育一節，是

鈔襲吳士鑑原奏文句，不違增刪潤飾。由此例證，可以瞭解纂修
列傳的資料來源及編纂列傳的過程或步驟。

　　雷以諴傳包內存有傳稿三本，其中張筠所纂傳稿為初輯本，
計五十開，標明史料出處，內含年譜、月摺、外紀、上諭、剿
捕、奏摺等資料。周錫恩覆輯本則據初輯本重繕後加以刪改，減
為二十一開。《清史稿》列傳謂雷以諴字鶴皋，但據傳包內所存
雷鶴皋年譜略的記載，雷以諴字省之，號春霆，一號鶴皋。年譜
略記載道光年間雷以諴的升遷情形如下：

> 道光辛巳，恩科舉於鄉。癸未，成進士，改主事，分刑
> 部，歷任山西司主稿。乙未，奉旨管理提牢廳。十七年丁
> 酉，提補河南司主事。十九年乙亥，隨同黃樹齋（爵滋）
> 少司寇出使查辦豐潤令許君瀚事，雪其誣狀，得僅罷官
> 歸，復奉旨查辦浙閩事件。尚未回都，又赴廈門辦案，同
> 事者有浙江司主事羅六湖（天池），所有會審具奏各案，
> 均係公先行起草，計共四十餘件，悉稱旨。十二月二十六
> 日，差竣回都。二十一年辛丑，提升廣西司員外郎，調辦
> 福建司事，送考御史，名在第五，奉旨記名。是年四月，
> 提升江西司郎中，八月，引見，補授山東道監察御史。壬
> 寅，兼署掌江西道，並署刑科給事中。二十三年，轉掌貴
> 州道。甲辰，奉旨稽查海運倉，又欽命巡視中城。二十五
> 年乙巳，方奉旨監試滿中書科，時在場內，未得隨班引
> 見，忽報稱已升授禮科給事中，蓋特恩也。公在科道任內
> 奏錢法十二條，雖被部駁，聞者莫不服其籌策之精，又條
> 陳河工者三，陳夷務者一，陳鄉會科場事務者一，又有彈
> 劾密摺，均次第舉行，戶部庫丁侵盜一案，查庫大臣及其
> 子孫因賠繳監追者紛紛，公以為既曰罰賠，究與實犯真贓

有別，因密摺婉轉陳情，奉特旨釋放。時久旱，忽大雨滂沱，中外有雷公雨之稱。二十六年丙午，轉補兵科掌印給事中。丁未，升授內閣侍讀學士。是年十一月，轉補太常寺少卿。己酉，補授大理寺少節。是年八月，補授奉天府府丞，兼學政。

張筠所纂雷以諴傳稿初輯本，其中道光年間的事蹟如下：

雷以諴，湖北咸寧人，道光三年進士，以主事用，分刑部。十五年，管理提牢廳。十九年，隨刑部侍郎黃爵滋查辦直隸豐潤縣知縣許君瀚事，雪其誣狀，尋隨查辦浙閩事件，赴福建屬之廈門辦案。二十一年，升員外郎，旋記名御史。二十二年，兼署掌江西道御史，並署刑科給事中。二十三年，轉掌貴州道御史。二十五年，擢禮科給事中。二十六年，轉兵科掌印給事中。以諴先後條陳河工者三，夷務者一，又戶科庫丁侵盜一案，查庫大臣及其子孫因賠繳而監追者多，以諴疏言，既曰罰賠，究與實犯真贓有別，因得恩旨釋放。二十七年四月，擢內閣侍讀學士，十一月，轉補太常寺少卿。二十九年六月，遷大理寺少卿。八月，授奉天府府丞，兼學政。

比較前引二文的記載，出入不多，張筠所纂雷以諴傳稿初輯本，即據雷鶴皋公年譜略輯錄成編。惟對照吏部所開雷以諴履歷單的記載，雷以諴於道光十六年四月二十六日奉旨管理刑部漢提牢，初輯本與年譜略並未詳考，而誤繫於十五年。其題升江西司郎中在二十二年四月，八月，補授山東道監察御史，年譜略與傳稿初輯本繫於二十一年，俱誤。二十四年十月，補授禮科給事中，年譜略與初輯本繫於二十五年，亦誤。對照各種資料，實以官文書較爲可信，就官員升轉記錄而言，政府檔案的可信度，實

高於私家撰述。

　　張之萬傳包內存有吏部片文，並粘貼覆大學士張之萬出身履歷單，事蹟冊、張文達公遺集、行述未定稿、年譜稿等傳記資料，其中年譜稿計二本，共二三卷，遺集計二本，共四卷。此外存有傳稿五本，其中三山齋本爲傳稿的初輯本，爲欲瞭解國史館纂輯列傳的經過，特以初輯本道咸年間的事蹟爲例，以〔〕號標明史料出處：

> 張之萬，直隸南皮人〔行述未定稿〕。道光二十七年，一甲一名進士，授修撰〔履歷單、年譜稿本、行述未定稿〕。二十九年，充湖北副考官〔履歷單、年譜稿本、行述未定稿〕。咸豐元年，充河南正考官〔履歷單、年譜稿本、行述未定稿〕。二年，大考二等，提督河南學政〔履歷單、年譜稿本、行述未定稿〕。三年，賊匪竄犯河南歸德，省城戒嚴，之萬馳奏言河南爲南北關鍵，開封爲通省根本，陝汝一帶爲山陝門戶，如虎牢環轅等關，頗有險可守，然兵力太單，計惟速遣勁旅援救，以滅方起之氛，而調山陝之兵防守各險，以堵再竄之路，復令山東、直隸協守黃河渡口，防其北擾，令安徽分兵由陳許進剿，斷其南逃，庶賊匪可以蕩平，擬軍務八條入告，先後報效軍餉，下部優敘〔張文達公遺集，奏議〕。

　　張文達公遺集，卷二，收錄張之萬奏議頗多，其中咸豐三年分，計有：六月初六日，請速遣師援汴，幷籌防河陝汝摺；六月十六日，賊匪由鞏渡黃宜防各渡摺；八月初一日，請速催解懷慶之圍，幷擬剿防事宜摺，附陳軍務八條。此外附有夾片二件：六月初六日，請派大員督辦團練片；六月十六日，嚴守太行山各隘防賊西擾片，俱爲傳稿所本。國史館咨取多種資料，經館臣彙編

考訂,始成傳稿。

岑毓英傳包所存傳記資料,亦極豐富,包括頭品頂戴雲南等處承宣布政使司造呈原任雲貴總督岑毓英事略緣由清冊一本,誥授光祿大夫太子太保雲貴總督贈太子太傅謚襄勤顯考岑府君行狀一本,岑毓英事蹟一本,奏稿一本,祭文一紙,雲貴總督覆岑毓英履歷咨文一件,附咨送清冊一本,吏部片覆岑毓英出身一紙,軍機處交片一件,禮部片文一件,雲南巡撫文一件,鈔奏一件。其中奏稿爲木刻本,內容與鈔奏相同。此外尙有傳稿四本,其中三山齋本封面書明協修陳田纂輯,編纂時間在光緒二十一年夏季,此即岑毓英傳稿的初輯本,茲引咸豐年間的事蹟,並標註史料出處,以明瞭其彙輯傳稿的經過:

> 岑毓英,廣西西林人〔事略緣由清冊〕。咸豐初年,由附生在本籍辦團出力保奏,以縣丞歸部選用〔出身單〕。六年,帶勇入雲南投效迤西總兵福陞軍營助剿〔行狀〕。七年,會同都司何有保攻克趙州屬紅巖賊巢〔行狀〕。八年,奉旨賞戴藍翎〔事蹟冊、出身單〕。九年,克復宜良縣城,署宜良縣事,奉上諭候選縣丞,岑毓英著留雲南,以知縣用,並賞加知州銜〔行狀、出身單〕,旋丁憂,總督張亮基奏,岑毓英現在丁憂,係帶練攻剿巡防打仗,請俟軍務靖回籍守制〔出身單〕。十年四月,奉硃批岑毓英准其留滇差委,不准仍留署任〔出身單〕,旋會參將何自清克復路南州城,兼署路南州事〔行狀〕。巡撫徐之銘奏,署宜良縣丁憂知縣岑毓英上年收復宜良,本年攻克路南,克復之後委令兼署,實係甫經克復,人心未定,惟有仰懇俯准署宜良縣,兼署路南州岑毓英暫留署任,俟布置周妥,人心稍定,飭令回籍補行穿孝〔出身單〕。十月,

奉上諭，署路南知州岑毓英免補本班，以同知直隸州用，並賞加運同銜，旋兼署澂江府事〔事蹟冊、行狀〕。

初輯本重繕後，再經覆輯，然後呈請校閱，始成定稿。岑毓英傳稿，先由協修陳田纂輯，經張星吉覆輯，然後由「李大人閱」。覆輯本往往刪改頗多，例如孫詒讓傳稿初輯本先由協修汪遠纂輯，經劉成勳重繕，然後由楊憲增校閱改訂，改訂本增刪頗多，例如初輯本謂孫詒讓「援例入爲刑部主事，詒讓淡於仕進，赴部未久，引疾歸。」改訂本眉批云「既捐官，又說淡於仕進，自相矛盾，刪去數字。」改訂本將原文內「詒讓淡於仕進，赴部」字樣抹去，改書「簽分未久，引疾歸。」其餘增刪潤飾之處尚多，對照初輯本與覆輯本、改訂本後，可以了解傳稿的纂修過程。

七、國史館列傳的進呈

清代國史館纂修各書，習稱之爲功課，纂輯列傳就是重要的功課。功課一詞，滿文讀如「banjibuha bithe」，意即所編纂的書，間亦譯作「icihiyaha baita」，意即所辦理的事。史館諸臣的功課例應由稽查欽奉上諭事件處稽查奏聞。乾隆三十二年四月，稽查欽奉上諭事件處將國史館進過增纂列傳數目具摺奏報，並請嗣後照例三月一次，將進呈列傳核實數目定期彙奏，奉旨允准⑳。國史館所纂列傳，除了由稽查欽奉上諭事件處考核功課外，另須進呈御覽，現藏清代國史館朱絲欄寫本的列傳，就是自乾隆年間以降歷次進呈的各類稿本。例如乾隆四十一年十一月間，國史館進呈徐治都列傳。徐治都在湖廣提督任內，作戰頗著勞績，得有雲騎尉世職，因襲次已滿查銷。清高宗披閱後於是月二十日降旨加恩仍掌給世襲罔替，其妻許氏，率僕抵禦吳三桂，中礮身死，亦交部補行旌獎㉑。乾隆國十三年三月，國史館進呈舒蘭列

傳，內有同喇什往窮河源一節，高宗諭令查取喇什原傳，軍機大
臣遵旨向國史館查取，因喇什世職尚未查明，未經編纂列傳。三
月十一日，軍機大臣將國史館辦出的初稿，及所鈔實錄內喇什與
舒蘭窮視河源一節，連同舒蘭原傳一併呈覽。清高宗披閱喇什傳
稿後指出喇什於烏梁海事件，有心隱匿，但傳稿內未經詳載，軍
機大臣遵旨交查國史館。三月十七日，國史館送到議處喇什紅本
一件，軍機大臣即將紅本及喇什列傳一併進呈御覽。

　　乾隆四十六年十月，清高宗飭阿爾泰所屬旗分。軍機大臣遵
旨交查國史館。十月十三日，軍機大臣將國史館送到阿爾泰的事
實清册，連同尚未完成的傳稿進呈御覽。十月二十日，軍機大臣
遵旨向國史館查取莫洛、吳三桂、耿精忠、尚可喜、王輔臣、姜
瓖、金聲桓、耿仲明、尚之信等列傳進呈御覽。清高宗披閱後指
出莫洛傳內「圍守保寧」的「圍」字，應改爲「固」字。軍機大
臣遵旨交查國史館，據國史館覆稱「恭查實錄康熙十三年正月，
四川全省叛附吳逆。六月，莫洛疏言逆賊固守保寧。七月，疏言
大兵在保寧與賊相持，是保寧久爲賊踞，至十九年正月，始行收
復此處奉諭莫洛或仍據壕塹圍守保寧，或因糧運艱難，暫還廣元
在十三年七月，謹擬照實錄原文增入據壕塹三字，或將圍守二字
改作攻圍，恭候欽定等語。」十月二十三日，軍機大臣即繕寫奏
片具奏㉒。耿精忠列傳內有耿精忠罪狀較尚之信尤爲重大等語，
清高宗飭查其出處。據清聖祖實錄康熙二十一年正月十九日載議
政王大臣會議三藩罪狀，大學士明珠奏稱「耿精忠之罪，較尚之
信尤爲重大，尚之信不過縱酒行兇，口出妄言，耿精忠負恩謀
反，且與安親王書內多有狂悖之語，甚爲可惡。」國史館進呈的
耿精忠傳內所載議政王等覆核精忠罪狀較尚之信尤爲重大，且與
安親王書，語多狂悖一條，即照實錄原文敘入。惟據國史館覆

稱，耿精忠原書，館中檢查積年紅本，並無此件。現藏清史貳臣傳甲編含李永芳等二十三人，原稿內附有素簽一紙，書明「二臣傳甲編二十三本」，與現藏數量相符。乾隆四十三年九月，國史館進呈李永芳列傳。清高宗披閱後發下軍機處，諭令軍機大臣將傳內東州、瑪根丹二處於盛京輿圖內粘簽呈覽。九月初三日，軍機大臣粘貼黃簽時，見圖內是「瑪哈丹」字樣，而傳內誤作瑪根丹。因此，軍機大臣行文國史館將「根」字改正爲「哈」字㉓。現藏李永芳列傳已遵旨改書「東州、瑪哈丹」，易言之，現藏清史貳臣傳甲編是乾隆四十三年九月以後的改訂本。中華書局出版《清史列傳》李永芳傳仍作瑪根單㉔，並未改正，而且書內載「斬葉赫貝勒布齊」，但查國史館朱絲欄寫本原稿作布齋，此齊字爲齋字的訛書。

　　乾隆四十六年十一月，國史館進呈宗室王公表傳及穆占本傳，其中簡親王拉布傳內謂拉布生有神力云云。十一月二十六日，清高宗以其語不經，令軍機大臣交國史館查明拉布傳是何年編纂？此外若有類似語句及敘次草率者，亦令查照實錄及紅本，另行改纂。十二月間，國史館進呈安親王岳樂表傳及賴塔、傅宏烈、莽依圖、尚之信，彰泰、金光祖等本傳。清高宗披閱各傳，諭令軍機大臣將岳樂任宗人府時故入貝勒諾尼罪降爲多羅郡王之處，交查宗人府、國史館。賴塔之孫博爾屯承襲一等公，緣事革退，另支承襲緣由，亦交查國史館。十二月十四日，國史館將康熙三十九年十二月清字本及略節各一件，移送軍機處。至於原任廣西巡撫傅宏烈是江西進賢人，國史館遵旨覆查其有無子孫出仕之處，但吏部已無從檢查，軍機大臣即行文江西原籍詳查。

　　乾隆四十九年閏三月，暫管稽查欽奉上諭事件處大學士阿桂等稽查國史館功課，自是年正月至三月計三個月內，國史館進過

漢字列傳四本,合計二十八篇。同年九月,軍機大臣遵旨交國史館查取超勇親王策稜原傳。據國史館覆稱,策稜列傳尚未編定,僅有草本、事蹟。是月十八日,軍機大臣將國史館送到策稜列傳草本粘簽呈覽。是年十一月,清高宗飭查多羅安郡王封爵停襲緣由,軍機大臣遵旨向國史館查取饒餘敏郡王阿巴泰列傳進呈御覽。是年十二月,軍機大臣遵旨交查雍正年間宣示阿靈阿、揆敘罪狀鐫刻碑石一案,據國史館查明覆稱雍正二年十月,欽奉諭旨將阿靈阿、揆敘墓上碑文磨去,另於阿靈阿碑上鐫刻「不臣不弟暴悍貪庸阿靈阿之墓」,於揆敘碑上鐫刻「不忠不孝柔奸陰險揆敘之墓」,國史館並將原奉諭旨鈔錄進呈。

　　鰲拜列傳是在乾隆五十年十月二十七日進呈的,佟國綱、佟國維列傳是在同年十一月十七日進呈的。五十一年閏七月,查取楊名時列傳。十二月,年羹堯、李維鈞列傳,經由軍機大臣進呈。乾隆五十二年正月十一日,軍機大臣遵旨詳查雍正元年間侍郎常壽辦理青海羅卜藏丹津一案,查出署理定西將軍印務策旺諾爾布族兄諾顏哈什漢寄給策旺諾爾布的密信,經高其倬譯漢具奏。又查得羅卜藏丹津之母呈寄常壽書信及年羹堯箚覆羅卜藏月之母書信二件,常壽原奏一件,連同高其倬列傳稿本一併呈覽。其中諾顏哈什漢密信,由軍機大臣於硃批諭旨內鈔錄高其倬原摺一件呈覽㉕。乾隆五十二年二月,軍機大臣遵旨交查國史館蔡珽曾否立傳。是月十三日,據國史館覆稱蔡珽尚未立傳,《清史列傳》刊載蔡珽列傳,其編纂時間應在乾隆五十二年二月以後。同年二月間,清高宗發下達福列傳,傳中未將鰲拜停襲公爵諭旨載入。是月十五日,軍機大臣查明乾隆四十五年原奉諭旨,已全載鰲拜本傳內,達福是鰲拜之孫,因此,傳內未將停襲公爵諭旨載入,而擬於達福傳內添敘聲明,並夾簽進呈,欲俟御覽發下後遵

旨改正。是月，軍機大臣又奉旨將郭琇參劾明珠、余國柱等各案有無載入郭琇列傳，其列傳曾否進呈等處交查國史館。是月十九日，據國史館覆稱郭琇列傳曾於乾隆三十七年十月進呈，其參劾明珠等各事，俱載入傳內，軍機大臣即將原傳進呈御覽。同年十一月初三日，軍機大臣將延信列傳連同延信定罪原案紅本等一併呈覽。乾隆五十三年六月十四日，清高宗將國史館進呈列傳三本發下軍機處，其中塔爾瑪善傳奉旨塔爾應戶塔勒，巴圖濟爾噶爾傳奉旨噶爾應作噶勒，冶大雄傳第三頁阿哥原簽板心未填寫人名，應補行填寫，並奉旨嗣後板心改寫板邊，軍機大臣和珅等即以書啓寄交國史館，並知會阿哥們㉖。乾隆五十八年六月，國史館進呈巴圖濟爾噶勒列傳，清高宗詳加披閱，傳內載乾隆二十年授散秩大臣，二十一年，授頭等侍衛，敘次牽混，而令國史館查明改正，其原辦纂修官交部嚴加議處，總裁未經看出，亦交部察議。國史館隨後於傳內增入「巴圖濟爾噶勒於二十年授散秩大臣後，即於八月內獲罪拏問，二十一年，復授三等侍衛，旋擢頭等侍衛」等語，國史館進呈原傳敘次倒置，經清高宗指出後，始查取巴圖濟爾噶勒本人事蹟，補行增入。

　　乾隆五十四年六月初，清高宗披閱劉師恕列傳，內載直隸學政按試州縣供應舊規，日折銀五十五兩等語，軍機大臣遵旨交查國史館。據國史館查送雍正年間硃批諭旨，內載「直隸總督宜兆熊、協理總督劉師恕奏稱學臣按試各府，凡修理冊廠，備辦什物，並日用水菜等項，例皆州縣供給，惟李維鈞爲直隸府道時，派令屬員每日折銀五十五兩，輪流承直，致有虧空科歛等弊，請永行革除，于每年養廉銀二千兩之外，再添給銀二千兩。嗣因學政孫嘉淦向司庫支銀五百兩用完，該督等並無接濟，復奏稱學臣按臨考試，需用甚多，請令督臣速爲撥解，以濟目前之急，奉硃

批可仍循舊例而行，欽此。」軍機大臣據國史館覆文即將硃批諭旨粘簽進呈。至於傳內所載供應銀兩於何時裁革之處，軍機大臣和珅等亦交各處詳查。六月初九日，和珅等札詢劉峨，其原札云「啓者前因國史館將劉師恕列傳進呈，內有直隸學臣按試州縣供應舊規，日折銀五十五兩之語。此項銀兩係起自何年？並係何學政任內之事？後于何年裁革？所有直隸學政養廉，每年四千兩之數，係于何年酌定？奉旨交劉峨檢查原案，封寄行在備悉等因，欽此。茲將奏片一件附寄大人，即將舊案詳悉查明，摘敍略節，封寄軍機處，以備登覆，不必專摺具奏也。特此佈達，並候近祺，不一。和等同具，六月初九日。」旋據劉峨覆稱，順天學政每年向有養廉銀二千兩，雍正五年九月間奉旨學臣既不受地方供給，養廉銀二千兩不敷需用，可給與養廉銀四千，嗣後學政養廉均在藩庫撥解，並無州縣折銀等事。惟此項銀兩起自何年？業已無卷可查。在畿輔通志內載李維鈞於康熙五十三年任總理錢穀守道，因此，劉峨指出直隸各州縣日折供應銀五十五兩，是李維鈞在守道任內之事，至雍正五年業經革除，並於同年奉旨增給養廉銀四千兩，此後遂成爲定制，乾隆五十四年六月二十五日，軍機大臣將劉峨覆文繕片具奏。乾隆五十五年二月初七日，軍機大臣遵旨將李建泰傳內「被執脫回」之處，交國史館據《明史》改爲「降賊」字樣，並粘貼黃簽呈覽。乾隆五十六年三月，清高宗閱覽世祖實錄，內載直隸總督張元錫被學士麻勒吉呵辱自刎一事。清高宗隨取國史館所纂張元錫列傳，詳加披閱，內載張元錫於任直隸總督時，適值孫可望降附，麻勒吉齎勅往迎，至順德府，張元錫出迓，麻勒吉責其失儀，加以呵辱，張元錫既歸，遂引佩刀自刺云云。清高宗指出張元錫服官清朝，並無劣蹟，雖爲明季庶吉士，但未經授職，非但不應列入貳臣傳乙編，事實上亦不應列

入貳臣傳內，國史館諸臣不加詳審，竟與馮銓等人一例編輯。因此，飭令國史館將從前所辦諸臣列傳，查明改正㉗。王師之子王宣望在甘肅布政使任內，因捏災冒賑侵帑殃民，被寘典刑，其子概行發往新疆，充當苦差。乾隆五十九年六月，國史館進呈王師列傳，清高宗詳加披閱，王師在巡撫任內，實心任事，而飭令將其子嗣釋回鄉里，以延其宗祀。于敏中以大學士在軍機處南書房行走，因曾向內監交接，復與外任官吏貪緣舞弊。乾隆六十年五月，國史館進呈于敏中列傳，仍保留世職，清高宗即降旨將其子嗣承襲輕車都尉世職，即行撤革。

　　嘉慶年間，國史館進呈列傳，經仁宗披閱後，多交軍機大臣閱看。例如嘉慶十九年五月，軍機大臣托津、盧蔭溥遵旨將發下和珅列傳詳細閱看，據軍機大臣指出和珅列傳敘次履歷，祇有四頁，於和珅一生事蹟，全未查載，其逮問以後所奉旨，卻敘述甚詳，所載功罪，不明事實，不足以信今傳後。五月二十七日，軍機大臣撰擬明發上諭，略謂「諭內閣，國史館纂辦臣工列傳，向不按年分先後以次進呈，其辦理章程，本不畫一。前日該館進呈和珅列傳，和珅逮問伏法，迄今已越十五年，始將列傳纂進，已太覺遲緩。迨詳加披閱，其自乾隆二十四年襲官，以至嘉慶四年褫職，三十年間，但將官階履歷，挨次編輯，篇幅寥寥。至伊一生事實，全未查載，惟將逮問以後各諭旨詳加敘述，是何居心，不可問矣。和珅在乾隆年間，由侍衛洊擢大學士，晉封公爵，精明敏捷，原有微勞足錄，是以皇考高宗純皇帝加以厚恩，奈伊貪鄙性成，怙勢營私，狂妄專擅，積有罪愆。朕親政時，是以加以重罰，似此敘載簡略，現距懲辦和珅之時，年分未遠，其罪案昭然在人耳目。若傳至數百年後，但據本傳所載，考厥生平，則功罪不明，何以辨賢奸而昭賞罰。國史為信今傳後之書，事關彰

瘟，不可不明白宣示。」㉘國史館正總裁董誥交部議處，改派曹振鏞、托津、潘世恩充正總裁，盧蔭溥充副總裁，和珅列傳另行詳查改纂進呈。纂修官顧蒓原纂和珅列傳稿本內載有乾隆年間諭旨四條，其後因出差而將稿本交編修席煜等續辦。據席煜稱葛方晉先已節去三條，席煜復節去一條，以致進呈本內四條諭旨全行刪除。六月初一日，席煜奉旨革職，次日，押解回籍，交江蘇巡撫張師誠嚴行管束，令其閉門思過，不准外出，葛方晉業已身故免議。是月，國史館進呈薩克丹布清字列傳，並照例將前已進呈的漢字本一併附進。六月十四日，清仁宗發下薩克丹布列傳，交軍機大臣托津等閱看，據托津等指出傳內既載其子格布舍已陞副都統，即不應將頭等侍衛在大門上行走敘入，並交查國史館改正。

　　清朝末年所進呈的列傳，主要是國史循吏列傳，道光年間進呈四卷，本傳計二十人，附一人。光緒五年，進呈二卷，本傳六人，附三人，旋又進呈四卷，本傳十人，附一人。至光緒末年，續辦大臣畫一傳，本傳增至二百十四人，附十人，僅有定稿，未寫清本㉙。

八、結　論

　　史料與史學，關係密切，沒有史料，就沒有史學。史料有原始史料與轉手史料的分別，檔案或文書是屬於原始史料。有清一代，檔案浩瀚，近數十年來，由於檔案的陸續發現與積極整理，使清代史的研究，步入新的途徑。其間雖因戰亂而輾轉遷徙，以致間有散佚，惟其接運來台者，為數仍極可觀。國立故宮博物院現藏清代檔案，就其來源而言，約可分為四大部分：一為宮中檔案，即京外臣工定期繳回宮中，而置放於懋勤殿等處的御批奏摺及其附件；一為軍機處檔案，包括月摺包與檔册二大項，前者主

要爲奏摺錄副存查的抄件、咨文、知會、清單等，後者則爲軍機處承宣諭旨及經辦文移而分類繕錄的檔册；一爲內閣檔案，包括各科史書、絲綸簿、外紀簿、上諭簿、奏事檔、舊滿洲檔、起居注册及歷朝實錄等；一爲史館檔案，內含清代國史館及民國清史館紀、志、表、傳的稿本及纂修正史的各種資料。從清代各類文書的因革損益，可以了解清代的政治得失，從清代國史館纂修史書，則可了解清代史學的發展，其中國史館所纂列傳體例的嚴格，傳稿的屢經重修或覆輯，以及傳記資料的豐富等等，《清史稿》實望塵莫及。紀傳體的正史，是以列傳爲重心，正史中的人物，可以說是人群中的傑出者，一方面可以反映當時的社會現象，一方面也是承先啓後的津梁，把過去帶到現在。因此，列傳的數量，在正史中佔了很大部分，斷無列傳不佳，而堪稱爲正史者㉚，而且列傳的纂修，例應詳載歷史人物的生平事蹟，始足以信今而傳後。《清史稿》列傳，或襲國史本傳舊文，或採自私家撰述，間有佳傳，惟各傳體例紊亂，敘次無法，同名異譯，表傳不合，內容簡陋，率爾操觚。考證史事，最重要者，應在其事蹟年月。清代國史館諸傳內，對於臣工升遷降補的年月，大都詳載不遺，而清史稿列傳內，反大半刪去，事蹟不詳，使後來讀史者，每不能因事考世，得其會通㉛。比較《清史稿》列傳與國史館傳稿，其詳略即可概見。例如國史館傳包內纂修官章梫所纂馮子材傳稿初輯本載「馮子材，廣東欽州直隸州人。初聚徒於博白縣，嗣歸順，由歸善勇目，從提督向榮征賊。」《清史稿》列傳載稱「馮子材，字翠亭，廣東欽州人，初從向榮討粵寇，補千總，平博白。」對馮子材歸順一事，隻字未提。初輯本對中法之役，敘述甚詳，《清史稿》記載簡略。法軍戰術，據初輯本云「以眞法兵居前，黑兵次之，越南散匪又次之。」《清史稿》謂

「法軍攻長牆亟，次黑兵，次教匪。」將「散匪」誤作「教匪」，其餘同敘一事，詳略不同，或錯誤出入之處，不勝枚舉。初輯本附錄註語云「此傳據本館各檔外，兼採馮子材少保別傳，克復諒山紀略，年月日逐一校核，其誤處已爲訂正，乞鑒之。又列傳通例，載年月，不載日，此次關外與法人戰，軍事僅月餘，劇戰數日，爲我國特色，故特書日，章棳自注。」又如《清史稿》耆英傳內道光四年的事蹟但云「送宗室閒散移駐雙城堡。」國史館耆英傳包內傳稿覆輯本則載「四年三月，新定雙城堡京旂移屯章程，上念其生計維艱，命耆英前往履勘。尋奏，查雙城堡中左右三屯，有奉天旂下留養二百餘戶，如今此項閑丁幫種地畝，可省京旂僱覓人夫之費，從之。七月，兼正黃旂護軍統領，轉兵部左侍郎，充國史館清文總校。」由此可知國史館纂輯列傳，資料豐富，考證精詳，敘次有法，於事蹟始末，記述較詳，一方面可用國史館傳稿校正《清史稿》的錯誤，一方面可以補充《清史稿》的疏漏，讀《清史稿》列傳，必須查閱國史館傳稿。翻閱傳包內的各種珍貴傳記資料及記載翔實可信的傳稿時，使後人對清代列傳人物的生平事功，可以增進更多的認識，並給予新的評價，對清代歷史的研究，尤有裨益。

【註　釋】

① 司馬遷撰《史記》（明倫出版社，民國六十一年一月），卷六一，伯夷列傳，頁 2121，索隱。

② 王爾敏撰〈當代史家應從事編纂民國碑傳集〉，《中央日報》，文史週刊，第六十四期，民國六十八年七月二十四日。

③ 傅振倫撰〈清史稿評論〉，《史學年報》，第一卷，第三期。見許師愼輯《有關清史稿編印經過及各方意見彙編》，下冊（民國六十

八年四月，中華民國史料研究中心），頁 549。

④　《大清太宗文皇帝實錄》，初纂本，卷二二，頁 28，天聰十年三月初六日，上諭。

⑤　《欽定大清會典事例》（據光緒二十五年刻本景印，台灣中文書局），卷一〇四九，頁 2。

⑥　《大清高宗純皇帝實錄》，卷一五，頁 6，乾隆元年三月癸丑，據徐元夢奏。

⑦　《欽定大清會典事例》，續編。卷一，同治九年四月初九日，據倭仁等奏。

⑧　方本《上諭檔》，乾隆四十六年冬季檔，十月初四日，內閣奉上諭。

⑨　方本《上諭檔》，乾隆四十五年夏季檔，四月十六日，軍機大臣奏片。

⑩　《大清高宗純皇帝實錄》，卷一四一二，頁 18，乾隆五十七年九月癸卯，上諭。

⑪　《欽定大清會典事例》，卷一〇五〇，頁 1。

⑫　《大清高宗純皇帝實錄》，卷一四一六，頁 11，乾隆五十七年十一月甲辰，上諭。

⑬　鑄版《清史稿》，列傳十二，頁 982，費英東列傳。

⑭　《清史列傳》（台北，中華書局，民國五十三年八月），卷一，頁 2。

⑮　《大清高宗純皇帝實錄》，卷一〇二二，頁 4，乾隆四十一年十二月庚子，上諭。

⑯　同前書，卷一三四四，頁 16，乾隆五十四年十二月庚申，上諭。

⑰　梁章鉅纂輯《樞垣記略》，卷一三，頁 12。

⑱　拙撰〈清代上諭檔的史料價值〉，《故宮季刊》，第十二卷，第三

期，頁 70。

⑲ 拙撰〈國立故宮博物院典藏清代檔案述略〉，《故宮季刊》，第六卷，第四期，頁 63。

⑳ 《軍機處檔·月摺包》，第 2776 箱，151 包，36197 號，乾隆四十九年閏三月初十日，阿桂奏摺。

㉑ 方本《上諭檔》，乾隆四十一年冬季檔，十一月二十日，內閣奉旨。

㉒ 《清史列傳》，大臣畫一傳檔，卷　六，頁 42，仍作「圍守保寧」字樣。

㉓ 方本《上諭檔》，乾隆四十三年秋季檔，九月初三日，軍機大臣奏片。

㉔ 《清史列傳》，貳臣傳甲編，卷七八，李永芳傳，頁 11。

㉕ 《宮中檔雍正朝奏摺》，第一輯，頁 164，雍正元年四月初五日，高其倬奏摺。

㉖ 方本《上諭檔》，乾隆五十三年夏季檔，六月十七日，啓文。

㉗ 《大清高宗純皇帝實錄》，卷一三七五，頁 14，乾隆五十六年三月甲午，上諭。

㉘ 方本《上諭檔》，乾隆十九年夏季檔，五月二十七日，內閣奉上諭；《大清仁宗睿皇帝實錄》，卷二九一，頁 22。

㉙ 朱師轍撰《清史述聞》（樂天出版社，民國六十年十月），卷四，頁 69。

㉚ 金毓黻撰〈讀清史稿箚記〉，《國史館館刊》，第一卷，第三號。見許師慎輯《有關清史稿編印經過及各方意見彙編》，下冊，頁 685。

㉛ 李宗侗撰〈查禁清史稿與修清代通鑑長編〉，見《有關清史稿編印經過及各方意見彙編》，下冊，頁 814。

張之洞傳稿封面（國史館）

前提調官趙曾向校

總裁　寶　閏青　卌

副總裁

沈閥　五月　廿

毛閥　四月　圭

宗室
靈　十二月　三三

張之洞傳稿內封面（國史館）

咸豐九年二月長編總檔目錄

初一日

富陞

桂良

花沙納

周祿

初二日

德勒克多爾濟

全慶

啟賢

程誠

上諭　　　　　縣代　　　　　諭旨　　　　　上諭

咸豐九年二月長編總檔

初一日

兵部奏遵議挑兵不慎之城守衛守衛處分

河南城守衛當陞溶三級調用

軍機密寄

欽差大臣大學士桂良吏部尚書

花沙納

此灾各國議定稅則內洋藥一項開地方官從前多
有抽收入已情弊現定官為收稅經部通行持恐

長編總檔

地方官應攔部文或以多報少者桂良花沙納密
查儻有前項弊端即會同該督撫質參奏

兵部煩周祿湖北道止淑營都司

依舊用

初二日

昨因兵部本庫倫咧事大臣德勒克多爾濟等處分
未會理藩院批令明白迴奏裁據全慶等奏摘弦
部司員並未回堂慢行咨復擬將司員嚴議自前

《長編總檔目錄》（國史館）

長編總檔

議處職方司掌印郎中敦賢總辦郎中程觀均交
部嚴加議處失察堂官著一併交部議處
前嚴署安徽按察使恩錫在途患病路旨俱其回京
就醫母庸開缺仍著護旗都統查看病痊即勸赴
任茲據票簽等奏稱該員呈請開缺顯係有心規
避恩錫先行交部議處飭令前赴省任毋許逗留
和春奏金陵明已故提督子嗣現在原籍
已故浙江撫臣鄒鳴良之子鄒亨先俟服闋後交部
帶領引見伊父原任湖南平江縣訓導鄉士備加
恩賞銀四百兩
又奏金陵逆匪分股出竄均經學退暨上海水
師獲勝情形
覽奏均悉
又奏前以儆先進學崇陵補四川松潘左營遊
擊
依擬外補

長編總檔

前據馮保採聞夾攻狀出燕子磯往復口通回
何桂清
亞樵營等
欽差大臣江甫將軍和春兩江總督
船直到金陵進城後該逆首飲酒各等話語
保途在安徽尚有何間和春何桂清近在江南更
可知其硬寶著即查明具奏至該夾已與中國議
定通商又忽匆通叛逆其匪測不可不加防範著
和春何桂清訊其入江之路並飭水師統將嚴密
被巡勿令小蝦金陵與蛾勾結以防內患
史部題陳漢補浙江景宵縣知縣
休議

張之洞

同上

方辛
覆試一等

探花

一甲業經授職

二年四月十六日

廿日

五月初九日

張之洞事蹟册（國史館）

見亦毋庸聲敘參罰係捐納之員仍令試俸三年

該員前在招遠德平等縣任內交代已清並無

欠解正雜銀兩至此案例祇應題惟准部咨

行在現無檔案年例題本暫緩題送緊要事件應准

改題為奏為此恭摺具陳伏乞

皇太后

皇上聖鑒訓示謹

奏

史部議奏

光緒二十六年十一月　十三　日

袁世凱奏摺末幅

光緒二十六年十一月十二日

清季改題爲奏略考

　　清初本章，沿明舊制，公題私奏，相輔而行。「題」指題本，「奏」指奏本。題本有部本與通本之分，京內各部及各院府寺等衙門題本，俱附六部之後逐送內閣，謂之部本，各省將軍督撫等衙門題本，另由通政司轉遞內閣，謂之通本。然無論部本或通本，皆須先經內閣票擬呈覽，得旨批紅後即發交六科鈔傳各有關衙門施行。

　　通政司始設於明初，洪武三年（1370），置察言司，掌納四方章奏。十年（1377），仿宋代通進使與進奏院，改置通政使司，受理內外章疏敷奏封駁諸事。明初立法，本意至善，惟通政使獨攬啓視章奏大權，嘉靖以降，任用非人，流弊滋多。清初，鑒於明代秕政，雖仍置通政司，然名同實異，通政使已無執奏之專與封駁之重。世祖順治二年（1645）七月，詔命內外章奏，俱由通政司封進①。通政使之職掌即爲「掌受各省題本，校閱送閣，稽覈程限，違式劾之。」清季戊戌變法期間，亟於裁汰冗濫，通政司「事務甚簡，有名無實」，遂於光緒二十四年（1898）七月十四日，下令裁撤。是月十六日，復准通政司將原掌各道題本歸併內閣辦理。戊戌政變後，廢止新政，八月十一日，又命通政司照常設立，毋庸裁併。二十八年（1902）正月廿七日，因改題爲奏，通行既久，職無專司，復命省除，其衙署則留爲改建翰林院之用。

　　清代本章，既有題本，又有奏本，康熙年間，又採行奏摺，同一入告，名目不同，重複繁瑣，各省辦理，互不一致。世宗雍

正三年（1725），曾畫一題奏事件。凡錢糧、刑名、兵丁等地方民務所關大小例行公事，皆用題本；本身私事，俱用奏本，題本用印，奏本不用印②。七年（1729），復畫分公事與私事之範圍③。題本與奏本，條款雖異，原非大相懸殊。因公中有私，私中有公，公私之間，實無明確之界限，以致資深疆吏亦往往不諳程式，違例題奏④。其餘服官未久臣工，疏忽錯誤，宜其不免。本身私務，固應用奏本，至如軍國大事、陞遷調補等，雖不涉及私事，俱得專摺具奏。單士魁氏於〈清代制詔誥敕題奏表箋說略〉一文中論之甚詳。其文云：

> 按清制入告文書，凡公事皆用題本，本身私事，俱用奏本。上述之奏本，即為關係本身私事之類也。考諸其他，亦不盡然，如宮中所藏乾〔隆〕時代平定金川，阿桂、福康安等所具之奏本，其事皆為軍國要政，並不涉及私事，此為典制所不許，而其實例頗多，不勝枚舉。蓋奏本直接封章上達，軍國大事，得以機密進行，不若題本礙於體制，須先經閣臣檢校，票擬然後進呈，既嫌遲緩，又失機要。所以國家政事，非本私務者，亦得用奏本。此種措施，因事制宜，寖假久之，遂成慣例⑤。

乾隆十三年（1748），曾命將向用奏本之處，概用題本。六十年（1795），又議定尋常事件，刪奏為題。惟因題本，既有副本，又有貼黃，繁複遲緩，遠不如奏摺之簡易速覽，故嘉慶以降，曾屢飭裁減題本。清季變法，舊制屢易，省略虛文，簡化程式，京外臣工多引以為便。清季本章制度改題為奏，奏摺在清代政治制度中遂正式確立其公開使用之地位，此即奏摺取代題本之重要意義。清季改題為奏究始於何時？《清史稿》但謂光緒二十八年（1902）通政司以改題為奏，職無專司，復省。惟光緒二十

七年（1901）八月十五日，德宗諭內閣云：

> 李鴻章奏妥籌本章辦法一摺，據稱向例各項本章，均由內
> 閣票擬進呈，其請補請署各項本件，必俟進呈出科後，始
> 行遵旨辦理。請嗣後凡屬缺分題本，改題爲奏，以免積
> 壓，其餘本章照舊票擬進呈等語。內外各衙門一切題本，
> 多屬繁複。現在整頓庶務，諸事務去浮文，嗣後除賀本照
> 常恭進外，所有缺分題本，及向來專係具題之件，均著改
> 題爲奏。其餘各項本章，即行一律刪除，以歸簡易，將此
> 通諭知之⑥。

　　鄧詩熙氏撰〈清代本章制度之改題爲奏考〉一文即根據此道
上諭考證清代由來已久之本章制度，自辛丑年八月十五日起實行
改題爲奏。李鴻章〈奏妥籌本章辦法摺〉僅云凡遇缺分本章改題
爲奏，而經諭准者則係向來專屬具題之件，均命改題爲奏，所指
已極廣泛，此諭分明係廢除題本不用⑦。清季改題爲奏通飭施行
後，京外臣工例應具題之件，即遵照新章改爲摺奏。鄧氏根據
《諭摺彙存》光緒二十八年份各省督撫奏摺，舉例說明臣工奉行
改題爲奏之詳情。各省督撫於奏摺中多已敘入「遵章改題爲奏」
等字樣。鄧氏指出根據所引《諭摺彙存》奏摺例證，可知光緒二
十八年以後，「改題爲奏，已見實行」。質言之，鄧氏據《諭摺
彙存》督撫奏摺考證之結果，確定清季改題爲奏係始於光緒二十
七年八月十五日。惟現存北平擷華書局刊行之《諭摺彙存》，多
已散佚，光緒二十六、七兩年份，缺失尤夥。且京報所載奏摺日
期較實際具奏日期略遲三、四日不等。就現存光緒二十七年份
《諭摺彙存》爲例，於辛丑年八月德宗頒佈改題爲上諭以前，臣
工於奏摺中多已敘入「遵章改題爲奏」等字樣。光緒二十七年四
月初一日，湖廣總督兼署湖北巡撫張之洞於〈奏請委署州縣各官

摺〉內已敘明「除咨吏部查照外，理合恭摺具陳，此案應請遵照奏定新章改題爲奏」⑧。易言之，於光緒二十七年八月以前，改題爲奏，確已見諸實行。蓋因《諭摺彙存》殘缺不全，故於有清一代題本制度遞嬗演變之眞相，遂致湮沒不彰。按故宮博物院現藏清宮檔案所存光緒二十六、七年份各省督撫奏摺，件數至夥，頗有助於了解清季改題爲奏之始末。光緒二十六年十月廿三日，山東巡撫袁世凱於〈奏請揀員補授要缺知縣摺〉內已敘明「此案例祇應題，惟准部咨行在現無檔案，年例題本暫緩題送，緊要事件應准改題爲奏，爲此恭摺具陳。」⑨由此可知於庚子年十月改題爲奏，實已通飭遵行。清季改題爲奏，究始於何時？光緒二十七年八月二十日，上諭載劉坤一、張之洞等奏請省題本之語云：

　　……上年冬間，曾經行在部臣奏請將題本暫緩辦理，此後擬請查核詳議，永遠省除，分別改爲奏咨⑩。

　　據劉坤一等摺奏，光緒二十六年冬間，行在部臣已奏准將題本暫緩辦理。是年冬十月初二日，德宗實錄亦載李鴻章奏請將題本暫緩送閣云：

　　全權大學士李鴻章奏請將題本暫緩送閣，報聞⑪。

　　題本爲何暫緩送閣？如何改題爲奏？庚子拳變後，聯軍入京，七月二十日，城破。翌日，帝后西狩，朝廷部院卿寺堂官，除留京辦理交涉事宜外，餘均率同司員趨赴行在。二十七日，至宣化。八月初六日，抵大同。十七日，次太原。閏八月廿六日，通潼關。九月初四日，抵西安府，改撫署爲行宮。帝后及部院大臣倉皇出奔，重要檔案，概未攜往。光緒二十六年十一月十二日，袁世凱於〈奏請按班請補知縣摺〉曾云：

　　……至此案例祇應題，惟准部咨行在現無檔案，年例題本，暫緩題送。緊要事件，應准改題爲奏，爲此恭摺具陳

⑫。

改題爲奏最初之性質爲年例題本暫緩送閣，其緊要案件則照章改題爲奏。改題爲奏之主要原因實爲行在現無檔案，無例可循，且道路梗阻，驛遞艱難。是月十九日，袁世凱於〈奏明東省審辦命盜各案摺〉亦云：

> ……竊准刑部咨各省尋常命盜等案，凡歸監候具題者，由各該督撫訊取確供擬勘後，一面將供勘先行咨部，一面逐案酌敘簡明事由，改爲彙案具奏。每次彙案，至多以十起爲率，候軍務平定後，再行復舊制等因，於光緒二十六年十月初二日具奏，奉旨依議，欽此。……分案恭繕疏本，因道路梗阻，尚未拜發，自應遵照刑部奏定新章彙案改題爲奏⑬。

十一月份袁世凱各件奏摺，其所敘入「改題爲奏」之文，似即據十月初二日行在各部大臣奏定新章改題爲奏之案。十月初六日，吏部尚書敬信等亦奏准京員補缺改題爲奏，原摺云：

> ……京員懸缺太多，應補各官，請改題爲奏，免曠職務。其月選官及分發人員，請俟和議有成，即簡在京王大臣，先行驗放，以示體恤，從之⑭。

惟京外臣工首先奏請將尋常年例題本暫緩送閣，及緊要事件改題爲奏，俱不在庚子年冬間。早在是年秋間，業經撫臣奏准在案。是年閏八月十二日，湖南巡撫俞廉三奏請將緊要本章改題爲奏云：

> ……驛道梗阻，嗣後遞送行在緊要本章，酌量改題爲奏，差弁齎奏，以免遲誤，允之⑮。

是時，適值帝后蒙塵，旅途奔波期間，俞廉三雖奏准將緊要本章改題爲奏，惟尚未通令遵行。是年九月十二日，軍機大臣奏

准將年例題本暫緩送部，及緊要事件改題爲奏後，始正式飭令施
行。原奏云：

> ……行在無檔案可稽，請飭各督撫，於本年尋常年例題
> 本，暫緩送部，俟回鑾後，再行照常辦理，緊要事件，准
> 其改題爲奏，從之⑯。

　　光緒二十七年六月初一日，漕運總督張人駿〈奏請揀員調補
守備繁缺摺〉所敘入部咨改題爲奏之文，即據九月十二日奏准在
案者，原摺云：

> ……准部咨應題各案內酌量緩急，如係尋常年例題本，即
> 著暫緩，如係緊要事件，准由各督撫改題爲奏，以期妥
> 速，而免延誤等因，於光緒二十六年九月十二日，奉旨依
> 議，欽此⑰。

　　庚子年九月十二日，軍機大臣旣已奏准改題爲奏在案，並通
飭各省督撫遵照辦理，各省督撫專摺具奏時已於奏摺內敘入「遵
章改題爲奏」等字樣，因此，庚子年九月十二日，似可定爲清季
正式改題爲奏之確切日期。

　　清季改題爲奏實行後，京外各衙門例應具題之件，即遵照奏
定新章，改題爲奏。就臣工奉行改題爲奏新章之範圍而言，實非
僅限於缺分題本，或名盜案，舉凡整頓營務，奏銷錢糧，武職養
廉，恭報收成等無不遵章改題爲奏。光緒二十六年十二月十九
日，管理密雲縣等處駐防官兵副都統信恪奏報查驗軍裝器械一
摺，即節錄新章，改題爲奏⑱。光緒二十七年二月初八日，東撫
袁世凱「奏明報銷山東省光緒二十四年分驛站錢糧摺」，則敘入
行在戶部議覆張之洞條陳改奏改咨之案，原摺云：

> ……竊臣准行在戶部知照議覆湖廣總督臣張之洞條陳應題
> 各案，分別改奏改咨。原單內開驛站錢糧，並支銷夫馬等

項，向應具題，今改開具簡明清單具奏，擬請照准，奉諭旨依議，欽此，咨行到東。臣查山東省驛站錢糧，向係具題銷，業已造報，除將冊結送部外，所有收支銀數，現今按照改奏新章，開具簡明清單，恭呈御覽，爲此恭摺具陳⑲。

同年四月十六日，署理浙江巡撫湖南布政使余聯沅奏報武職養廉一摺亦云：

……竊查浙江省各標鎮協營武職官弁，應支養廉銀兩，例應按年造冊題銷……覆覈無異，自應照章改題爲奏，除冊送部科外，理合恭摺陳請⑳。

按清代本章制度，督撫恭報雨水糧價，或收成分數，除專摺具奏外，尚須另疏題達。改題爲奏施行後，已毋庸具題。光緒二十七年十一月廿八日，廣東巡撫德壽於〈奏報晚稻收成分數摺〉，於摺末敍入改題爲奏之文云：

……再此案向於具奏外，另行具題。現奉通行改題爲奏，應請毋庸具題，以省案牘，合併陳明㉑。

不僅地方例行公事，遵照奏定新章，改爲摺奏，中央題補官缺，亦一律改題爲奏。光緒二十七年四月廿一日，兵部尚書徐會灃等於〈奏請補京府通判員缺摺〉亦云：

查吏部奏定新章，請將在京例應題補各官一律改題爲奏，各部院司員應由各該衙門擬補，自行帶領引見㉒。

辛丑和議告成後，軍務已定，各部衙門雖屢奉上諭整頓庶務，惟京師經兵燹之後，各部檔案，散失頗多，故京外具題各案，積壓日久，迄未議覆，題本送閣，一時尚難規復舊制。至地方情形，恢復舊制，尤窒礙難行。以直隸爲例，光緒二十九年五月初二日，北洋大臣直隸總督袁世凱〈奏陳命案照章摘敍簡明案

由摺〉云：

> ……竊查直隸兵燹以後，積案過多，清釐不易。因擬將光
> 緒二十七年九月以前所出作爲舊案，免扣審限。凡例應具
> 題者，由司摘敘簡明案由，詳請彙奏，仍將審看情形，造
> 冊咨部。嗣因舊案尚未辦竣，新案相繼而至，若即規復舊
> 制辦理，新舊勢難兼顧㉓。

由於拳變期間，軍事倥傯。其後，和議初開，瘡痍未復，驛
道梗阻，政令遲滯。京外臣工屢議改題爲奏，朝廷亦屢降諭旨，
從其所請，通飭遵行。故臣工於奏摺內敘入改奏新章，尙未畫
一。或節錄庚子年九月十二日軍機大臣奏准之案，或援引是年十
月初二日行在部臣奏定新章，迨辛丑年八月十五日重頒改題爲奏
上諭時，京外各衙門復改錄是日上諭，或全錄，或節錄，詳略不
一，行之旣久，由繁而約，甚或不錄。

清代末葉，國家多事，法令滋張，題本旣礙於體制，陳陳相
因，不能暢所欲言。輾轉遞送，繁複遲緩，更失機要，故清季改
題爲奏，不僅限於年例題本暫緩送閣，或緊要案件改題爲奏。庚
子拳變期間，帝后西奔，行在旣無檔案，驛道梗阻，繕疏具題，
窒礙難行。且就清季改題爲奏之範圍而言，亦不僅限於缺分本章
之改題爲奏。光緒二十六年九月十二日，軍機大臣奏准改題爲奏
在案後，實已通飭各省督撫遵照辦理。光緒二十八年正月，明令
裁撤通政司以後，雖偶間有題本㉔。此或許如鄧詩熙氏所稱「一
時公務上未臻劃一，致有參差，不能目爲未實行改題爲奏之證
也。」，自通政司正式裁撤後，所有已達內閣，或存通政司未進
題本，均發還原具題人，另行遵照新章，改題本爲奏摺，明清兩
代通行已久之題本制度，遂廢除不用。

【註　釋】

① 鑄版《清史稿》上冊，頁 12，世祖本紀，順治二年七月己巳云：「詔自今內外章奏，由通政司封進。」惟同書職官志繫於順治元年。清世祖章皇帝實卷十九，頁 19，順治二年七月己巳載「通政使司通政使李天經奏言，舊制京官奏本，皆從臣司封進。至外來本章，斷無不由臣司徑行直達者。近見本章，仍有不經臣司者，乞嚴賜申飭，以後在外本章，不論滿漢，俱由臣司封進，庶體統尊而法制一矣，從之。」《清史稿》前後記載歧誤，職官志誤繫於順治元年。

② 《欽定大清會典事例》，卷一三，頁 4。

③ 同前書，卷一〇四二，頁 44，載雍正七年上諭云：「嗣後舉劾屬官，及錢糧、兵馬、命盜、刑名一應公事，照例用題本外，其慶賀表文，各官到任接印，離任交印，及奉到敕諭，頒發各省衙門書籍，或報日期，或係謝恩，並代通省官民慶賀陳謝，或原題案件未明，奉旨回奏者，皆屬公事，應用題本。至各官到任升轉，加級紀錄，寬免降罰，或降革留任，或特荷賞賚謝恩，或代所屬專員謝恩者，均應用奏本，皆不鈐印。」

④ 《雍正硃批諭旨》，第十三函，頁 96。雍正十三年閏四月二十七日，直隸總督李衛謝恩摺，詳述違例題奏之緣由云：「竊臣恭逢聖祖仁皇帝御製文集刊刻告成，億萬千年奏爲金鑑，荷蒙皇上恩賞及臣應行陳謝。因查通政司原文條款，凡係公事，如頒發書籍等項，用題本，特蒙賞賚，及代人謝恩者，用奏本。臣前曾代原任大學士魏裔介，原任尙書魏象樞後裔恭謝欽賜入祀賢良祠，愚昧之見，以爲有關聖主褒獎忠良大典，乃係公事，兩次俱用題本。通政司於第二次本到時，連前半年已收進呈之本，一併以應用奏本指參。荷蒙

皇恩格外寬宥。今次特邀賞賚，係開列王大臣官員名單欽定，原未普例禩頒，且是臣一人謝恩，有鑒於前，不敢再用題本，又經通政司以誤用奏本題參，自應聽候處分，復蒙恩旨該部知道欽此，是因臣粗疏錯誤，每致上煩天心，曲賜優容。……」

⑤　《文獻專刊》，頁 10。

⑥　《清德宗景皇帝實錄》，卷四八六，頁 12，光緒二十七年八月戊申上諭。又《光緒朝東華錄》，頁 4707，亦載是日上諭，惟文意稍異。如實錄「嗣後除賀本照常恭進外」，東華錄作「嗣後除題本仍常進呈外」，改賀本為題本等，無煩縷舉。

⑦　《史學集刊》第三期，頁 323。

⑧　《諭摺彙存》第二十九冊，光緒二十七年四月份，頁 2。

⑨　《宮中檔》，第 2711 箱，第 1760 號，袁世凱奏摺。

⑩　《光緒朝東華錄》，頁 4735。光緒二十七年八月癸丑上諭。按是年二月初八日袁世凱「奏報驛站錢糧摺」所引戶部知照議覆張之洞條陳，可知張氏於二月以前已曾奏請應題各案分別改奏改咨，見宮中檔，袁世凱奏摺。

⑪　《大清德宗景皇帝實錄》，卷四七四，頁 2。

⑫　《宮中檔案》，第 2711 箱，第 1776 號，袁世凱奏摺。

⑬　同前檔，第 2711 箱，第 1781 號。

⑭　《大清德宗景皇帝實錄》，卷四七五，頁 4。

⑮　同前書，卷四七〇，頁 16。

⑯　同前書，卷四七二，頁 14。

⑰　《請摺彙存》，第三十一冊，光緒二十七年六月份，頁 4。

⑱　《宮中檔》，第 2711 箱，第 4409 號。

⑲　同前檔，第 2711 箱，第 1803 號。

⑳　《諭摺彙存》，第二十九冊，光緒二十七年四月份，頁 5。

㉑　《宮中檔》，第 2711 箱，第 2394 號。

㉒　《諭摺彙存》，第二十九册，光緒二十七年四月份，頁 3。

㉓　《宮中檔》，第 2711 箱，第 1900 號。

㉔　清季改題爲奏實行後，賀本照常恭進。單士魁氏於《清代題本制度
　　考》文中云：「張之洞等奏請廢除題本，並未見諸實行。今內閣大
　　庫尙存有光緒二十九年之題本足資證明。」惟單氏又於同文云：
　　「有清一代，由順治以迄光緒，歷九朝皆係題奏分用。及光緒二十
　　七年八月，劉坤一、張之洞始有奏請廢除題本條議，是清代題奏制
　　度第二次之變更。」前後文似有不能自圓之嫌，且張之洞等奏請省
　　除題本亦不在辛丑年八月，是月係德宗頒佈上諭日期，始奏請改題
　　爲奏者，並非張之洞與劉坤一。單氏原文見《文獻論叢》，論述
　　二，頁 181 單氏又於《文獻專刊》，頁 4，〈清代制詔誥敕題奏表
　　箋說略〉一文中云：「光緒二十七年，國家法令多所更張，題本之
　　制亦因之廢除，而以奏章代之，此從劉坤一、張之洞請也。題本定
　　例，權輿於明武十五年，數百年沿行不廢，自茲以後，遂不見稱於
　　世。」是單氏又明言光緒二十七年已改題爲奏也。

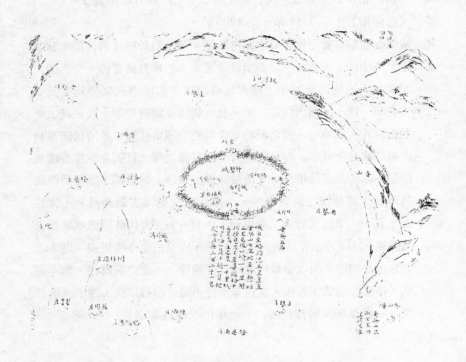

乾隆年間竹塹城示意圖
（國立故宮博物院藏台灣地圖）

從故宮檔案看清代台灣
行政區域的調整

　　清朝的治臺政策，雖然有其消極性及矛盾性，但是，也有它的積極性。康熙二十三年（1684），清廷將臺灣納入版圖後，仍保存臺灣的郡縣行政制度，設府治，領臺灣、鳳山、諸羅三縣，並劃歸廈門為一區，設臺廈道，臺灣府隸屬於福建省，開科取士，實施和福建內地一致的行政制度，就是將臺灣作為清朝內地看待，未曾置於東三省、新疆、西藏之列，確實含有積極意義，對臺灣日後的歷史發展，影響深遠。

　　雍正元年（1723），巡視臺灣御史吳達禮奏請將諸羅縣北半線地方，分設知縣一員，典史一員，淡水增設捕盜同知一員。同年八月，經兵部議准，並定諸羅分設一縣為彰化縣①。臺灣一府四縣的土地制度，並不一致。雍正年間，福建總督高其倬具摺時已指出，臺灣一縣的田地，都是鄭成功時代查過的定額，清初領有臺灣後，臺灣縣的田額，就是以舊時為底徵收。諸羅、鳳山二縣，田土多隱匿。新設立的彰化縣，荒地甚多，可以開墾增賦。孫魯、俞遵仁先後充任知府，孫魯才短，俞遵仁為人謹慎，老成歷練。原任彰化縣知縣張縞，為人才短。新任彰化縣知縣湯啟聲和新任臺灣縣知縣張廷琰，居官俱好。諸羅縣知縣劉良璧，人頗勤慎。鳳山縣知縣蕭震，在任年久，辦事最勤，人亦質樸。林亮、陳倫炯先後簡放臺灣鎮總兵官，陳倫炯為人謹慎，比林亮操守謹嚴，約束操練兵丁，頗為上心②。鳳山縣所轄瑯璚，地勢險要，林亮在臺灣鎮總兵官任內曾移咨福建巡撫，議開瑯璚之禁，

而移巡檢於崑麓，設汛兵於社寮港，開墾生界原住民鹿場③。林亮雖然是武職人員，但他已洞察臺灣歷史的發展趨勢。

　　乾隆年間，林爽文之役以後，福康安等條陳臺灣善後事宜，整頓吏治，添調佐雜各員，以落實基層行政革新工作。國立故宮博物院現藏乾隆年間《宮中檔》硃批奏摺，含有福康安等人奏請調整臺灣地方行政組織的資料。南路鳳山縣城移建埤頭街後，其原有舊城，因地處海濱，所以將下淡水巡檢一員移至鳳山舊城駐箚。下淡水在東港上游，南達水底寮，於是將阿里港縣丞一員移駐下淡水。其阿里港地方，因與埤頭街新移鳳山縣城相近，一切可歸鳳山縣知縣管理，稽查較易。北路斗六門地當衝要，原設巡檢一員，官職卑微，另添設縣丞一員，歸嘉義縣管轄。大武壠山內村庄甚多，形勢險要，除安設汛防撥兵駐守外，仍將原設斗六門巡檢一員移駐大武壠。臺灣道府向係三年俸滿，乾隆四十九年（1784），改為五年。因臺灣為海疆重地，必需久任，乾隆五十三年（1788），福康安等人又奏請將各廳縣同知和知縣比照道府成例，一律改為五年報滿，俾能多歷歲時，以盡心民事。臺灣向來僅派御史前往巡視，職分較小，不能備悉地方情形，有名無實。自乾隆五十三年（1788）二月起正式將巡臺御史之例停止，改由閩浙總督、福建巡撫、福州將軍及福建水師陸路兩提督每年輪派一人前往稽察。臺灣道一員，向係調缺，福建督撫及各官因臺灣道出缺，視為利藪，往往貪緣徇情。為釐剔弊端，乾隆皇帝格外賞給臺灣道按察使銜，俾有奏事之責，遇有地方應辦事件，即可專摺奏事。臺灣郡城相距各廳縣治所，路程遼遠，遇有緊急要事遞送公文時，信息難通，福康安等人又奏請仿照內地安設舖遞，每三十里一舖，以遞送文報④。

　　噶瑪蘭，乾隆年間彩繪臺灣地圖作「哈仔蘭」，原圖標明

「哈仔蘭內有三十六社，漢人貿易，由社船南風入，北風起則
回。」雍正九年（1731），割大甲以北至三貂嶺下遠望坑刑名錢
穀諸務，歸淡水同知管轄。嘉慶十五年（1810），又以遠望坑迤
北而東至蘇澳止，計地一百三十里，增設噶瑪蘭通判。由臺灣行
政沿革，確實可以反映人事、天時、地利轉移的現象。

　　嘉慶十五年（1810），噶瑪蘭收入版圖後，又經原任總督方
維甸奏准開闢。道光六年（1826），閩浙總督孫爾準奏陳開闢未
盡事宜案內聲明東勢頂和西勢頂荒埔可墾耕地面積，飭令噶瑪蘭
廳通判每年勘報。道光二十三年（1843），署噶瑪蘭通判事候補
同知朱材哲到任後，親赴各處相度形勢，倡捐廉俸，勸募業戶墾
荒。次年七月間，設立總局，飭委署頭圍縣丞周晉昭駐局督辦墾
荒事宜，使移民實邊的政策，更加落實。

　　同治末年，因琉球事件，日人窺伺臺灣。同治十三年
（1874）四月，清廷命沈葆楨巡視臺灣，兼辦各國通商事務。沈
葆楨為鎮撫地方，防範窺伺，他決定在鳳山縣瑯璚築城設官，增
設行政區。同年十二月十三日，沈葆楨率同臺灣府知府周懋琦等
人由府城起程。十二月十八日，抵瑯璚。夏獻綸、劉璈等人先已
勘定車城南十五里的猴洞可以作為縣治。國立故宮博物院藏有
《月摺檔》，內含沈葆楨奏摺，原奏指出猴洞山勢迴環，一山橫
隔，中廓平埔，周圍約二十餘里。沈葆楨所擬定的縣名叫做「恆
春縣」，他建議先設知縣一員，審理詞訟，並撥給親勇一旗，以
資彈壓地方⑤。

　　淡水廳因治所設在竹塹城，所以清代官方文書間亦作竹塹
廳。同治年間，淡水廳所轄地界，仍較遼闊。在清代前期，淡水
廳城郊，地方空曠，村落稀疏，田野未闢，閩粵移民，戶口稀
少。其後，一方面由於臺灣移墾重心的向北轉移，南路人口逐漸

向北發展，一方面由於八里坌、滬尾正式開設口岸，對渡福州五虎門，以及對外開港通商，使北淡水日益繁榮，因此，荒地漸闢，閩粵內地流動人口多進入北淡水，以致戶口日增。現存《淡新檔案》中含有同治十三年（1874）分淡水廳人丁戶口清冊，可以根據清冊列出簡表於下：

同治十三年分淡水廳所屬閩粵各庄人口統計表

座　落	庄　　別	籍　別	戶數	丁　口　數　合　計						備　註
				男丁	女口	幼孩	幼女	閩　　籍	粵籍	
竹塹城內	東門	閩籍	200	250	200	203	106			
	西門	閩籍	91	104	68	89	101			
	南門	閩籍	50	73	50	24	36	657 戶		
	北門	閩籍	316	409	402	225	183	2,523 人		
竹塹城外東	東勢庄	閩籍	23	36	31	20	17			
廂二十五庄	下東店庄	閩籍	18	20		13	10			
	大陂坪庄	閩籍	21	29		15	9			
	埔仔頂庄	閩籍	20	41		31				
		粵籍	13	28	20	15	16			
	牛路頭庄	閩籍	26	29	18	14	21			
	柴梳山庄	粵籍	14	16	12	12	14			
	蔴園堵庄	閩籍	28	20	26	20	32			
	二十張犁庄	閩籍	15	24		21				
	白沙墩庄	閩籍	25	36		29				
		粵籍	5	7	9	4	4			
	沙崙庄	閩籍	16	20	22	18	14			
	八張犁庄	閩籍	21	27	26	16	19			
		粵籍	9	13	10	14	20			
	六張犁庄	閩籍	21	32	25	19	13			
	鹿場庄	閩籍	20	36	34	25	18			
	番仔寮庄	閩籍	18	29	32	20	14			
	隘口庄	閩籍	17	21		16	12			
	五塊厝庄	閩籍	22	45		28	25			
	九芎林庄	粵籍	37	59	41	23	29			
	頂下嵌庄	閩籍	25	24		17	12			
	鹿寮坑庄	粵籍	29	30	31	22	24			
	十股林庄	粵籍	30	39	42	26	19			
	五股林庄	閩籍	41	62	4537	28				

		籍						戶口	戶口
	石壁潭庄	閩籍	42	55	50	23	29		
	山豬湖庄	閩籍	30	27	35	29	17		
	猴洞庄	閩籍	28	29	33	27	19	514 戶	137 戶
	橫山庄	閩籍	27	39	42	25		2,365 人	577 人
西廂十庄	隙仔庄	閩籍	29	36		12	13		
	南勢庄	閩籍	47	51		23	18		
	牛埔庄	閩籍	25	37	41	23	28		
	茇仔林庄	閩籍	18	21	12	15			
	虎仔山庄	閩籍	37	52		23	13		
	浸水庄	閩籍	22	27	21		12		
	三塊厝庄	閩籍	24	35	33	11	12		
	羊寮庄	閩籍	27	24	31	13	14		
	香山庄	閩籍	39	44	39	21	17	286 戶	
	汫水港庄	閩籍	18	25	32	11	18	1,018 人	
南廂二庄	巡首埔庄	閩籍	51	67	55	23	27	95 戶	
	溪仔底庄	閩籍	44	53	39	24	21	309 人	
北廂十七庄	水田庄	閩籍	29	23	365	27			
	湳仔庄	閩籍	16	27	31	14	15		
	金門厝庄	閩籍	17	28	24	19	22		
	舊社庄	閩籍	21	36	23	21	12		
	嶺園庄	閩籍	24	25	24				
	頂溪洲庄	閩籍	25	42		23			
	新莊仔庄	閩籍	18			12			
	白地粉庄	閩籍	22	41	29	13	12		
	溪心壩庄	閩籍	22	32		11			
	嵌頂庄	閩籍	15	19	15	8	9		
	鳳鼻尾庄	閩籍	17	21	22	7	6		
	紅毛港庄	閩籍	31	44					
	蠔殼港庄	閩籍	23	28		12	12		
	笨仔港庄	閩籍	24			15	15		
	大溪墘庄	粵籍	26	22	32	9	17		
	芝葩里庄	粵籍	29	31	34	22	15	327 戶	55 戶
	鳳山崎庄	閩籍	23	27	23	16	14	1,314 人	182 人
東北廂十六庄	新社庄	閩籍	16	12		11			
	豆仔埔庄	閩籍	18	23	31	22	17		
	枋寮庄	粵籍	21	31		13	21		
	新埔庄	粵籍	32	42	37	26	12		
	大茅埔庄	粵籍	24	23	21	8			
	五份埔庄	粵籍	13	21		12			

	六股庄	粵籍	16	19		15			
	石崗仔庄	粵籍	21	23		21	13		
	烏樹林庄	閩籍	22	27	25	21	21		
	鹽菜硼庄	粵籍	21	46	49	27	23		
	三洽水庄	粵籍	37	51	42	24	23		
	婆老粉庄	閩籍	25	21	27	9	13		
	大湖口庄	粵籍	28	32	33	19	19		
	崩坡庄	粵籍	13	27	32	21	16		
	楊梅壢庄	閩籍	41	62		31		146 戶	223 戶
	頭重溪庄	粵籍	21	36		14	19	584 人	1,046 人
西北廂十庄	崙仔庄	閩籍	23	33		15			
	沙崙庄	閩籍	27	23		17			
	樹林頭庄	閩籍	31	42		21	19		
	苦苓腳庄	閩籍	34	52	39	22	27		
	檳榔庄	閩籍	42	63	65	32	29		
	油車港庄	閩籍	16	13	22	8	9		
	船頭庄	閩籍	14	21	19	11	13		
	南北汕庄	閩籍	27	31	32	12	14		
	下溪洲庄	閩籍	19	24	32	12		255 戶	
	魚寮庄	閩籍	22	25		21		1,014 人	
塹城之南中港保十四庄	山寮庄	閩籍	22	37		21			
	後厝庄	閩籍	17	17	25	12	9		
	中港街庄	閩籍	42	53	45	24	29		
	湖底庄	閩籍	14	21	13	9	13		
	海口庄	閩籍	19	23	19	17	18		
	山下山腳庄	閩籍	31	32		19			
	嵌頂庄	閩籍	21	23		15			
	墊牛口庄	閩籍	35	33		22	17		
	二十份庄	閩籍	36	43	52	22	23		
	隆恩庄	閩籍	31	39	33	17	22		
	蘆竹湳庄	閩籍	42	57	42	26	25		
	茄冬庄	閩籍	27	24	31	13	19		
	斗換坪庄	粵籍	32	43	33	23	18	337 戶	75 戶
	三灣庄	粵籍	43	62	49	31	19	1,252 人(1)	278 人
後壠保十二庄	山仔頂庄	閩籍	22	37	38	13	21		
	後壠街庄	閩籍	83	93	89	47	58		
	海豐庄	閩籍	39	43		21			
	芒花埔庄	閩籍	23	32		21			
	嘉志閣庄	粵籍	36	42	37	23	21		

	貓裡庄	粵籍	52	72	83	34	29		
	蛤仔市庄	粵籍	43	44	38	27	25		
	苳蕉灣庄	粵籍	32	52	57	31	23		
	銅鑼灣庄	粵籍	43	61	45	32	27		
	高埔庄	閩籍	19	15	27	12	15		
	南勢庄	閩籍	27	22	31	13	23	237 戶	206 戶
	打哪叭庄	閩籍	24	32	29	17		874 人	803 人
苑裡保八庄	呑霄庄	粵籍	38	38	39	15	13		
	北勢窩庄	閩籍	25	27		12	9		
	竹仔林庄	閩籍	32	42		13	13		
	塗城庄	閩籍	32	27		22	23		
	苑裡庄	粵籍	37	45	36	27	25		
	榭苓庄	閩籍	22	25	32	19	21		
	日北庄	粵籍	26	29	33	12	22	153 戶	101 戶
	房裡庄	閩籍	42	53	49	25	23	550 人	334 人
大甲保十二庄	大甲庄	閩籍	51	63	72	42	19		
	馬鳴埔庄	閩籍	27	19	32	12	13		
	中和庄	閩籍	31	47	27	21			
	牛稠坑庄	閩籍	32	29	43	17	22		
	月眉庄	閩籍	23	32	2	18			
	營盤口庄	閩籍	22	32	23	17	12		
	大安街庄	閩籍	37	32	43	22	22		
	海墘厝庄	閩籍	25	22	34	25	27		
	田心仔庄	閩籍	27	32	23	22	17		
	蘊蓁庄	閩籍	21	29		12	12		
	水汴頭庄	閩籍	23	37		21	19	351 戶	
	蕃仔寮庄	閩籍	32	45	26	23	15	1,321 人	
竹塹之北桃澗保八庄	中壢庄	閩籍	44	63	54	32	27		
	赤嵌庄	閩籍	32	37	39	18	22		
	桃仔園庄	閩籍	52	66	75	37	33		
	龜崙口庄	粵籍	27	35	43	23	17		
	大湳庄	閩籍	21	27	39	21	23		
	新興庄	閩籍	26	32	32		17		
	安平鎮庄	粵籍	32	52	45	23	26	175 戶	86 戶
	員樹林仔庄	粵籍	27	23	27	15	23	706 人	362 人
海山保九庄	風櫃店庄	閩籍	37	45	37	22	13		
	潭底庄	閩籍	36	43	33	22	22		
	樟樹窟庄	閩籍	42	52	62	25	37		
	尖山庄	閩籍	27	37	45	25	27		

	大姑崁庄	閩籍	43	66	54	29	27				
	三角湧庄	閩籍	39	45	46	26	32				
	橫溪庄	閩籍	22	37	37	22	26				
	彭厝庄	閩籍	26	33	45	21	27	272 戶	31 戶		
	柑園庄	粵籍	31	49	55	23	32	1,121 人	159 人		
擺接保五庄	枋寮庄	閩籍	32	32	29	12	13				
	員山仔庄	閩籍	33	42	38	21	17				
	洽水坑庄	粵籍	42	52	57	31	26				
	火燒庄	閩籍	47	43	62	23	15	163 戶	42 戶		
	柏仔林庄	閩籍	51	77	63	42	23	552 人	166 人		
大加蚋保七庄	艋舺庄	閩籍	87	110	99	54	35				
	三板橋庄	閩籍	37	45	52	22	27				
	林口庄	閩籍	39	32	37	21	15				
	錫口街庄	閩籍	45	75	69	31	25				
	搭搭攸庄	閩籍	42	62	42	32	21				
	奎府聚庄	閩籍	37	23	27	13	13	319 戶			
	大隆同庄	閩籍	32	33	37	21	19	1,092 人			
拳山保六庄	大坪林庄	粵籍	36	36	43	17	12				
	秀郎社庄	閩籍	52	43	45	22	23				
	木柵庄	閩籍	27	32	25	12	13				
	頭重溪庄	粵籍	23	31	39	22	16				
	萬順寮庄	閩籍	25	32	31	17	19	131 戶	59 戶		
	楓林庄	閩籍	27	25	32	21	17	409 人	216 人		
石碇保六庄	水返腳庄	閩籍	31	22	37	21	17				
	康誥坑庄	閩籍	33	37	32	22	14				
	五堵庄	閩籍	27	23	31	12	12				
	暖暖庄	閩籍	26	23	23	15	17				
	四腳亭庄	閩籍	21	31	21	12	12	169 戶			
	遠望坑庄	閩籍	31	42	33	13	13	534 人			
興直保九庄	陂角店庄	閩籍	21	27	36	12	23				
	中塭庄	閩籍	23	32	35	19	22				
	和尚州庄	閩籍	42	63	56	32	27				
	武勝灣庄	閩籍	37	51		14					
	三重埔庄	閩籍	35	42	35	19	27				
	關渡庄	閩籍	37	52	23	11	12				
	八里坌庄	閩籍	41	57	22						
	烏嶼寮庄	閩籍	27	23	32	13	19	285 戶			
	長道坑庄	閩籍	22	22	29	15	14	1,019 人			
芝蘭保	劍潭庄	閩籍	22	32	47	21					

十八庄	角溝庄	閩籍	27	32		12	12			
	芝蘭庄	閩籍	31	42	32	21	23			
	毛少翁社庄	粵籍	32	52	37	26	13			
	淇里岸庄	粵籍	21	22	23	22	12			
	北投庄	粵籍	21	22	33	31	12			
	嗄嘮別庄	粵籍	32	42	32	25	15			
	雞北屯社庄	閩籍	32	42	32	13	13			
		粵籍	14	19	21	9	13			
	大屯社庄	閩籍	22	32	32	12	21			
	石門汛庄	閩籍	32	42		22				
	金包裏庄	閩籍	37	52	42	22	17			
	野柳庄	閩籍	21	22	33	13	15			
	雞籠街庄	閩籍	27	33		21				
	三貂庄	閩籍	42	65	53	23	13			
	燦光寮庄	閩籍	31	42	32	22	16			
	丹裏庄	閩籍	27	32	26	17	21			
	獅毬嶺庄	閩籍	29	32	37	25	19			
	長潭堵庄	閩籍	32	45	37	23	29	412 戶	140 戶	
		粵籍	20	24	16	20	25	1,555 人	576 人	
總計	四門一九四庄	203	6,439					5,284 戶	1,155 戶	
								20,112 人	4,699 人	

資料來源：《淡新檔案》（臺北，國立臺灣大學，民國八十四年十月），頁328-350。

　　由前列簡表可知淡水廳的城鄉組織，主要為廂、保、庄，竹塹城周圍四里，城內分為東西南北四門，城外分為東西南北廂及東北、西北各廂，城廂以外，則為保庄。由竹塹城向南依次為中港保、後壠保、貓里保、大甲保，直至彰化縣交界的大甲溪止。由竹塹城向北依次為桃澗保、海山保，擺街保、大加蚋保、拳山保、石碇保，直至噶瑪蘭廳交界的遠望坑止。由大加蚋保艋舺街斜向東上為興直保、芝蘭保，直至西海岸止。廂保以下為各庄，按閩、粵祖籍分庄而居。閩粵移民渡海入臺之初，缺乏以血緣紐帶作為聚落組成的條件，通常是採取祖籍居地的關係，依附於來自同祖籍同姓或異姓村落，而形成了以地緣關係為紐帶的地緣村落，同鄉的移民遷到同鄉所居住的地方，與同鄉的移民共同組成

地緣村落。由前列清冊所開戶數及人口數，以及閩粵移民的村庄分佈，可以了解其清冊對臺灣城鄉的分佈，提供了相當珍貴的資料。

在移墾社會裡，人口的變遷，與行政區域的調整，關係極為密切。根據《淡新檔案》同治十三年分淡水廳戶口清冊的記載，淡水廳境內四門，一九四庄閩粵籍移民共計六、四三九戶，二四、八一一人。但據沈葆楨等人奏報，北淡水地區經歷百餘年的休養生息，荒壤日闢，口岸四通，戶口大增，據同治十二年（1873）統計，除噶瑪蘭外，北淡水人口已達四十二萬人之多，鑒於外防內治難周，沈葆楨等人於光緒元年（1875）奏請調整行政區域。國立故宮博院物院現藏《月摺檔》含有沈葆楨等人奏摺，節錄一段如下：

> 臺地所產，以靛、煤、茶葉、樟腦為大宗，而皆出於淡北年〔之〕荒山窮谷，栽種愈盛，開棄愈繁，洋船盤運，客民叢積，風氣浮動，嗜好互殊，淡南大甲一帶，與彰化毘連，習尤獷悍。同知半年駐行〔竹〕堡衙門，半年駐艋舺公所，相去百二十里，因奔馳而曠廢，勢所必然。況由竹暫〔塹〕而南至大甲，尚百餘里，由艋舺而北至〔滬尾〕、雞籠，尚各數十里，等案層見迭出。往往方急北轅，旋憂南顧，分身無術，枝節橫生，公事之積壓，巨案之諱飭〔飾〕，均所不免。督撫知其缺之難，必擇循吏能吏以膺是選。而到任後，往往覽聲頓減，不副所望，則地為之也，其駕之馭之難周又如此。此淡蘭文風為全臺之冠，乃歲科童試廳產時，淡屬六、七百人，蘭四、五百人，而赴道者，此不及之〔？〕分之一，無非路途險遠，寒士艱於資斧，裹足不前，而詞訟一端，則〔四〕均受其

害，刁健者詞窮而遁，捏情控府，一奉准提，累月窮年，
被誣者縱昭雪有期，家已為之破，矯其弊者，因噎廢食，
〔　〕不准提，則廳案為胥吏所把持〔持〕，便無可控訴，
而械鬥之釁，萌蘗乎其中。至徒流以上罪為定讞後解郡勘
轉，需費繁多，淹滯歲月，貼累不貲，則消弭不得不巧，
官苦之，民尤苦之，其政教之難齊，又有如此者，所以前
者臺灣道夏獻綸有政〔改〕淡水同知為直隸州，改噶瑪蘭
為知縣，添一縣於竹塹之請。臣鶴年、臣凱泰等正飭議試
辦，委〔倭〕事旋起，因之暫停，而倭人當騷動臺南之
時，既有潛窺臺北之意，經夏獻綸馳往該處，預拔機牙，
狡謀乃息。海防洋〔　〕，瞬息萬變，恐州牧尚不足以當
之。況去年以來，自噶瑪蘭之蘇澳起，經提臣羅大春撫番
開路，至新城二百里有奇，至秀姑巒又百里有奇。倘山前
之置尚未周詳，則山後之經營何從藉手〔　〕。就今日臺北
之形勢策之，非區之縣而分治之，則無以專其責成，非設
知縣以統轄之，則無以挈其綱領。伏查艋舺當雞籠、龜崙
而〔　〕大山前之間，沃壤平原，兩溪環抱，村落衢市，蔚
成大觀。西至海口三十里，直達八里坌、滬尾兩口，並有
觀音山、大屯山以為屏障，且與省城五虎門遙對，非特淡
蘭扼要之區，實全臺北門之管〔管鑰〕，擬於該處創建府
治，名之曰臺北府。自彰化以北，直達後山，胥歸控制，
仍隸於臺灣兵備道。其附府一縣，南劃中壢以上至頭重溪
為界，計五十里而遙，北劃遠望坑為界，計一百二十五里
而近，東西相距五、六十里不等，方圍折算，百里有餘，
擬名之曰淡水縣。自頭重溪以南至彰化界之甲〔大甲〕溪
止，南北相距百五十里，其間之竹塹即淡水廳舊治也，擬

裁淡水同知，改設一縣，名之曰新竹縣。自遠望坑迤北而東仍噶瑪蘭廳之舊治疆域，擬設一縣，名之曰宜蘭縣。惟雞籠一區，以建縣治，則其地不足，而通商以後，竟成都會，且煤輟方興未拔之民四集，海防既重，訟事尤繁，該處而未設官，亦非佐雜微員所能鎮壓。若事事受成於艋舺，則又官與民交因〔困〕，應請改噶瑪蘭通判爲臺北府分防通判，移駐雞籠以治之⑥。

　　前引沈葆楨奏摺抄件，因原奏經過輾轉抄錄，以致多錯別字。但從前引內容，仍可了解沈葆楨奏請調整行政區域的原因。北淡水是產米之區，煤炭、樟腦等亦多產於北淡水，滬尾即淡水口對外開放通商後，更加促進北淡水地區的繁榮。從沈葆楨原奏可知同光年間臺灣北路的重要性，已經與日俱增，調整行政區域，確實刻不容緩。夏獻綸在臺灣道任內已有改淡水廳爲直隸州，改噶瑪蘭同知爲知縣，添一縣於竹塹之請。沈葆楨所稱臺北府，包括淡水廳和噶瑪蘭廳，改設一府三縣。自彰化大甲溪起至頭重溪止，改設新竹縣，裁去淡水同知；自頭重溪起至中壢，北劃遠望坑爲界，改設淡水縣，作爲臺北府附府一縣；噶瑪蘭廳改設宜蘭縣；噶瑪蘭通判改爲臺北府分防通判，移駐雞籠。臺北府府治設於大加蚋保的艋舺庄。根據《淡新檔案》同治十三年（1874）淡水廳戶口清冊記載，大加蚋保包括艋舺、三板橋、林口、錫口街、搭搭攸、奎府聚、大隆同等七庄，都是閩籍移民村庄，共三一九戶，計一、〇九二人，艋舺庄戶數爲八十七戶，約佔總戶數的百分之二十七，其人口數爲二九八人，約佔總人口數的百分之二十七，可以說明在同治末年，艋舺庄是大加蚋保境內較繁華的聚落。沈葆楨原奏所稱艋舺「沃壤平原，兩溪環抱，村落衢市，蔚成大觀」的說法，是符合歷史事實的。

　　光緒初年，因中法越南交涉久無結果，法國海軍司令孤拔
（A. A. P. Courbet）為了佔地為質，索賠兵費，於是企圖以其優
勢海軍進犯中國東南沿海，臺灣孤懸外海，遂首當其衝。清廷下
詔起用淮軍名將直隸提督劉銘傳督辦臺灣軍務。據國立故宮博物
院典藏《劉壯肅公事實》記載，劉銘傳於光緒十年（1884）閏五
月初二日陛見，閏五月二十四日行抵基隆，查看礮台形勢，閏五
月二十八日，行駐臺北⑥。法軍恃其船堅礮利，封鎖臺灣。劉銘
傳外無軍艦，內乏槍礮，將士苦守惡戰，力保全臺，共支危局，
勞苦足錄，功不可沒。光緒十一年（1885）四月初九日，法國艦
隊撤退，駛向澎湖。四月二十九日，退至越南、基隆、滬尾防務
解嚴。法軍既退，為鞏固臺灣防務，建設臺灣，劉銘傳即次第辦
理練兵設防、清理田賦、興建鐵路、開科取士、招撫生界原住民
等善後事宜。清廷已經認識到臺灣為南洋門戶，非改立行省不
可。據《清史稿·地理志》的記載，臺灣改建行省的時間是在光
緒十三年（1887）⑧。同書《德宗本紀》則將臺灣建省的日期繫
於光緒十一年（1885）九月初五日庚子⑨，前後出入極大。國立
故宮博物院典藏《上諭檔》記載臺灣建省的日期如下：

　　　　光緒十一年九月初五日欽奉慈禧端祐康頤昭豫莊誠皇太后
　　　　懿旨，醇親王奕譞等遵籌海防善後事宜摺內奏稱，臺灣要
　　　　區，宜有大員駐紮等語。臺灣為南洋門戶，關繫緊要，自
　　　　應因時變通，以資控制，著將福建巡撫改為臺灣巡撫，常
　　　　川駐紮，福建巡撫事，即著閩浙總督兼管，所有一切改設
　　　　事宜，該督撫詳細籌議奏明辦理，欽此⑩。

　　光緒十一年（1885）九月初五日懿旨的頒佈，可以定為臺灣
建省的開始日期。《清史稿·疆臣年表》亦將劉銘傳補授臺灣巡
撫的日期繫於光緒十一年（1885）九月初五日庚子。首任臺灣巡

撫劉銘傳駐紮臺灣，開始使用木質關防。同年十月十五日，閩浙總督楊昌濬具摺奏請敕部換頒臺灣巡撫關防，以重信守⑪。清廷曾以原設臺灣道一員遠駐臺南，難以兼顧，而擬於臺灣道之外，添設臺北道一員。但楊昌濬、劉銘傳認為與其添設臺北道，不如添設藩司。同年十二月十二日，奉上諭，在諭旨中指出，臺灣省添設藩司即布政使，確實是為因地制宜起見，自可准行，臺灣雖設行省，但必須與福建聯成一氣，如甘肅新疆之制，庶可內外相維。臺灣建省之初，曾議定在中路建設省城，以便控制南北。岑毓英在福建巡撫任內，曾赴彰化橋孜圖地方，勘察地形，可以建設省城。劉銘傳亦曾親往察看，見橋孜圖地勢平衍，氣局開展，襟山帶海，控制全臺，實堪建立省城。但因橋孜圖地近內山，不通水道，不獨建造衙署廟宇，運料艱難，且恐建省之後，商賈寥寥，雖有城垣，空無人居。因此，劉銘傳奏陳修建鐵路，商務可立見繁盛，有裨於建立省城。

　　劉銘傳患有目疾、頭疼、咳嗽等症，畏見風日，因公務繁劇，所以病情日益惡化。光緒十七年（1891）三月，劉銘傳開缺回籍就醫。同年四月初二日，命邵友濂補授福建臺灣巡撫。同年十月二十四日到任。邵友濂曾於光緒十三年（1887）二月至十五年（1889）三月充任福建臺灣布政使。邵友濂在布政使任內，清理賦役，頗為出力，劉銘傳曾稱其才長心細，辦事有條不紊。邵友濂雖是一位「無大擔當，缺乏理想的人。」⑫但他熟悉臺灣地方情形。因此，劉銘傳開缺後，朝廷即命邵友濂為福建臺灣巡撫。臺灣分省之初，劉銘傳曾會同總督楊昌濬奏請以彰化橋孜圖地方建立省城，邵友濂認為橋孜圖地方，並不相宜，因此，會同總督譚鍾麟奏請將臺灣省城移設臺北府城。國立故宮博物院典藏《軍機處檔‧月摺包》含有邵友濂等人奏請移建臺灣省城的奏摺

錄副，內容頗詳，節錄如下：

　　竊查臺灣分治之初，經前撫臣劉銘傳會同前督臣楊昌濬奏請以彰化縣橋孜圖地方建立省城，添設臺灣府臺灣縣，以原有之臺灣府改爲臺南府，臺灣縣改爲安平縣。建議之始，原爲橋孜圖當全臺適中之區，足以控制南北，且地距海口較遠，立省於此，可杜窺伺，意識深遠，惟該處本係一小村落，自設縣後，民居仍不見增，良由環境皆山，瘴癘甚重，仕宦商賈託足爲難，氣象荒僻，概可想見。況由南北兩郡前往該處，均非四、五日不可，其中溪水重疊，夏秋輒發，設舟造橋，頗窮於力，文報常阻，轉運尤艱。臺中海道淤淺，風汎靡常，輪船難於駛進，不獨南北有事接濟遲滯，即平日造辦運料，亦增勞費。揆諸形勢，殊不相宜。且省會地方壇廟衙署局所在所必需，用款浩繁，經費又無從籌措，是以分治多年，迄未移駐該處，自今以往，亦恐舉辦無期。臣等督同臺灣司道詳加審度，亟宜籌定久遠之計，似未便拘泥前奏，再事遷延。查臺北府爲全臺上游，巡撫藩司久駐於此，衙署庫局，次第麤成，舟車多便，商民輻輳，且鐵路已造至新竹，俟經費稍裕，即可分儲糧械，爲省城後路，應請即以臺北府爲臺灣省會，將臺北府爲省會首府，原編衝繁難，改編衝繁疲難四字題調要缺，如遇缺出，於通省知府內揀員調補，所遺員缺請旨簡放。改淡水縣爲省會附郭首縣，原編衝繁難，改編衝繁疲難四字調要缺，如遇缺出，在外揀員調補。其臺灣府仍照原編衝繁疲難四字題調要缺，如遇缺出，在外揀補。新設之臺灣縣，照原編刪一衝字，編爲繁疲難三字調要缺，臺灣府衙署現在彰化縣城，不必移於臺灣縣，以節繁費。

　　　彰化縣原係繁難中缺，即以彰化縣為附府首縣，改為衝繁
　　　難要缺。原有臺南府之鳳山、嘉義兩縣，當日合閩省各縣
　　　缺以計繁簡，皆繁難兩字缺，今就臺灣各縣缺核計，俱稱
　　　難治，均應增為繁疲難三字要缺，此外各廳縣悉仍其舊，
　　　如此轉移，庶幾名實相符，規模大定⑬。

　　由於北淡水的重要性，與日俱增，臺灣移墾重心的向北轉
移，以臺北府城為臺灣省會，是臺灣歷史發展的趨勢。

　　臺北府屬的大科崁（大溪），位於南雅山下，地方奧衍，環
繞叢岡，北距淡水縣治七十里，南距新竹縣治一百二十里，為淡
水、新竹兩縣沿山扼要之區。光緒十二年（1886），臺灣巡撫劉
銘傳曾派內閣侍讀學士林維源幫辦臺北撫墾事務，奏陳南雅地
方，可以分設一縣。南雅地方，自開辦撫墾以後，久成市鎮，茶
葉、樟腦萃集，商賈輻輳，生業日繁，又因歷年用兵，宵小出沒
靡常，彈壓稽查，均關緊要。經邵友濂酌議後指出，若照劉銘傳
原議，分設縣缺，則「糧額並無增益，轉多分疆劃界之煩。倘若
暫事因循，「則淡水縣遠附府城，又苦鞭長莫及。」因此，唯有
分防，方足以控制。光緒二十年（1894）五月，邵友濂奏請添設
分防同知一員，以管束各社原住民，兼捕盜匪，作為衝繁難調要
缺，稱為「臺北府分防南雅理番捕盜同知」，以淡水、新竹兩縣
沿山地界歸南雅同知管轄，所有民人與原住民的詞訟、竊盜、賭
匪等案，准其分別審理拿禁。遇有命盜重案，就近勘驗通報，自
徒罪以上仍移送淡水、新竹縣審擬解勘。

　　臺灣建省後，曾經議及在林杞埔添設雲林縣，縣治就設在林
圯埔街（南投縣竹山鎮）。國立故宮博物院現藏《軍機處檔・月
摺包》含有邵友濂奏請林圯埔添設縣丞的奏摺錄副，節錄一段內
容如下：

臺灣雲林一縣，向在林圯埔建治，嗣因林圯埔迫近內山，氣局褊小，經臣奏請移駐斗六，聲明林圯埔應否添設佐雜分防，批司飭府察度情形，另行妥議辦理，奉部覆准，並將縣治移駐日期，由司詳咨在案。茲據臺灣府知府陳文騄查得林圯埔雖非居中扼要之區，第地近內山，宵小最易藏跡，亦不可過於空虛。且近來該處腦務日盛，各腦丁等五方雜處，良莠不齊，民情又復強悍，難保不滋生事端。現移縣治，相離二十五里，恐有鞭長莫及之勢，似不可不添設佐雜分防，以資彈壓，擬請添設縣丞一員，名曰「雲林縣林圯埔分防縣丞」，舉凡竊盜、賭博等案，俾可就近查拏，實於治理有裨，所有緝捕界址，即以附近之沙連、西螺、海豐、布嶼，四保歸該縣丞分防，餘境仍由雲林縣典史管轄，並可將雲林縣舊署作為縣丞衙門，毋庸另建。該縣丞並無分徵錢糧，其廉俸役食等項，悉照彰化縣鹿港縣丞之例，由雲林縣在於徵收錢糧存留項下編支。至應定何項缺目及未盡事宜，另再妥議辦理，詳由臺灣布政使唐景崧會同臺灣道兼按察使銜顧肇熙轉請奏咨頒印發領，並聲明俟奉部覆准後再行遴員前往署理等情前來。臣查林圯埔地方空虛，既據該府查明，擬請添設縣丞一員，分防緝捕，實為因地制宜起見，似應准予所請⑭。

　　邵友濂奏請添設雲林縣林圯埔分防縣丞原摺的具奏日期即發文日期是在光緒二十年（1894）四月十九日，同年五月二十一日奉硃批。原奏指出雲林縣治從林圯埔移駐斗六的主要原因，是由於林圯埔迫近內山，氣局褊小，並非居中扼要之區。檔案資料的發掘與整理，可以帶動歷史的研究。近數十年來，由於檔案資料的不斷發現與積極整理，使清代臺灣史在質與量方面，都有豐碩

的成果。清代臺灣史是清代史的一小部分，探討臺灣史，必須熟悉清代史，尤其是熟悉清代檔案資料。從清代臺灣行政區域的調整及其沿革，可以反映清代臺灣開發歷史的發展過程。

【註　釋】

① 《清世宗憲皇帝實錄》，卷一〇，頁7。雍正元年八月乙卯，據兵部議覆。

② 《宮中檔雍正朝奏摺》，第八輯（臺北，國立故宮博物院，民國六十七年六月），頁468。雍正五年七月初八日，福建總督高其倬奏摺。

③ 《宮中檔雍正朝奏摺》，第五輯（民國六十七年三月），頁832。雍正四年二十一日，福建巡撫毛文銓奏摺。

④ 《軍機處檔‧月摺包》，第2778箱，161包，38873號，乾隆五十三年五月初九日，福康安等奏摺錄副。

⑤ 《月摺檔》，光緒元年正月十二日，辦理臺灣等處海防兼理各國事務沈葆楨等奏摺抄件。

⑥ 《月摺檔》，光緒元年七月十四日，沈葆楨等奏摺抄件。

⑦ 《劉壯肅公事實》，見《故宮臺灣史料概述》（臺北，國立故宮博物院，民國八十四年十月），頁232。

⑧ 《清史稿校註》，第三冊（臺北，國史館，民國七十五年六月），地理十八，頁2517。

⑨ 《清史稿校註》，第二冊（民國七十五年四月），頁938。

⑩ 《清宮月摺檔臺灣史料》，㈥（臺北，國立故宮博物院，民國八十六年十月），頁5058。

⑪ 《清宮月摺檔臺灣史料》，㈥，頁4548。

⑫ 郭廷以著《臺灣史事概說》（臺北，正中書局，民國六十四年三

月），頁 208。

⑬　《軍機處檔・月摺包》，第 2729 箱，42 包，130888 號，光緒二十
　　年正月二十五日，邵友濂奏摺錄副。

⑭　《軍機處檔・月摺包》，第 2729 箱，48 包，132749 號，光緒二十
　　年四月十九日，邵友濂奏摺錄副。

奏　邵友濂　林杞埔添設縣丞以資分防由

奏文。

　　　　　五月二十一日

訓

頭品頂戴福建臺灣巡撫臣邵友濂跪

奏為添設縣丞以資分防茶摺仰祈

聖鑒事竊查台灣雲林一帶南至林杞埔建沿嗣固
林杞埔迤近內山氣局褊小惟以
奏諸移駐斗六方聲明林杞埔應否添設佐雜
分防批司餝核詧度情形另行安祿辦理奏部

《軍機處檔‧月摺包》邵友濂奏摺錄副

奏准前將到沿務稽日期田單詳查在案茲據稟稱

台灣村知府陳文縣查得林圯埔雖郡居中栀

要之區華地近內山實小最易藏蹤之不可逮

栀當歷且近來訟案廢牘務日戚分照丁萬五方難

實良莠不齊民情天復強悍係不漢生事

端現移駐沿相離二十五里恐有鞭長莫及之

勢似不可不設佐雜分防以資彈壓批請添

設外丞一員名曰雲林知林圯埔分防縣丞舉凡

官登賭博蕃業俾可就近查拏實在活理有辦

政有偵捕累址卯以龍近之沙連西螺豐布

襄四保歸議郱坌奈□餘境招由雲林郱典史

管轄兼而橋雲□郱董雲催看郱速衞門毋庸

另建該縣丞並毋徵錢粮其康傅役舍等項

惡照彰化和鹿港郱巫之倒由雲林郱查作徵收

錢粮存□項下編支毛在查何項缺目及去舉

事宜另再安議俾理詳由台灣布政使之庸

景菘會司台灣道兼理容使顗肇熙酌請

襄咨領卯奈領並釋明俟奉郊需催後再行遺良

尚往墨理等情為未日查林圯埔地方空虛況□

該府查明擬請俟設郱巫一員分防□□詳捕實

為因地制宜起見相似應准予改諸隆將鳳空

何項款目及未盡事宜批司銘、府另再妥議詳

酌暨分省各部外改肩挾地塘地方批請添設弁

並以資分防緣由謹合同閩浙總督日譚鍾麟

恭摺具陳伏乞

皇上聖鑒飭部核覆施行謹

奏

乾隆二十年五月二十一日具

硃批吏部議奏欽此

罰十九日

七月初二日。臺灣巡撫邵友濂文稱。據臺灣道
兼按察使銜顧肇熙呈詳業奉憲行通飭各
屬。將所轄境內共設有外國教堂若干。中為
某教。其所設教堂為洋式為華式。坐落某地。
係何國教士。分別確查妥辦。由道彙核詳咨
等因。歷經由道報至光緒十八年冬季分止
在案。兹據各府州廳縣查造光緒十九年春
季分建設教堂處所清冊前來。理合彙造清
冊呈送查核。轉咨再恆春縣屬現無各國洋
人建設教堂合併聲明等情到本部院據此。

台灣道顧肇熙咨呈
（教務教案檔）

清代臺灣基督教的教堂分佈
及其活動

一、前言

　　明清之際，中西海道大通，基督教傳教士絡繹東來，其中多屬天主教耶穌會士。他們大都是聰明特達的飽學之士，不求利祿，專意行教。爲博取中國官方及士大夫的支持與合作，多以學術爲傳播福音的媒介。他們大都博通天文、地理、曆法、算學、物理、化學、醫學、美術、工藝等等，西學遂源源不絕地輸入中國。

　　清朝初年，耶穌會士或任職於欽天監，或供職於內廷，或幫辦外交，都扮演了重要角色。清世祖順治二年（1645）八月，清廷廢止大統曆，以湯若望所製新曆爲時憲曆書。同年十一月。清廷任命湯若望掌欽天監。順治皇帝也禮遇耶穌會士。稱呼湯若望爲湯瑪法（mafta），意即湯爺爺。順治十七年（1660）五月，南懷仁奉召入京，佐理曆政，纂修曆法。清聖祖康熙皇帝親政後，奉召進京，供職於內廷的耶穌會士，更是絡繹於途。康熙皇帝嚮往西學，善遇西士，曲賜優容，天主教的傳教事業，遂蒸蒸日上。

　　敬天、祭孔、祀祖是中國傳統禮俗，康熙朝後期，由於禮儀之爭，促使康熙皇帝對天主教從容教政策，轉變爲禁教政策。康熙四十三年（1704），教皇發表教書，斥責耶穌會士對於中國禮俗採取寬容態度的不當，並派多羅爲特使，攜帶教皇禁約，來華

交涉。康熙皇帝態度強硬，認為教廷干涉中國禮俗，不容許教皇特使立於大門之前，論人屋內之事。康熙五十八年（1719），教皇再度發佈禁令，凡不服從康熙四十三年（1704）教書的耶穌會士，一概處以破門律，並任命嘉樂為特使，入京交涉，更加引起康熙皇帝的不滿，他決心禁止西洋人在內地設堂傳教。康熙皇帝對天主教態度的轉變，反映天主教在中國傳播的黃金時代已經結束，中西教務，從此多事。

雍正年間的禁止天主教，是康熙朝後期禁教政策的延長，一方面是奉行康熙皇帝的憲章舊典，一方面採納廷臣及直省督撫的建議，嚴禁西洋傳士深入州縣地方行教。直省督撫認為天主教雖無政治意圖，但既有教名，設立會長，懷挾重貲，深入鄉間，藏匿傳教，招致男女，創建教堂，禮拜誦經，與民間秘密宗教並無不同，而奏請一體查禁，各處天主堂或被拆毀，或改為公所，或改為義學書院，或改建廟宇祠堂，或改為積穀糧倉，西洋傳教士被押往澳門安插，禁止內地人民入教，天主教的傳教事業，遂遭受重大的打擊。

乾隆初年以來，沿襲康熙、雍正年間的禁教政策，嚴禁西洋傳教士進入各省州縣內地行教，西洋傳教士屢遭迫害，或被長期拘禁，或被監斃，或被處斬。崇奉天主教的內地教民，多援引左道惑眾為從律，或發邊外為民，或發往伊犁給厄魯特為奴，教案迭起，天主教在清朝內地的活動，遭受更加重大的挫折。

由於民間祕密宗教的盛行，明朝律例中已有「禁止師巫邪術」的項目，一應左道惑眾案件，其為首者絞，為從者各仗一百，流三千里。滿洲入關後，民間祕密宗教更加盛行，清廷為取締民間秘密宗教，亦沿襲明代「禁止師巫邪術」的律例，並作為原例，後來又因時制宜，陸續增訂條例。雍正、乾隆年間，各省

州取締天主教，多奉密諭辦理，並未針對天主教制訂取締章程。
嘉慶年間，清廷爲了徹底禁止天主教，曾制訂條例，使直省查禁
天主教有其法理依據。給事中甘家斌，籍隸四川，嘉慶十六年
（1811），甘家斌奏聞天主教活動，與四川無爲老祖等教，大略
相同，煽惑人心，恐致蔓延，因此他具摺奏請嚴定天主教治罪專
條。其原奏經部議覆，並奉諭旨云：

諭：刑部議覆甘家斌奏請嚴定西洋人傳教治罪專條一摺，
西洋人素奉天主，其本國之人自行傳習，原可置之不問，
若誑惑內地民人，甚或私立神甫等項名號，蔓延各省，實
屬大干法紀，而內地民人安心被誘，遞相傳授，迷惘不
解，豈不荒悖。試思其教，不敬神明，不奉祖先，顯畔正
道，內地民人聽從習受，詭立名號，此與悖逆何異？若不
嚴定科條，大加懲創，何以杜邪術而正人心。嗣後西洋人
有私自刊刻經卷倡立講會蠱惑多人，及旗民人等向西洋人
轉爲傳習，並私立名號，煽惑及眾，確有實據，爲首者竟
當定爲絞決，其傳教蠱惑而人數不多，亦無名號者，著定
爲絞候，其僅止聽從入教不知悛改者，著發往黑龍江給索
倫、達呼爾爲奴，旗人銷去旗檔。至西洋人現在住居京師
者，不過令其在欽天監推步天文，無他技藝足供差使，其
不諳天文者，何容任其閒住滋事，著該管大臣等即行查
明，除在欽天監有推步天文差使者仍令供職外，其餘西洋
人，俱著發交兩廣總督，俟有該國船隻至粵，附便遣令歸
國。其在京當差之西洋人，仍當嚴加約束，禁絕旗民往
來，以杜流弊。至直省地方，更無西洋人應當差使，豈可
容其潛住，傳習邪教，著各該督撫等實力嚴查，如有在境
逗留，立即查拏，分別辦理，以淨根株①。

　　前引諭旨針對天主教的禁令，與查禁民間秘密宗教的條例，頗相近似，清朝修訂律例時，便增列取締天主教專條。據《欽定大清會典》的記載，其條文內容如下：

　　　　西洋人有在內地傳習天主教，私自刊刻經卷，倡立講會，蠱惑多人，及旗民人等向西洋人轉爲傳習，並私立名號，煽惑及眾，確有實據，爲首者擬絞立決；其傳教煽惑而人數不多，亦無名號者，擬絞監侯；僅止聽從入教，不知悛改者，發新疆給額魯特爲奴，旗人銷除從旗檔；如有妄布邪言，關繫重大，或持咒蠱惑，誘污婦女，並誆取病人目睛等情，仍臨時酌量，各從其重者論；至被誘入教之人，如能悔悟，赴官首明出教者，概免治罪；若被獲到官始行悔悟者，於遣罪上減一等，杖一百，徒三年；儻始終執迷不悟，即照例發遣；並嚴禁西洋人，不許在內地置買產業；其失察西洋人潛住境內，並傳教惑眾之該管文武各官，交部議處②。

　　按大清律例規定，傳習白蓮教、白陽教等「邪教」，其爲首者擬絞立決。前引禁止天主教條例，即沿襲取締民間祕密宗教的原例，將天主教視同「邪教」而制訂的。嗣後直省督撫查辦天主教案件，旣有明文規定，在法理上也有了依據，但中外之間的教案交涉，卻徒增齟齬。

　　中英鴉片戰爭以後，列強相繼要求弛禁天主教。耆英在兩廣總督任內，曾具摺奏請將中國傳習天主教爲善者概免治罪，毋庸查禁，原摺奏硃批：「依議」。但在五口通商地區及各省地方官並未奉行弛禁命令。道光二十五年（1845）十二月二十日，法國使臣照會兩廣總督耆英，「特請貴大臣奏明，懇求大皇帝明降聖諭，凡中國傳習天主教爲善之人，無論在何地方設立供奉天主處

所，會同禮拜，敬供十字架、圖像，念誦本教之書，講說勸善道理，俱毋庸查禁。自康熙以來所建天主堂之處，其有原舊房屋尙存者，仍給回該處奉教之人，作供奉天主處所。如官員有違悖不遵，仍將傳習天主教爲善之人拿辦者，即治以應得之罪。候聖諭頒下之日，即恭錄通行各直省，俾文武大小衙門即行出示張掛曉，使中外人民咸感大皇帝之洪恩。」③道光二十六年（1846）正月二十五日，清廷頒發寄信上諭，略謂：

> 天主教既係勸人爲善，與別項邪教迥不相同，業已免查禁，此次所請，亦應一體准行。所有康熙年間各省舊建之天主堂，除改爲廟宇民居者，毋庸查辦外，其原舊房尚存者，如勘明確實，准其給還該處奉教之人。至各省地方官接奉諭旨後，如將實在習學天主教而並不爲匪者，濫行查拿，即予以應得處分。其有藉教爲惡及招集遠鄉之人勾結煽誘，或別教匪徒假藉天主教之名藉端滋事，一切作奸犯科應得罪名，俱照定例辦理。仍照規定章程，外國人概不准赴內地傳教，以示區別④。

由引文內容可知在道光二十六年（1846）正月清廷已正式頒發諭旨，宣佈天主教解禁，給還康熙年間以來所建天主堂，但仍不准外國人赴內地傳教，解禁新例亦未明降諭旨載入大清律例。同治二年（1863）五月十三日，法使柏爾德密照會總理衙門恭親王奕訢，節錄照會內容一段入下：

> 現在貴國各處地方官果皆明悉朝廷之意與否，該地方官等查及律例一書，仍有舊列禁習天主教之條。而新例弛禁，已將舊例革除，並未載入。該地方官徒勞查驗，何由遵照。所冀貴國即將新例刊入，全律頒行，實革舊例不用。該教民等知奉有明文，與凡民一體安撫，從此克保其身家

性命，不復畏首畏尾，時時妨人挾制。貴親王可以俯爲諒
鑒，果能臻此，則伊等不但自盡其本分，必且循規蹈矩，
爲貴國至良善之民矣⑤。

　　法國駐中國全權大臣柏爾德密注意到大清律例中取締天主教
的條文，他一方面要求廢除舊例，一方面要求弛禁新例載入大清
律例，使天主教的傳教合法化，其要求對基督教的發展，產生重
大影響。清朝從容教，經禁教到解教，就是清廷對天主教政策由
主動到被動的轉變過程。

二、同光時期臺灣基督教的教堂地理分佈

　　道光末年天主教在中國傳教合法化以後，發展迅速。隨著西
方列強勢力的入侵及清朝國力的日漸衰落，天主教向清朝各省發
展，孤懸外海的臺灣，也不例外。咸同年間（1851-1874），基
督教新教也在臺灣出現，光緒年間（1875-1908），天主教和基
督教新教在臺灣積極活動，建立教堂，如雨後春筍。李坪生撰
〈臺灣之宗教〉一文已指出，「本島之基督教有二派：一爲天主
教，乃舊教所屬，其傳教師皆爲西班牙人；另一爲英國長老會之
教，是爲新教之屬，其牧師皆爲英國人。天主教於咸豐九年渡
來，長老教則於同治六年渡來者。」⑥文中長老教即長老會，屬
於基督教新教，清朝官方文書多作耶穌教。例如同治七年
（1868）六月初五日總理衙門行閩浙總督文中，就有「查洋人教
案，英國習耶穌教，法國習天主教，判然兩途。今署臺灣道梁元
桂所報，教士馬雅各在耶穌教堂傳教，其非天主教可知，何以援
引法國天主教規約照會領事？至百姓拆毀耶穌教堂，亦與法人無
涉，何以於法人良揚到署時，又欲伺隙洩忿？其中未免歧誤。況
天主教規約，原係四川省傳來，前於同治五年間通行後，旋經該

公使翻悔，復由本衙門將停止緣由，知照貴督在案，該道率行援引，尤屬錯誤。」⑦官方文書中，天主教與耶穌教，雖然判然兩途，但都是外來宗教，當時民眾，固然混為一談，地方官員處理教案時，亦多率行牽引。臺灣耶穌教傳教牧師，主要為英國人，天主教傳教士除西班牙人外，還有法蘭西等國人。

　　同光年間，地方大吏已注意到西洋教堂的建蓋問題。福建按察使鹿傳霖詳文中已指出，「條約均指入教為勸人行善，待人如己，皆載有循規蹈矩，安分無過字樣，中國官始為保護優待，若包匪挿訟，便是不循規蹈矩，不安本分，且有過錯，中國自照中國例懲辦矣。應請申明條約，箚知各國領事官轉飭教士，凡遇入教之人，總須問明來歷，不得濫收匪類，包庇滋事。其禮拜堂亦須租地建蓋，方得謂之教堂，若欲租民房誦經，倘有隨便粘貼字樣，冒稱教堂，一概禁止。」⑧詳文中指出租地建蓋的禮拜堂，方可稱為教堂。倘若隨便粘貼民房，冒稱教堂者，必遭取締。即使租賃民房，亦須先行通知地方官。同治初年，臺灣對外開港通商，天主教和耶穌教傳教士相繼來臺設教，建蓋教堂，傳教事業，蓬勃發展。沈葆楨具摺時已指出，「環海口岸，處處宜防；洋族教堂，漸漸分布。」⑨光緒三年（1877）正月，福建巡撫丁日昌具摺時亦稱，「淡水所轄七、八百里，彰化亦數百里，聲教之所不及，洋人輒開堂引誘入教，羽翼既成，一呼百應，實為心腹之憂。」⑩臺灣中路水沙連田頭、水裡、貓蘭、審鹿、埔裡、眉裡六社，周圍約七、八十里，山水清佳，土田肥美。「近年，洋人時往遊歷，影照地圖，並設教堂，煽惑民番，以致從教日多。日前駐廈門美國領事恒禮遜親往該處遊歷多日，並優給民番衣食物件，居心甚為叵測。」⑪據當時調查，同治末年，水沙連地方已經建蓋教堂三處。地方大吏奏報臺灣基督教教堂的資料，

雖然不夠完整，但卻反映臺灣教堂的存在，已經引起官府的重視。總理衙門有鑒於中外教案，交涉頻仍，為欲了解各省地方基督教的活動，於是移咨各省督撫轉飭各府廳縣地方官查報教堂情形。光緒十七年（1891）七月十七日，閩浙總督卜寶第奉到總理衙門咨文，節錄咨文內容一段如下：

> 照得洋人建堂設教，載在條約，豈能置之度外，而各省教堂共有幾處？設在某縣某鄉？各該管上司衙門恐無案可稽，本署向未准咨報有案，遇有滋鬧教堂之事，茫然不辦，甚非思患預防之意。本年四、五月間，長江上下游一帶，會匪聚眾滋擾教堂，竟有一縣焚燒數處者，大約各于唪經教堂外，又將育嬰、施醫各處所，概名曰教堂，以致地方官無從稽查，一旦變起倉卒，防不勝防，而洋人已嫁詞饒舌。若先經分別查明，當不致臨時舛誤，卒難因應。相應咨行貴督，分飭該管地方官，將境內共有大教堂幾處？小教堂幾處？堂屬某國某教？各堂是否洋式？抑係華式？教士是何名姓？係屬何國之人？是否俱係洋人？堂內有無育嬰、施醫各事，分別確查，按季冊報本衙門，以憑稽核⑫

臺灣所設外國教堂是由臺灣各廳縣造冊申報臺灣道彙齊詳送福建臺灣巡撫，然後咨呈總理衙。為了便於說明，將光緒十九年（1893）夏季分清冊列表如下：

光緒十九年（1893）臺灣基督教教堂地理分佈表

行政區	教堂位置	教堂別	式樣	規模	教　士	傳　道
臺灣府 埔里社廳	城內西門街	英國耶穌教	華式		英國宋牧師	華人王安崎
	烏牛欄庄	英國耶穌教	洋式		英國宋牧師	華人鐘文振
	牛困山庄	英國耶穌教	華式		英國宋牧師	
	大湳庄	英國耶穌教	華式		英國宋牧師	
彰化縣	城內大西街	英國耶穌教	華式	小教堂	英國甘為霖	
	武西保	西班牙天主教	華式	大教堂	西班牙何德榮	
	東螺西保	英國耶穌教	華式	小教堂		華人廖阿三
雲林縣	斗六堡	英國耶穌教	華式	小教堂	英國塗土生	
	西螺堡茄苳仔庄	英國耶穌教	華式	小教堂	英國塗土生	
	他里霧堡埔姜崙庄	西班牙天主教	華式	小教堂	西班牙高熙能	
	斗六堡本街	西班牙天主教	華式	小教堂	西班牙高熙能	
苗栗縣	後壠街	英國耶穌教	洋式		英國偕叡理	華人劉拔超
臺南府 澎湖廳	東門外埔仔尾	英國耶穌教	華式		英國甘牧師	華人潘明珠
安平縣	城內亭仔腳	英國耶穌教	華式	大教堂	英國甘為霖、涂為霖、宋忠堅	
	羅漢內門木沙庄	英國耶穌教	洋式	大教堂	英國甘牧師	華人東旺來
	羅漢外門紅花園庄	英國耶穌教	洋式	大教堂	英國甘牧師	華人陳炎光
	新化南里公仔林	英國耶穌教	洋式	小教堂	英國甘牧師	華人李文盛
	新化南里撥馬庄	英國耶穌教	洋式	小教堂	英國甘牧師	華人黃白
	城內七娘境	西班牙天主教	華式		安南梁明嚴	華人李長
鳳山縣	坪城北門外	英國耶穌教	華式	小教堂	華人趙爵祥	
	旂後街	英國耶穌教	洋式	小教堂		
	楠梓坑街	英國耶穌教	華式	小教堂	華人劉沃	
	林後庄	英國耶穌教	華式	小教堂	華人周朱霞	
	南岸庄	英國耶穌教	華式	小教堂	華人賴阿蘭	
	東港街	英國耶穌教	華式	小教堂	華人胡古	
	竹仔腳庄	英國耶穌教	華式	小教堂	華人黃能傑	
	加蚋埔庄	英國耶穌教	華式	小教堂	華人趙挽	
	阿里港街	英國耶穌教	華式	小教堂	華人劉阿圭	
	鹽埔庄	英國耶穌教	華式	小教堂	華人吳茂盛	
	阿猴街	英國耶穌教	華式	小教堂	英國監為龍	
	杜群英庄	英國耶穌教	華式	小教堂	英國監為龍	
	琉球嶼庄	英國耶穌教	華式	小教堂	華人阮為仁	
	前金庄	呂宋天主教	洋式	大教堂	西班牙高熙能	
	萬金庄	呂宋天主教	洋式	小教堂		

嘉義縣	城內牧場	英國耶穌教	華式	大教堂	英國宋忠堅	華人蘇水蓮
	打貓東下堡沙崙仔庄	西班牙天主教	華式	大教堂	西班牙高熙能	華人陳心婦
	白鬚公潭保牛挑灣庄	英國耶穌教	華式	小教堂	英國宋忠堅	華人蕭有進
	哆囉嘓保岩街	英國耶穌教	華式	小教堂	英國宋忠堅	華人吳墻
	大槺榔西保樸仔腳街	英國耶穌教	華式	小教堂	英國宋忠堅	華人林朝涼
	下茄苳西保店仔口寶仔內庄	英國耶穌教	華式	小教堂	英國宋忠堅	
臺北府基隆廳	基隆堡二重橋庄	英國耶穌教	洋式	大教堂	英國偕叡理	華人蕭多山
	三貂堡頂雙溪街	英國耶穌教	洋式	小教堂	英國偕叡理	華人郭子
	三貂堡新社庄	英國耶穌教	洋式	小教堂	英國偕叡理	華人振武章
	石碇堡水返腳街	英國耶穌教	洋式	大教堂	英國偕叡理	華人葉德清
淡水廳	芝蘭三保滬尾街	英國耶穌教	洋式	小教堂	英國偕叡理	
	灰磘仔街	英國耶穌教	華式	小教堂	華人劉在	
	新庄仔街	呂宋天主教	華式	小教堂	華人曾戀潭	
	大水堀庄	呂宋天主教	華式	小教堂	華人阮成	
	興化店街	呂宋天主教	華式	小教堂	華人黃報	
	埔頭庄	呂宋天主教	華式	小教堂	華人張朝	
	番社庄	呂宋天主教	華式	小教堂	華人曾戀潭	
	文山保新店街	英國耶穌教	洋式	小教堂	華人陳伙之	
	桃澗保桃園街	英國耶穌教	華式	小教堂	華人陳程	
	中壢街	英國耶穌教	華式	小教堂	華人林賦	
	南崁庄	英國耶穌教	洋式	小教堂	華人陳英	
	海山保大料崁街	英國耶穌教	華式	小教堂	華人陳存心	
	三角湧街	英國耶穌教	華式	小教堂	華人陳克正	
	大加蚋保錫口街	英國耶穌教	洋式	小教堂	華人李錦雲	
	大加蚋保錫口街	西班牙天主教	華式	小教堂	華人吳前	
	艋舺街祖師廟口	英國耶穌教	洋式	小教堂	華人嚴戀	
	擺接保枋橋街	英國耶穌教	華式	小教堂	華人李澄清	
	大稻埕崩隙街	英國耶穌教	洋式	小教堂	華人陳躍淵	
	新庄街	英國耶穌教	華式	小教堂	華人吳有容	
	崙仔頂庄	英國耶穌教	洋式	小教堂	華人蕭田	
	大稻埕新店尾	西班牙天主教	洋式	小教堂	西班牙黎鐸德	
	八里坌保罔古坑口	英國耶穌教	洋式	小教堂	華人林紅嘴	
	半路店庄	英國耶穌教	洋式	小教堂	華人高福	
	芝蘭二保和尚洲庄	西班牙天主教	華式	小教堂	西班牙何德榮	
	芝蘭二保和尚洲庄	英國耶穌教	洋式	小教堂	華人李庚申	
	坪頂庄	英國耶穌教	洋式	小教堂	華人林紅嘴	
	北投庄	英國耶穌教	華式	小教堂	華人張添	

新竹縣	城內義學庄邊	英國耶穌教	華式	大教堂	華人劉澄清	
	竹北一保月眉庄	英國耶穌教	華式	大教堂	華人林耀宗	
	竹北二保紅毛港庄	英國耶穌教	華式	小教堂	華人莊鼎周	
	竹南一保中港街	英國耶穌教	華式	小教堂	華人林天送	
	竹南一保土牛庄	英國耶穌教	華式	小教堂	華人林煥章	
宜蘭縣	辛仔罕社	英國耶穌教	洋式	小教堂	化番張日新	
	南方澳	英國耶穌教	洋式	小教堂	化番偕阿返	
	珍珠里簡社	英國耶穌教	華式	小教堂	華人林鴻恩	
	奇武荖社	英國耶穌教	華式	小教堂	化番林水生	
	加禮遠社	英國耶穌教	華式	小教堂	化番夏文彬	
	武淵社	英國耶穌教	洋式	小教堂		華人李振玉
	掃笏社	英國耶穌教	洋式	小教堂		化番林德清
	婆羅辛仔宛社	英國耶穌教	華式	小教堂	化番彭鴻年	
	留留社	英國耶穌教	華式	小教堂	華人劉生	
	武暖社	英國耶穌教	洋式	小教堂		化番偕英榮
	抵百葉社	英國耶穌教	洋式	小教堂		華人蕭大循
	打那美社	英國耶穌教	洋式	小教堂		化番偕榮春
	銃櫃城	英國耶穌教	洋式	小教堂		化番阿蚊
	紅柴林	英國耶穌教	洋式	小教堂		化番偕八寶
	天送埤	英國耶穌教	洋式	小教堂		化番德道
	破布烏	英國耶穌教	洋式	小教堂		化番偕復英
	多瓜山街	英國耶穌教	洋式	小教堂		華人林輝成
	哆囉美遠社	英國耶穌教	洋式	小教堂		華人徐永水
	打馬煙社	英國耶穌教	洋式	小教堂		華人高用
	頭圍街	英國耶穌教	洋式	小教堂		華人汪安
	抵美簡社	英國耶穌教	洋式	小教堂		化番林海
	抵美福社	英國耶穌教	洋式	小教堂		華人陳和
	奇立板社	英國耶穌教	洋式	小教堂		華人郭樹青
台東直隸州	石牌庄	英國耶穌教	華式			華人高長
	石涼傘庄	英國耶穌教	華式			
	迪街庄	英國耶穌教	華式			華人林子忠
	加里宛社	英國耶穌教	洋式			華人顏有連

資料來源：《教務教案檔》（臺北，中央研究院近代史研究所，民國六十六年十月），第五輯。

　　簡表中所列教堂共計一〇三所，其中淡水縣屬境內的基督教
教堂計二十七所，約佔臺灣教堂總數的百分之二十六。其教堂基
址主要分佈於滬尾街、灰磘仔街、新庄仔街、大水堀庄、興化店
街、埔頭庄、番社庄、新店街、桃園街、中壢街、南崁庄、大嵙
坎街、三角湧街、錫口街、艋舺街、枋橋街、大稻埕崩隙街、崙
仔頂庄、新店尾、八里坌罔古坑口、半路店庄、和尚州庄、坪頂
庄、北頭庄。其教堂分佈地點，主要在芝蘭二保、芝蘭三保、文
山保、桃澗保、海山保、大加蚋保、擺接保、八里坌及大稻埕境
內。宜蘭縣屬境內的基督教教堂共計二十三所，約佔臺灣教堂總
數的百分之二十二，其教堂基址主要分佈於辛仔罕社、南方澳、
珍珠里簡社、奇武荖社、加禮遠社、武淵社、掃笏社、婆羅辛仔
宛社、留留社、武暖社、抵百葉社、打那美社、銃櫃城、紅柴
林、天送埤、破布烏、多瓜山街、哆囉美遠社、打馬煙社、頭圍
街、抵美簡社、抵美福社、奇立板社等處。基隆廳屬境內的基督
教教堂主要分佈於基隆堡二重橋庄、三貂堡頂雙溪街、新社庄、
石碇堡水返腳街等四所。新竹縣屬境內的基督教教堂主要分佈於
竹塹城內、竹北一保眉庄、竹北二保紅毛港庄、竹南一保中港街
及土牛庄等五所。新竹縣以南的苗栗縣後壠街設有教堂一所。彰
化縣屬境內的基督教教堂共計三所，主要分佈於城內大西街、武
西保、東螺西保。雲林縣屬境內的基督教教堂共計四所，主要分
佈於斗六堡、西螺堡茄苳仔庄、他里霧堡埔姜崙庄等處。埔里社
廳屬境內的教堂共計四所，主要分佈於城內西門街、烏牛欄庄、
牛困山庄、大湳庄等處。嘉義縣屬境內的教堂共計六所，主要分
佈於縣城內教場、打貓東下堡沙崙仔庄、白鬚公潭保牛挑灣庄、
哆囉嘓保岩前、大槺榔西保樸仔腳街、下茄苳西保店仔口宅仔內
庄等處。澎湖廳有教堂一所，其基址在東門外埔仔尾。安平縣屬

境內的教堂共計六所，主要分佈於縣城內亭仔腳、羅漢內門木沙庄、羅漢外門紅花園庄、新化南里公仔林、撥馬庄、城內七娘境等處。鳳山縣屬境內的教堂共十五所，主要分佈於埤城北門外、旂後街、楠梓坑街、林後庄、南岸庄、東港街、竹仔腳庄、加蚋埔庄、阿里港街、鹽埔庄、阿猴街、杜群英庄、琉球嶼庄、前金庄、萬金庄等處。臺東直隸州的教堂共計四所，主要分佈於石牌庄、石涼傘庄、迪街庄、加里宛社等處。大致而言，新竹縣以北，包括新竹、淡水、基隆及宜蘭等廳縣的教堂共計五十九所，佔臺灣基督教教堂總數的百分之五十七強，似乎可以反映清朝後期臺灣北部地區的社會經濟發展以及淡水滬尾對外開港通商後基督教傳教士的積極活動。

　　簡表中所列教堂所屬國家及教派，係依據臺灣道兼按察使銜顧肇熙呈報福建臺灣巡撫邵友濂的清冊標列的，由簡表所列國家及教派可知在臺灣基督教教堂一〇三所中，英國耶穌教教堂，共計八十八所，約佔臺灣教堂總數的百分之八十五；西班牙天主教教堂，共計八所，約佔總數的百分之八；呂宋天主教教堂，共計七所，約佔總數的百分之七，說明英國由於國勢強盛而在基督教新教保教國的地位上扮演了重要的角色，同時反映基督教新教在臺灣發展的盛況。

　　基督教傳教士在臺灣所建蓋的教堂，其式樣有華式與洋式之分。大致而言，華式共計五十九所，洋式四十四所，華式多於洋式，但不懸殊。比較值得注意的是宜蘭縣境內的西洋教堂，洋式建築的教堂共計十八所，佔宜蘭縣教堂總數的百分之七十八；華式建築的教堂共計五所，佔宜蘭縣教堂總數的百分之二十二。各教堂大小規模，小教堂多於大教堂。表中所列小教堂共計七十七所，大教堂只有七所。小教堂約佔百分之九十二。各教堂傳教的

神職人員，分爲教士、傳道等員，簡表中所列英國耶穌教的教士包括宋忠堅、甘爲霖、涂爲霖、塗土生、監爲龍、偕叡理等人，西班牙天主教的教士包括何德榮、高熙能、黎鐸德，華人教士包括趙爵祥、劉沃、周朱霞、賴阿蘭、胡古、黃能傑、趙挽、劉阿圭、吳茂盛、阮爲仁、劉在、曾戀潭、阮成、黃報、張朝、陳伙之、陳程、林罷、陳英、陳存心、陳克正、李錦雲、吳前、嚴戀、李澄清、陳躍淵、吳有容、蕭田、林紅嘴、李庚申、張添、劉澄清、林耀宗、莊鼎周、林天送、張日新、偕阿返、林鴻恩、林水生、夏文彬、彭鴻年、劉生等人。其中張日新、偕阿返、林水生、夏文彬、彭鴻年等人是臺灣原住民。此外有安南人梁明嚴。前舉五十二位教士中，華人共計四十一人，約佔百分之七十九，他們對臺灣基督教的發展，貢獻頗大。至於各教堂的傳道也大都是華人，包括王安崎、鐘文振、廖阿三、劉拔超、潘明珠、東旺來、陳炎光、李文盛、黃白、李長、蘇水蓮、陳心婦、蕭有進、吳墻、林朝涼、蕭多山、郭子、振武章、葉德清、李振玉、林德清、偕英榮、蕭大循、偕榮春、阿蚊、偕八寶、德道、偕復英、林輝成、徐永水、高用、汪安、林海、陳和、郭樹青、高長、林子忠、林煥章、顏有慶等人，其中林德清、偕英榮、偕榮春、偕八寶、偕復英、阿蚊、德道、林海等是原住民，華人包括原住民對基督教福音的傳播，作出了重要的貢獻。

三、臺灣基督教會的社會活動

《臺灣慣習記事》刊載〈關於耶穌教會名義取得之土地所有權〉一文略謂：

> 本島耶穌教分爲二派：一爲新教，由英人主事；另一爲舊
> 教（天主教），由西班牙人司事，而對本島之土地擁有所

有權者，僅爲西班牙人管理之教會，所以僅以屬於西班牙人管理之教會土地所有權說明已足。西班牙人最初於西曆一六二六年來臺占領北部基隆、淡水等地方，而且一朝被荷蘭人驅逐，僅僅二十六年，西班牙人在臺灣絕跡，迨至一八五九年，再派遣僧徒到臺灣，在臺灣南部建立傳教之根據地，據說現在仍留存於鳳山廳下前金庄及阿猴廳下萬金庄之教會，實爲當時所設立者。然而當時與清國間尚無任何可視爲條約者，直至西曆一八六四年（同治三年）所締結之通商航海條約爲最早之條約，在條約上將臺灣開放與西班牙人，實亦係在於此時，依照本條約，有關通商，僅准許租借通商口岸之土地，對於宗教方面則以：「限於傳道耶穌教保護信奉者信奉，安分守法，不刻待禁阻」。所以傳教士在通商口岸以外地區，購買土地，建設教堂之權利，完全尚未被認可。但當時在南部地區，似乎早已有一、二以外國傳教士爲名義管理之土地所有權，此等不可不謂其係完全遵從條約及舊慣之不正當取得⑬。

引文中「耶穌教」，當作基督教，耶穌教屬於基督教的新教。臺灣開港爲英國宿願，咸豐十一年（1861）六月，英國領事郇和到臺灣後，請求在臺灣府城開設口岸。後經勘查府城海口淤淺，洋船不能收泊，於是議定在淡水的八里坌海口即滬尾口作爲通商碼頭⑭，於同治元年（1862）六月二十二日正式開關啓徵稅收。在通商條約中雖然准許外人租借通商口岸的土地，但是傳教士在通商口岸以外地區購買土地建蓋教堂，確實未經清朝官方認可。現存《總理各國事務衙門清檔》中含有護理臺灣道梁元桂的函稟，同治七年（1868）七月二十三日，梁元桂據署鳳山縣知縣凌樹荃稟報後即函稟閩省通商總局，略謂：

據署令凌樹荃具稟，二十日，有法國人良揚乘轎至署外，民眾圍擁喧嚷，聲言洋人毒害良民，必欲毆斃除害。該洋人自知眾怒難犯，避入卑署，卑職即出彈壓。眾勢洶洶，均退伏城廟，伺毆洩忿，當留洋人在署。訊據面回，居住萬巾莊，設有天主教堂，被鄉民李電等燒毀，求即勘辦等語。當將該洋人護送出城，至冷子瞭教堂⑮。

引文中的「萬巾莊」，當即「萬金庄」，同音異字。法國傳教士良揚被護送至冷子瞭教堂，可知冷子瞭教堂也是天主教教堂，臺灣道按季呈報的清冊中，並無冷子瞭教堂一項，而且清冊中所列萬金庄教堂是呂宋天主教教堂，因此，署鳳山縣知縣凌樹荃稟文中所稱法人良揚「居住萬巾莊，設有天主堂」等語，是一種誤傳。同治七年（1868）十二月初七日，福州將軍英桂呈送總理衙門咨文中附有臺灣口與英法二國交涉議結完案清摺，其中關於法國傳教士良揚所建天主教堂被燒毀一案的記載如下：

同治七年三月間，鳳山縣民焚燒法國天主教堂一案，因拆毀耶穌教堂之事，城鄉閧傳外國教士用藥害人，有鄉民李電等隨眾附和，將法國教士良揚在鳳山縣轄郊埇地方所建教堂一所，放火焚燒，經良揚赴縣稟報，城內居民不辨其為何國之人，猶欲同毆洩忿，當由鳳山縣會營彈壓解散，並將良揚留入署中保護，旋即送回，誤將郊埇地名錯傳萬巾莊，由縣轉稟。嗣獲李電、陳賀仔二犯，訊擬杖一百，酌加枷號兩個月，尚有逸犯，獲日另結。茲又有道員曾憲德與吉必勳議定，將犯解郡發落，並與另案被焚教堂，同遺失物件，共賠給洋二【銀】二千圓完案⑯。

由引文可知良揚在鳳山縣屬郊埇地方設有天主教堂，萬金庄的天主教堂，並非由良揚所設立。郊埇天主教堂被鄉民陳賀仔等

人焚毀的時間是同治七年（1868）三月十六日，郊墘，官方文書
又做「溝仔潮」⑰。

　　英國耶穌教傳教士馬雅各到臺灣後，曾在臺灣縣行醫，後來
南下鳳山縣旂後打鼓地方，居住半年後在鳳山縣埤頭地方購買房
屋，建蓋禮拜堂，傳教行醫。有縣民高長即高掌、打鳥陳等先後
入教。其中高長籍隸福建泉州，來臺多年，同治五年（1866）入
耶穌教，充當教師，每月領取薪金洋銀七元。據縣民程賽稟稱，
其妻程林氏即林便涼於同治七年（1868）三月十八日路過北門外
遇到教民打鳥陳，打鳥陳邀林便涼入室，勸她入教，林便涼不
允。打鳥陳即喚教師高長在林便涼背上「畫符念咒」，茶中放入
「迷藥」，勸令飲下。林便涼返家後，忽發狂病，聲言定要入教
禮拜，便覺快活。三月十九日，高長登門邀請林便涼前去做禮
拜，街鄰聞知，公憤不平，拏送高長，將高長毆打重傷。禮拜堂
後進被拆卸，前進門窗，亦已毀損。並將教士住房內什物、書
本、衣箱、藥料、醫病器材全行搶走。信奉耶穌教的華人莊清風
路過埤頭西北十五里左營地方時被暴民毆斃。光緒年間臺灣道造
送清册中鳳山縣屬埤城北門外英國耶穌教華式小教堂當是同治末
年修復的教堂。埤城北門外耶穌教教堂的教師高長，在光緒年間
到臺東直隸州石牌庄英國耶穌教教堂充當傳道職務。

　　同治年間，臺灣府城也發生天主教教堂被民衆焚拆案件。據
西班牙領事巴勞禮申稱，天主教傳教士郭巴禮在臺灣府城小東門
外建造天主教堂，由傳教士郭巴禮住堂傳教。同治七年（1868）
四月十三日，被紳耆禁阻後被迫遷移。後經興泉永道曾憲德查
明，郭巴禮所買陳姓房屋，因有礙風水，自願退屋收價，另行購
地建堂⑱。

　　光緒年間，臺灣道造送教堂清册中，嘉義縣屬教堂，並無白

水溪教堂一項。檢查現存《教務教案檔》，白水溪確有英國耶穌
教教堂。英國耶穌教傳教士監物來臺後，他曾在嘉義縣境內白水
溪地方傳教。同治十三年（1874）十二月二十二日，店仔口吳志
高等人乘夜焚燒監物的住居。十二月二十二日辰刻，傳教士監物
赴嘉義縣衙門向知縣陳祚控訴。據監物稱，他向在白水溪地方傳
教，因欲添蓋房屋，被店仔口人吳志高等藉口洋人蓋屋，有礙其
祖墳風水，而乘夜將小禮拜堂燒毀。知縣陳祚會營查勘，查明白
水溪距店仔口十餘里，教堂與吳姓祖墳之間，尚隔一山，四無鄰
居，傳教士監物草寮，均已燒毀，當地奉教屯番潘春等耕牛被店
仔口人搶偷，潘春夫婦追趕時，俱被民衆毆傷⑲。

彰化縣境內除城內大西街、武西保、東螺西保等處教堂外，
在員林街也有天主教堂。員林街土名燕霧保，有南北直街一條，
上通彰化縣城，下達北斗街。光緒十八年（1892）七月初，發生
員林街天主教教堂被民衆焚毀案件。據西班牙天主教傳教士林茂
德稟稱，他在彰化員林街等處傳教，設有教堂，因該處地僻，買
食維艱，故令堂丁張鳳宰牛，以供菜蔬，彰化縣知縣羅東之忽於
七月初六日親帶勇役逮捕張鳳，重毆拘禁，初九日夜間將員林街
天主教教堂焚毀一空。但據彰化縣知縣羅東之稟稱，張鳳即張芳
是員林街匪徒，他夥同余阿宗等開設湯灶，私宰耕牛。知縣羅東
之檢查案卷後指出西班牙天主教教堂是建在彰化武西保羅厝庄地
方，員林街地方，並未另建教堂。據生員吳敦仁等稟稱，員林街
外菜園內原有彰安慈空地一塊，二年前有天主教傳教士林茂德租
蓋矛茅房三間，作爲書館，坐北向南，四面圍以竹籬笆，高約
七、八尺，於七月初九日夜間三更被焚，書館中所藏中外書籍等
件，俱被焚燒⑳。知縣羅東之、生員吳敦仁等所稱員林街所設爲
書館，意即教會中的教書堂，而西班牙天主教傳教士林茂德原稟

所稱七月初九日夜間在員林街被縱火焚毀的是天主教教堂，出入頗大。

淡水港對外開放通商以後，英國耶穌教傳教士相繼建堂傳教。光緒十年（1884），中法之役，法軍犯臺，民眾不分英法國籍，亦將英國耶穌教教堂拆毀，以抒義憤。福建臺灣巡撫劉銘傳具奏指出臺北府屬艋舺、錫口、三角湧、新店、和尚洲、大龍峒、水返腳等處，英國原設教堂七所，先後被居民拆毀。中法戰役結束後，耶穌教各教堂傳教士將所損失物件估值一萬二千餘圓，經英國領事費里德向劉銘傳開單求償。劉銘傳即派通商委員浙江候補知府李彤恩、臺北府知府劉勳履勘各處教堂，邀同領事及傳教士反覆商辦，再三議減，最後以一萬圓了結，折合銀七千二百兩，在海防經費項下做正造銷㉑。教堂被拆毀後，或經修復，或另行改建，臺灣道造報淡水縣、基隆廳境內教堂清冊中，英國耶穌教教堂共計二十三所，可謂教堂林立。

《淡新檔案》是重要的臺灣古文書，原檔含有新竹縣屬教堂史料，對各處教堂的概況，說明頗詳，並繪有教堂式樣，是探討臺灣教會史不可忽視的珍貴資料。臺灣道按季造報的清冊中含有新竹縣英國耶穌教大小教堂五所，其中新竹縣城教堂位於城內義學左邊。光緒十七年（1891）八月二十七日，據新竹縣皀役洪泉稟報，縣城教堂在義學邊左畔第七間，是英國耶穌教華式教堂，是林姓厝底。堂內有教士一人，是淡水縣人陳鵬霄，他有一妻三子二女，聽教之人，少則數十，多則上百。光緒十八年（1892）十一月初八日，據皀役洪泉查報，堂內教士是劉澄清，與臺灣道造報清冊相符。劉澄清是苗栗縣人，有一妻三女。光緒十九年（1893）九月二十九日，據皀役洪泉查報，堂內教士是蕭種籃，原籍福建漳州，寄居淡水大弄動地方，他有一妻一男兩媳婦。是

年，在新竹縣城北門外近城左畔，離城二十餘間處，增設英國耶穌教華式教堂，堂內教士張仁壽是新竹縣人。光緒二十年（1894）十月初三日，據皂役王佐稟覆，堂內教士為洪昌年，他是淡水縣大稻埕人。月眉庄教堂位於新竹縣所轄竹北一保月眉庄街尾，離新竹縣城三十餘里，是英國耶穌教華式教堂。臺灣道造送清冊內記載月眉庄教堂為大教堂，但新竹縣原造清冊是小教堂，稍有出入。據皂役洪泉查明稟覆，月眉庄教堂於光緒十七年（1891）三月間新建，是鄭姓厝底，堂內無洋人，教士陳克華是淡水縣人，他有一妻一子，教民約有四、五十人。光緒十九年（1893）七月十一日，據皂役洪泉稟覆，堂內教士是林耀宗，原籍福建惠安縣，寄居新竹縣鹽水港，他有一母一妻一侄。紅毛港教堂的基址位於竹北二保紅毛港庄，光緒十七年（1891）八月間，快役朱宗奉命往查保內教堂概況後繪圖造冊稟覆，其原稟略謂：

> 役遵飭迅往查保內，僅紅毛港庄於光緒三年英國設小教堂，係華式茅屋，門已關鎖，教民陳萬勇看守，不敢擅開。該教堂僅有傳道李昆弟，年二十五歲，係淡邑和尚洲之人，於五月二十日赴臺北，八月間往竹南中港為傳道，新傳道至今未到。至教民前五十餘人，因禮拜三期不到開革，未知若干名，現查三十五名開列粘圖。查臺北只有教士人一姓偕，名睿理，辦一府教堂。紅毛港教堂並無育嬰，庄民患病，如傳道在堂，求藥亦有。惟光緒九年、十二年、十三年，此三年有設義塾，今已停四年矣㉒。

由引文可知竹北二保紅毛港教堂是在光緒三年（1877）由傳教士偕叡理設立，屬於耶穌教教堂。傳道李昆弟前往竹南中港教堂後，新傳道劉慶雲是苗栗縣新港社人，他有一妻一女。快役朱

宗原稟附紅毛港教堂圖說，其內容如下：

> 紅毛港教堂，係英國偕教士於光緒三年建設至今，其堂華
> 式茅屋，坐東向西，兩進排連，中隔天井，南畔爲教堂，
> 北畔爲傳道住眷，圖說是實㉓。

　　由圖說內容可知紅毛港教堂的建築，天井南畔爲教堂，坐東
向西；北畔爲傳道住眷，坐北向南。據快役朱宗稟稱，紅毛港教
堂周圍均種想思樹，各丈餘高。教堂門前有一竹籬門，出入右畔
護厝，是教士住眷，居中爲廳。原稟開列教民姓名，內含陳萬勇
等三十五名。傳道劉慶雲離開後，新傳道是林煥章。據快役朱福
稟稱，「偕教士回英國，現滬尾有二教士：一係外國姓吳；一係
滬尾之人姓嚴，在艋舺街開華昌堂西藥店。」㉔，偕教士即偕叡
理，他返回加拿大述職，滬尾嚴姓即嚴清華。

　　光緒十九年（1893）夏初，偕叡理在竹北二保大湖口向居民
鄒阿石租賃店舖一座，欲設教堂，因鄒阿石之店先已租出，合約
未滿，所以偕叡理暫在北勢仔庄張阿壽的護厝作禮拜，傳道是華
人許圳清，有教民二十餘人，偕叡理返回加拿大後，由淡水嚴清
華掌理。光緒二十年（1894）正月間，新教堂蓋築完成，許圳清
即將教堂遷回大湖口街。快役朱福原稟附有大湖口教堂圖說云：

> 大湖口教堂，華式瓦屋，後進住家茅屋，中一天井，坐北
> 向南，係本春方蓋築，傳道姓許，名圳清，教民二十餘人
> ㉕。

　　大湖口教堂的基址是在竹北二保大湖口街頭，離新竹縣城二
十餘里。教堂坐北向南，前進爲瓦屋，後進爲茅屋。

　　中港街教堂的基址位於新竹縣所轄竹南一保，離新竹縣城二
十五里，是英國耶穌教華式教堂。快役梁鴻奉命協同地保往查，
光緒十七年（1891）八月二十七日，將教堂繪圖稟覆。其原稟

稱：

> 所轄境內，僅有中港街設小教堂一處，並無堂號，門上掛
> 「耶穌聖教」四字，係屬大英國。其教士姓李名昆弟，係
> 淡縣和尚州之人，至書讀顏新到，係苗栗之人，其堂係華
> 式，粉白灰，堂內並無育嬰，惟有施醫發藥屬實㉖。

中港街教堂，雖無堂號，但門上懸掛「耶穌聖教」四字牌
匾。教士莊鼎周，又作莊鼎洲，是新竹西門人。教讀顏新到，又
作顏神到，他是苗栗縣人，教民男女約四十餘人。土牛庄教堂的
基址是在新竹縣所轄竹南一保，距離新竹縣城二十五里，沒有堂
號，門上懸掛「耶穌聖教」四字牌匾，是英國增設的耶穌教小教
堂，華式草堂，是三間排，堂內教士林天送是中港街人。

光緒二十年（1894）四月，據快役許能稟報，教士是中港人
陳禧年。據臺灣道造報光緒十九年（1893）夏季分清冊所開列新
竹縣屬教堂包括城內義學左畔、月眉庄、紅毛港、中港街、土牛
庄五所，但據新竹縣造送原清冊，還有北門外左畔、大湖口街兩
所教堂，共計七所。

偕叡理是馬偕（George Leslie Mackay）的中文名字，他是臺
灣北部教會的創始者。1844 年三月二十一日，偕叡理出生於加
拿大一個蘇格蘭移民的家庭裡，他的父母是典型的長老教會信
徒。1872 年三月間，偕叡理前往臺灣北部的滬尾展開佈道工作，
嚴清華是偕叡理的學生，也是臺灣北部長老教會的第一位信徒。
1873 年三月二日，五股坑禮拜堂落成，偕叡理認爲禮拜堂蓋得
很完美。洲裡即和尚洲，1873 年六月二十二日，洲裡禮拜堂落
成。三重埔教堂距離基隆河約有一百步。1874 年三月一日，三
重埔禮拜堂落成，牆壁是泥作的，裡面敷上白灰，屋頂覆蓋茅
草，環境清幽。同年三月二十二日，八里坌教會舉行獻堂禮拜。

1875 年四月二十三日，大龍峒禮拜堂落成，其基趾距離大馬路約有三十哩遠，有涼亭，非常雅緻。後埔仔教會在新莊附近，1876 年六月十八日，後埔仔教堂落成。1877 年十月八日，溪洲新禮拜堂落成。同年九月九日，艋舺教堂落成。1878 年七月四日，崙仔頂禮拜堂落成。同年十一月十七日，竹塹禮拜堂落成。1879 年四月二十七日，枋寮新禮拜堂落成。1882 年一月一日，新莊禮拜堂落成。1886 年五月三十一日，八里坌新教堂改建完工。同年十月二十八日，大稻埕教堂興工建造，十二月二十四日，竣工。是日，洲裡、五股坑新教堂亦竣工。1887 年三月二十九日，頂雙溪教堂竣工，這是一座石造的教堂。1889 年十二月十一日，新社教堂竣工，費用共五百元。1890 年五月三日，水返腳禮拜堂落成。1891 年四月二十三日，北投禮拜堂落成。1892 年二月十四日，南崁禮拜堂落成。1892 年十二月十九日，流流仔即留留社教堂竣工。同年十二月二十日，南方澳、頂雙溪教堂因地震改建竣工。同年十二月二十二日，紅柴林禮拜堂亦因地震損壞改建。十二月二十三日，天送埤教堂施工興建。1893 年一月八日，圓窟仔禮拜堂落成。同年二月五日，北投新禮拜堂落成。同年三月九日，八芝蘭禮拜堂落成。是年，偕叡理回國述職，據《馬偕博士日記》記載，在 1893 年，臺灣長老教會已有五十六所㉗。偕叡理離臺前，曾巡視各教堂，包括：艋舺、北投、南崁、圓窟仔、五股坑、洲裡、大稻埕、桃仔園、大科崁、三角湧、中壢、新莊、錫口、火窯仔、紅毛港、竹塹、後壠、新港、獅潭底、月眉、八里坌、基隆、水返腳、新店、枋橋、頂雙溪、埤頭、真珠里簡、冬瓜山、奇武老、南方澳、流流仔、波羅辛仔罕、加禮宛、番社頭、奇立板、打馬煙、頭城等處教會。其中波羅辛仔罕教堂，簡稱辛仔罕教堂，又稱威爾遜教堂，是噶瑪

蘭平原上最大的一座教堂。根據光緒二十三年（1906）三月間的
調查報告指出，臺灣各地的英國長老教會、天主教會，均以臺灣
人民為主要信徒。據統計，內地人計二百二十三人，臺灣本島人
計一千三百零八人㉘。其實際入教人數，遠遠超過此項調查數
字，例如光緒十八年（1892）十月初六日福建臺灣巡邵友濂咨呈
總理衙門一文中已指出當時彰化一帶，「計入教中約近有二百
人」㉙。光緒十九年（1893）秋季分新竹造送清册內記載紅毛港
庄教會的教民約有四十餘人，土牛庄教會的教民約二十餘人。此
外，根據卓役洪泉於光緒十七年（1891）八月二十七日稟覆月眉
庄教會的教民約有四、五十人㉚，五所教會的教民合計已超過一
百六十餘人，平均每所教會約有教民三十餘人，核對臺灣道造報
清册所列一〇三所教會計算，其教民至少在三千人以上。

　　臺灣天主教、耶穌教各教會，除主體建築禮拜堂、教士住眷
外，多設有醫館、義塾，或育嬰室，例如臺灣縣屬境內揀東堡岸
裡大社設有華式英國醫館一所，醫士是英國人盧嘉閔。安平縣城
內二老口設有華式英國醫館一所，洋醫士是英國人梅威令，華人
醫士是鳳山縣民林璣璋。馬雅各本人就是醫師傳教士，他在同治
四年（1865）來臺後先在臺灣縣行醫，後來南下鳳山縣旂後等地
傳教行醫。偕叡理來臺後，每天為人診病，他常常是晚上傳福
音，白天替人治病，也有痲瘋病人向他求診。1875 年五月五日，
偕叡理在他的日記裡記載他自己曾經醫過了一千零二十三名病
患。林格醫生（Dr. S. Ringer）幫助他診病。1875 年這一年之
中，他出外旅行傳道，大約走了七百哩路，為三千人醫病，也為
人拔了六百八十顆蛀牙。據光緒七年（1881）統計，滬尾偕醫館
曾為五千一百二十八人診病，傳道師們曾為一千二百十三人診病
㉛。傅大為撰〈從馬偕談清末臺灣的半殖民醫療〉一文指出淡水

偕醫館的醫療，在醫學技術方面，有較好的麻醉技術與藥品、基本的消毒知識與治療，再加上圭寧、以及有口腔解剖知識的拔牙技術等，應該是偕叡理及其生徒們在北臺灣能夠上山下海，往來於原漢之間的本事基礎。偕叡理馳名國際長老會的拔牙術，一方面可以說是一種特殊的「宗教醫療」，另方面可以說是殖民醫療的一種延伸，就是這種奇特的殖民醫療與宗教醫療的混合，使得偕叡理得傳奇拔牙故事，在臺人民間與洋人教士團體中流傳下來㉜。陳宏文譯《北部臺灣基督長老教會的歷史》一書記載光緒十年（1884）中法戰爭期間，法艦攻打臺灣，中國兵數百人在戰場上受重傷，都被抬至偕醫館就醫，因為他們沒有自己的軍醫。為此，劉銘傳非常感激，派人到醫館致謝，也捐款給醫館㉝。與偕叡理同時或稍早在臺灣中南部各地活動的外國醫師傳教士，多曾接受過正式的醫學訓練，也大都具有高明的醫術，他們的醫療貢獻，是值得肯定的。

　　除醫館診所外，各教會也熱心教育，創辦義塾學校。在英國給總理衙門的照會中就有傳教士買地建立學堂的交涉。光緒六年（1880）十月二十四日，臺灣道張夢元詳文中對於英國傳教士擬建女學堂一事，作了下面的答覆，節錄一段內容如下：

> 其英國施教師欲於臺郡起蓋女塾一案，因臺地紳民以起蓋女塾為和約所無，臺地罕有所見，將來必致多事等情，紛紛赴縣稟阻。旋經臺灣縣潘慶辰以女塾字樣固係和約所無，而洋人於中國地方起蓋義塾原屬不禁，切實開導，該紳民等已允由該教師於永租華民方祥地內起蓋平屋義塾，不蓋女塾，並照會霍領事轉飭遵照在案㉞。

　　引文中已指出「洋人於中國地方起蓋義塾原屬不禁」，因此，傳教士在臺灣創辦學校教育所受阻力較小。《北部臺灣基督

長老教會的歷史》一書已指出，同治十三年（1874）北部臺灣長
老教會設有三間義塾，三位老師，教孩子讀書。至光緒十六年
（1890）已有十五間義塾及十五位老師，四百餘名學生。義塾的
設立，是早年傳教的方法之一，對教會非常有幫助，許多孩子們
的父母，因此來信主。光緒八年（1882），偕叡理在滬尾砲臺埔
建造神學校，開學時，清朝提督孫開華及英國領事等人都前往慶
賀㉟。光緒十年（1884）一月十九日，淡水女學堂舉行落成典
禮。光緒十六年（1890）八月一日，偕叡理在他的日記裡記載了
他在淡水禮拜堂後面建築了一所義塾。他每天教導學生，男女學
生也常到偕叡理家讀書。偕叡理與學生常常外出，一邊讀書，一
邊佈道。義塾學堂的創辦，對普及教育和傳佈福音，都起了正面
的作用。此外，有些教會還設有育嬰堂，兼育嬰工作，例如鳳山
縣境內的前金庄天主堂，是一所洋式大教堂，就設有育嬰堂，兼
育嬰孩，屬於一種慈善工作。教堂的設立，傳教士的活動，對臺
灣社會文化的發展，確實具有意義。

四、結語

中英鴉片戰爭以後，列強相繼要求弛禁天主教。道光二十六
年（1846）正月，清廷刪除取締天主教的條例，正式頒發諭旨，
宣佈天主教解禁，清朝對天主教政策的調整，有利於基督教在中
國的發展。同治初年臺灣口岸對外開放通商以來，天主教和基督
新教在臺灣的傳佈福音活動，更加積極，先後在各處設立教堂，
傳教士在臺灣的活動，對日後臺灣社會文化的發展，產生重要的
影響。

同光時期，由於國人反教排外情緒的激化，中外教案層出不
窮，教堂多遭拆毀，賠償損失，交涉頻仍。總理衙門為欲了解各

省教堂的基址分佈及傳教士的活動，於是移咨各省督撫轉飭各府廳縣地方官清查所屬境內教堂的概況，造送清冊，臺灣道按照各府廳州縣呈送的教堂清冊彙齊造冊，呈送福建臺灣巡撫轉呈總理衙門。現存《淡新檔案》保存了新竹縣各保教堂原稟、清冊及圖說等資料，屬於縣級檔案。《教務教案檔》所保存的臺灣道詳文清冊，《宮中檔》、《月摺檔》中所保存的硃批奏摺原件或抄件，則屬於省級檔案資料。根據省級資料，可知在光緒十九年（1893）臺灣天主教堂和耶穌教即基督新教的教堂，合計共一〇三所，對照新竹縣等縣級檔案資料、《馬偕博士日記》及基督教長老教會文獻等資料後，發現臺灣各處教堂的總數，遠超過臺灣道造送清冊的數字。福建臺灣巡撫呈送總理衙門的教堂清冊，其資料雖然不夠完整，並非全面的，頗多遺漏，但卻反映臺灣外來宗教的教堂，已經引起朝廷的重視，就基督教發展史而言，臺灣省級和縣級檔案資料，都是不可忽視的研究文獻。

　　傳教事業的盛衰，是與教堂數量的多寡成正比的。臺灣早期傳教士深入各地，相繼設立教堂，其入教人數，遂與日俱增。據《馬偕博士日記》記載，同治十二年（1873）三月二日，五股坑禮拜堂舉行落成典禮時，約有一百五十人參加。光緒二年（1876）十月八日，溪洲新禮拜堂舉行落成典禮，是日為禮拜日，有三百餘人前來禮拜。光緒三年（1877）三月六日，和尚洲新禮拜堂改建竣工，舉行落成典禮，約有三百人來參加。光緒十九年（1893）三月九日，八芝蘭禮拜堂舉行落成典禮，參加典禮的會友多達七百人㊱。分析臺灣基督教的發展，不能忽視臺灣教堂的分佈，教堂的建築形式，宣教方式等問題。賴德烈（Kenneth Scott Latourette）撰〈做為西方文化媒介的基督教會〉一文中已指出，基督教的一個明顯影響，即是教會的設立與成長。早期

教會的組織、採行方法、建築款式以及禮拜儀式等，大體上是傳教士在本國家鄉所熟知形式的複製品。後來的跡象顯示，教會已開始在中國本土生根，中國教會領導階層已由天主教與新教所培訓。中國教會領袖已在各地的新教團體中成為主力，很多新教教會已開始自給自足。基督教的影響有部分的原因，是基督教傳教士在西方文化的重要層面如教育、醫療上擔任了先鋒。中國新式醫師所使用的西式診療方式，幾乎完全是基督教傳教士首先建立並經營管理西式醫院與診所。在西式學校方面，無論是男校或女校，基督教傳教士都是主要的拓荒者㊲。有些傳教士主張教堂的建築樣式，應與建得更像中國鄉村的祠堂，他們相信這樣要比興建一座洋式教堂的影響更大。同光年間，基督教傳教士在臺灣興建的教堂，華式建築，多於洋式建築，是值得重視的問題。由於義塾學校及神學院的創辦，培訓了許多臺灣本土的神職人員。根據臺灣道造送教堂清冊的記錄，在臺灣各教會五十二位教士之中，華籍教士共計四十一人，約佔百分之七十九，其中偕阿返等五位是臺灣原住民。至於臺灣各教會的傳道也大都是華人，其中偕英榮等八人也是原住民，臺灣基督教的本土化有助於基督教的生根與成長。傳教士多鼓吹設立醫院和孤兒院，做為克服中國人對外來宗教冷漠的方式。基督教教會在臺灣不只建立許多教堂，而且還有許多醫館，也有育嬰堂。教會醫院不僅是最早與最重要的傳佈福音機構，而且也是接近深居內院婦女的重要方式㊳。初期傳教士就是以疾病診療和社會服務來接近居民，不被教堂吸引的臺灣居民，也會為西方的醫療而改變他對基督徒的冷漠態度。因此，臺灣早期基督教最大的成果，與其說是來自教會福音的傳佈活動，毋寧說是來自教會的醫療與慈善等社會服務活動。

【註　釋】

① 《欽定大清會典事例》（臺北，國立故宮博物院，嘉慶二十三年，武英殿刊本），卷六一〇，頁14。

② 薛允升編著《讀例存疑》（臺北，中文研究資料中心，一九七〇年），重刊本，㈢，頁425。

③ 《清末教案》（北京，中華書局，一九九六年六月），第一冊，頁15。一八四六年一月十七日，法國照會。

④ 《清末教案》，第一冊，頁14。道光二十六年正月二十五日，寄信上諭。

⑤ 《清末教案》，第一冊，頁377。一八六三年六月二十八日，法國照會。

⑥ 李坤生撰〈臺灣之宗教〉，《臺灣慣習記事》（南投，臺灣省文獻委員會，民國八十二年九月），中譯本，第三卷，第六號，頁301。

⑦ 《教務教案檔》，第二輯（臺北，中央研究院近代史研究所，民國六十三年八月），㈢，頁1276。同治七年六月初五日，總理衙門行閩浙總督文。

⑧ 《教務教案檔》，第四輯（民國六十五年五月），㈡，頁1202。光緒六年十二月初二日，福州將軍致總理衙門文。

⑨ 《清宮月摺檔臺灣史料》（臺北，國立故宮博物院，民國八十三年十月），㈢，頁1858。同治十三年十二月十一日，辦理臺灣等處海防兼理各國事務大臣沈葆楨奏摺。

⑩ 《清宮月摺檔臺灣史料》，㈢，頁2466。光緒三年正月二十二日，福建巡撫丁日昌奏摺抄件。

⑪ 《清宮月摺檔臺灣史料》，㈢，頁2635。光緒三年三月二十五日，

福建巡撫丁日昌奏片抄件。

⑫　《淡新檔案》（臺北，國立臺灣大學，民國八十四年十月），㈡，頁 52。

⑬　《臺灣慣習記事》，中譯本，第七卷，第三號，頁 107。

⑭　《清宮月摺檔臺灣史料》，㈡，頁 1061。同治六年九月初六日，福建巡撫李福泰奏摺抄件。

⑮　《教務教案檔》，第二輯，㈢，頁 1273。同治七年五月二十八日，閩浙總督英桂文。

⑯　《教務教案檔》，第二輯，㈢，頁 1310。同治七年十二月初七日，清摺。

⑰　《教務教案檔》，第二輯，㈢，頁 1315。

⑱　《教務教案檔》，第二輯，㈢，頁 1313。

⑲　《教務教案檔》，第三輯（民國六十四年二月），㈢，頁 1442。

⑳　《教務教案檔》，第五輯（民國六十六年十月），㈣，頁 2096，光緒十八年十月初六日，福建臺灣巡撫邵友濂文。

㉑　《光緒朝硃批奏摺》（北京，中華書局，一九九六年十二月），第一二〇輯，頁 155。光緒十四年正月，劉銘傳奏片。

㉒　《淡新檔案》，㈡，頁 56。光緒十七年八月二十七日，快役梁鴻稟文。引文中「睿理」，當作「叡理」，偕叡理是馬偕的中文姓名。

㉓　《淡新檔案》，㈡，頁 95。光緒二十年七月初九日，快役梁鴻稟文。

㉔　《淡新檔案》，㈡，頁 80。光緒十九年九月二十九日，快役梁鴻稟文。

㉕　《淡新檔案》，㈡，頁 90，大湖口教堂圖說。

㉖　《淡新檔案》，㈡，頁 56，光緒十七年八月二十七日，快役梁鴻

稟文。

㉗ 馬偕著，陳宏文譯《馬偕博士日記》（臺南，人光出版社，一九九六年七月），頁 179。

㉘ 《臺灣慣習記事》，中譯本，第六卷，第三號，頁 134。

㉙ 《教務教案檔》，第五輯，㈣，頁 2105。光緒十八年十月初六日，福建臺灣巡撫邵友濂文。

㉚ 《淡新檔案》，㈡，頁 55。光緒十七年八月二十七日，皀役洪泉稟文。

㉛ 《馬偕博士日記》，頁 122，一八八一年十二月二十九日，記事。

㉜ 傅大爲撰〈從馬偕談清末臺灣的半殖民醫療〉，《馬偕博士收藏臺灣原住民文物－沉寂百年的海外遺珍特展圖錄》（臺北，順益臺灣原住民博物館，二〇〇一年五月），頁 37。

㉝ 陳宏文譯《北部臺灣基督長老教會的歷史》（臺南，人光出版社，一九九七年三月），頁 45。

㉞ 《教務教案檔》，第四輯，㈡，頁 1200。光緒六年十一月二十五日，福州將軍穆圖善文。

㉟ 《北部臺灣基督長老教會的歷史》，頁 47。

㊱ 《馬偕博士日記》，頁 78。

㊲ 賴德烈撰〈做爲西方文化媒介的基督教會〉，魯珍晞（Jessie G. Lutz）編，王成勉譯《所傳爲何？－基督教在華宣教的檢討》（臺北，國史館，民國八十九年十月），頁 169。

㊳ 湯良禮撰〈宣教－西方帝國主義的文化膀臂〉，《所傳爲何？基督教在華宣教的檢討》，頁 127。

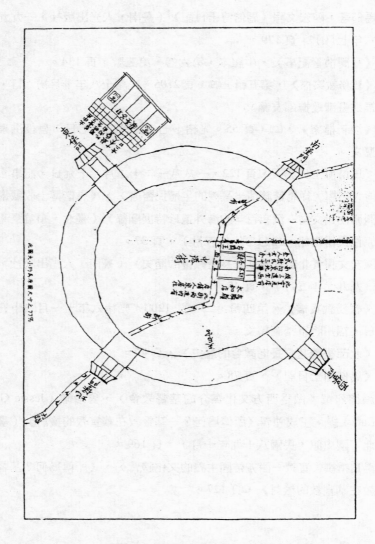

中港街、土牛庄教堂示意圖《淡新檔案》，㈡，頁 275。

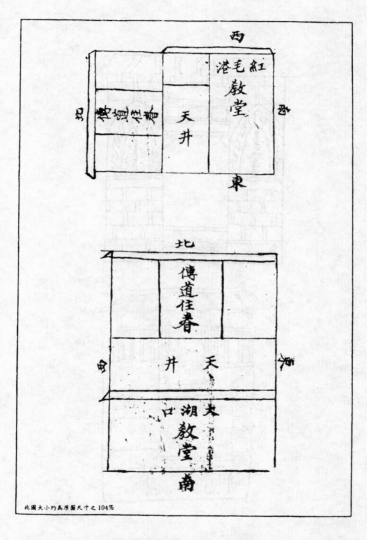

紅毛港、大湖口教堂示意圖《淡新檔案》，㈡，頁 295。

新竹城內教堂、教士住眷示意圖《淡新檔案》，⒓，頁 262。

新竹城內義學邊教堂示意圖《淡新檔案》，㈡，頁277。

大盟主林爽文軍令
順天丁未年（乾隆五十二年）

評介秦寶琦著《中國地下社會》

　　秦寶琦，一九三六年一月生，遼寧新民人。一九六〇年，畢業於北京大學歷史學系。現任中國人民大學清史研究所教授、常務副所長，兼任中國會黨史研究會副會長，中國社會史學會理事，中國社團研究會理事，北京市歷史學會理事。主要著作有：《清前期天地會研究》、《天地會的源流》、《洪門真史》。主編檔案史料彙編《天地會》，共七冊；《清代前期苗民起義檔案史料匯編》，全三冊。發表有關秘密社會史的論文共五十餘篇。此外，還曾參加《清代全史》及《中國歷史大辭典》、《中國大百科全書》條目的撰寫。

　　秦寶琦長期從事中國秘密社會史研究，近著《中國地下社會》為《清前期秘密社會卷》，主要論述清代前期（1644-1840）的秘密教門與秘密會黨，是作者在中國人民大學清史研究所為碩士研究生講授「清代秘密社會史」課程時所編教材基礎上補充、修改、擴展而成。全書共十九章，附錄〈清前期秘密社會論著索引〉，約四十八萬字，一九九三年十二月，北京學苑出版社第一版，一九九四年一月，第一次印刷。

　　原書第一章總論，對秘密社會研究的範疇，秘密社會的性質、功能及清代前期秘密社會的歷史分期和發展脈絡，分別提出說明。作者指出，秘密社會又稱秘密結社，分為秘密教門與秘密會黨兩大系統，前者是由宗教信仰演變而成的民間秘密結社，後者是以異姓結拜弟兄的形式出現。以往把天地會等秘密會黨說成是民族革命團體或農民革命組織，作者認為都是對秘密會黨的一

種理想化，並不符合歷史實際。作者指出把秘密會黨稱爲民族革命團體的說法，是革命黨人在辛亥革命時期這一特定歷史條件下的創造。從秘密會黨所從事的活動，譬如互濟互助、自衛抗暴、打架鬥毆、搶劫奪財及走私販毒等情況來看。並不能稱爲民族革命團體。再從秘密會黨的成員來看，雖然有農民參加，但更多的則是城鄉破產勞動者、小商小販、雇傭以及江湖流浪者，秘密會黨並不代表農民階級的利益，也不是都具有革命性質，所以不能把秘密會黨說成是農民革命組織。作者的解釋，是符合歷史實際的。作者認爲秘密社會的封建社會的產物，階級壓迫是其產生的根源①。秘密社會是否起於封建社會的階級壓迫，仍待商榷。作者過於強調階級矛盾，認爲當階級矛盾激化時，秘密社會往往成爲農民及其他下層群眾反抗統治階級的鬥爭工具，過於強調階級矛盾，並不客觀。作者分析秘密教門的本質與社會功能後，得到結論如下：

　　秘密教門雖然以宗教信仰的面貌出現，但在本質上它是被壓迫階級中少數不肯向自己命運低頭的人，以宗教信仰爲紐帶自發結成的民間秘密結社。秘密教門的創立者和參加者大多希望借助于這種秘密組織的力量，來達到自己的某種政治或經濟方面的要求，使自己的地位和處境得到改善。秘密教門多源于佛教異端教派，繼承了異端教派中的叛逆思想，具有反現存社會秩序，反傳統的特點，在歷史上多次舉行武裝反抗鬥爭，因而被歷史統治階級視同叛逆，受到取締與鎮壓，只能在民間秘密活動。所以，我們認爲它非宗教信仰，秘密教門的組織，亦非宗教團體，而僅僅是一種披著宗教外衣的民間秘密結社②。

民間秘密宗教是雜糅儒釋道的思想所產生的信仰結構，教派

林立。各教派多有教派名稱、經典教義、寺廟建築、教儀教規及師徒縱的關係。各教派的宗旨，主要在勸人燒香誦經，導人行善，祈神保佑，求生淨土，其思想觀念，與佛教的教義最相切近。一般善男信女皈依民間秘密宗教，與崇奉佛教，具有同樣的誠意。民間秘密宗教雖多起源於佛教的異端教派，但各教派多具有正面的社會功能，並非都有暴力傾向。在佛教領域裡，教門就是宗教團體。雍正十三年（1735）十二月十五日，乾隆皇帝頒給總理事務王大臣的諭旨中有一段內容說：

> 給發度牒一事，若經由僧道錄司之手，勢必又滋苛索之弊。且禮部議稱度牒一張，交銀三錢。夫交者雖僅三錢，而本人之所費恐十倍於此矣。此等之人，亦吾赤子，朕豈忍歧視而使之不得其所乎？僧有宗門、教門、律門之分，皆遵守戒律清淨焚修者，即應於此中選擇僧錄司，以為緇流之領域，或亦可行③。

教門與宗門、律門都是佛教遵守戒律清淨焚修的僧侶團體，明清時期官府沿襲佛教術語，間以教門通稱民間秘密教派。作者認為秘密教門並非宗教信仰，秘密教門的組織，亦非宗教團體，俱有待商榷。

原書第二章探討白蓮教的淵源及其形成。作者認為清代秘密教門大多被稱為白蓮教，所以明瞭白蓮教的淵源，對探討清代秘密教門的性質，至關重要。關於白蓮教的源流，比較普遍的看法，是說白蓮教始於南宋初年昆山人茅子元，而其淵源則可追溯到東晉僧人慧遠在廬山東林寺所結蓮社。作者認為白蓮教並非源自慧遠所結蓮社，而是由佛教的彌勒教、白雲宗與白蓮宗三支異端教派經過長期的融和，逐漸形成的民間秘密結社。從白蓮教形成過程來看，從南宋茅子元所創白蓮宗起，便逐漸開始了白蓮教

的形成過程。不過，在元末以前，白蓮宗與白雲宗、彌勒教還都
是獨立的教派。但是，由於它們長期以來都是在下層群眾中秘密
流傳，因而互相接近，互相滲透。到了元末，在民間秘密流傳的
異端教派，便進一步融合。其中，以佛教淨土宗教義為基礎的白
蓮宗，在吸收彌勒教的彌勒佛降生的教義以後，便形成了白蓮
教。白蓮教無論在教義和組織上都不同於茅子元的白蓮宗。它不
僅融入了彌勒佛降生的信仰，而且不再是半僧半俗的淨業持修團
體，而成了積極參與政治活動的民間秘密結社。白蓮教形成於元
末這一個觀點，目前在史學界中多已取得共識，但是，作者過度
強調階級矛盾與民族矛盾的激化，並且把當時反元起事，標榜為
農民大起義，流於意識形態的價值判斷，缺乏客觀的態度。

　　原書第三章探討天地會的起源。作者指出天地會雖然是清代
歷史上一個重要會黨，但天地會並不等於清代所有的會黨，僅僅
是諸多會黨之一。為消除會黨便是天地會這種誤解，作者首先解
決天地會的起源問題。到目前為止，學者們有關天地會起源的說
法，已可歸納為十二種之多，即：鄭成功創立天地會；天地會始
於康熙十三年甲寅說；天地會始於雍正十二年甲寅說；福建藤牌
兵創立天地會說；天地會始於明季說；天地會始於乾隆二十六年
說；天地會始於乾隆三十二年說；天地會始於雍正年間說；天地
會始於雍正初年說；「以萬為姓」集團餘黨創立天地會說；廣義
天地會始於雍正年間、狹義天地會始於乾隆年間說；天地會始於
明末清初說等。作者對這十二種說法作了扼要介紹後，對天地會
產生的歷史根源、經濟根源、社會根源進行分析，即針對天地會
的創始人、創立時間與創立地點等問題，把官書、檔案與洪門秘
笈結合起來，再參證實地考察的結果，而論證天地會是萬提喜即
洪二和尚鄭開，於乾隆二十六年（1761）在福建雲霄高溪觀音亭

所創立。作者論證天地會起源的結論,是可以探信的。早在 1970年,戴玄之撰〈天地會的源流〉一文已指出天地會正式成立於乾隆三十二年(1767),爲洪二和尙萬提喜所創,起會的地點在福建漳州府漳浦縣高溪鄉觀音寺④。其後,由於檔案資料的整理公佈,並在前人的研究基礎上,將天地會的創立時間向前提早了六年,無疑地是一種令人欣慰的現象。原書第二章標爲〈清代秘密教門溯源〉,而各節內容僅探討白蓮教的源流;原書第三章標爲〈清代秘密會黨的起源〉,而各節內容亦僅探討天地會的起源,其它教派或會黨的淵源,並未涉及,都是章節不合。

原書第四章探討清初秘密社會的發展趨勢。以往人們從清初滿漢民族矛盾與階級矛盾的角度進行研究,認爲清初既然民族矛盾與階級矛盾都很尖銳,作爲兩大矛盾產物的秘密社會,自然處於高潮時期。作者認爲這種看法,其實只不過是一種主觀推測而已,並不符合當時的歷史實際。從順治到康熙前半期,由於社會經濟凋敝與小農經濟破壞,所以只有少數明季以來延續下來的秘密教門和少數異姓結拜弟兄的組織存在,它們的活動,一般規模較小,而且旋起旋滅。清初秘密教門的活動往往帶有政治色彩,各種秘密教門名目雖然各異,但其本質都有張角、劉福通一類的造反者,因此,清廷對秘密教門的活動,十分注意。順治年間,實際上還不存在眞正的秘密會黨,僅有一些異姓結拜弟兄的組織。作者認爲由於滿漢矛盾的加劇,異姓結拜弟兄的組織形式,往往成了漢族人民進行反抗鬥爭的工具,使異姓結拜弟兄的組織,逐漸帶有政治色彩。康熙前半期,一方面由於全國的統一,一方面由於社會經濟的復蘇,劉佐臣倡立五葷道收元教就是康熙年間秘密教門復甦的重要標誌。明末,京畿一帶紅陽教十分盛行,順治年間,紅陽教繼續在京畿旗人和宮中太監中流傳,劉佐

臣創立的五葷道收元教，與明末紅陽教有密切關係。至於秘密會
黨則仍處於異姓結拜弟兄組織的階段，當時尙未出現眞正的秘密
會黨。清初順治、康熙年間的民間秘密宗教是明末以來延續下來
的教派，異姓結拜弟兄的組織，亦未出現眞正的秘密會黨，作者
的分析符合歷史實際。但是，所謂異姓結拜逐漸帶有政治色彩，
由於滿漢民族矛盾的加劇，異姓結拜組織，往往成了漢族反抗鬥
爭工具云云，仍然只是一種主觀推測而已，明末清初的異姓結拜
弟兄的活動，涉及反滿的案件，確實罕見。

　　原書第五章探討秘密教門的初步發展，作者認爲從雍正初年
到乾隆中葉，由於政局穩定，經濟繁榮，有利於秘密教門的傳
佈，比起順治、康熙，已經有了較大的發展。在明代後期，羅教
是一個重要秘密教門，清代羅教就是明代羅教的延續，到了雍正
年間，羅教已傳有七代，主要在漕運水手中流傳，這是繼承了明
代羅教的傳統，羅教還以無爲教或大乘教名目繼續傳教。除了羅
教外，還有順天教、大成教、道心教、空子教、依法教、儒理
教、三皇聖祖教即圓頓大乘教、朝天一炷香教、糍粑教即三乘
會、皇天教等。作者指出清廷鑒於各地秘密教門的活動日趨頻
繁，而且不少秘密教門還帶有反清的政治內容，對清朝政權構成
了潛在的威脅。因此，在雍正初年命令各省地方官員對秘密教門
的活動加以取締。由於清廷當時查拿秘密教門採取了愼重、認眞
的政策，所以在各地查辦教案過程中，未出現重大的偏差。作者
指出，「清政府對于秘密教門的發展，尤其是其反政府的政治傾
向，越來越感到擔憂，便在修訂《大清津》時，專門增加了有關
禁止『邪教』的內容：『凡師巫假降邪神、書符咒水、扶鸞、請
神、自號端公、太保、師婆名色，及妄稱彌勒佛、白蓮社、明尊
教、白雲宗等會，一應左道亂正之術，或隱藏圖像、燒香集衆，

夜聚曉散，佯修善事，煽惑人民，爲首者絞候，爲從各杖一百，流三千里。」」⑤明廷爲取締左道異端，曾經制訂〈禁止師巫邪術〉的律例⑥。滿族入關後，從明末延續下來的民間秘密教派，仍在活動。清廷爲取締左道異端，也沿襲明代律例，修訂〈禁止師巫邪術〉律例，其內容文字，出入不大，並非如作者所說清廷在修訂《大清律》時專門增加有關禁止「邪教」的內容。

　　原書第六章探討八卦教在雍正至乾隆後期的活動。作者指出雍正、乾隆年間，八卦教有了進一步的發展，不僅康熙年間已有的震卦、離卦、坎卦等都已發展成爲相對獨立的秘密教門，而且在劉省過掌教期間，八卦教在組織上又更加完備，除了坤卦一卦未曾立教外，其餘七卦俱已配齊，其中離卦主要在河南、山東、直隸一帶傳播；震卦主要流傳於山東、河南、直隸、蘇北等地；坎卦在直隸、山東一帶傳播；艮卦傳教中心是山東金鄉一帶；巽卦傳教中心在山東單縣；乾卦傳教中心在河南虞城縣；兌卦傳教中心在直隸東明縣一帶。山東荷澤縣人王中因行醫行業不景氣，編造《行善書》，創立清水教，山東壽張縣人王倫也傳習清水教，都來源於劉佐臣所創立的五葷道收元教即八卦教。乾隆三十七年（1772），清廷將八卦教教首劉省過及清水教教首王中處決。乾隆三十九年（1774），王倫領導清水教起事失敗，八卦教雖然遭到重大打擊，但是，八卦教經過康熙、雍正與乾隆前半期的發展，已經成爲一個龐大的秘密教門，不僅擁有大量教徒，而且形成一個比較嚴密的組織，對清廷構成了潛在的威脅。乾隆五十一年（1786）閏七月，直隸大名府發生了八卦教首領段文經、徐克展等率衆殺官劫獄案件，使清廷受到巨大震動。中國大陸學者以往在分析王倫領導清水教起事的原因時，多從農民起義的角度加以考察，認爲王倫起事的原因，是在於地主階級對農民階級

的剝削與壓迫，隨著生產的發展，剝削者的胃口，變得越來越大，越來越貪婪，在封建經濟逐步發展的過程，不可避免地同時也就成為農民和地主之間的階級矛盾逐步激化的過程，因而引起了王倫清水教的起義。作者基本上同意從階級矛盾的觀點來分析王倫起義的根本原因。作者認為「無疑是正確的」。為了避免籠統，作者一方面從客觀條件來看，認為王倫起義是當時社會階級矛盾的反映；一方面也從王倫所傳習的清水教本身情況來看，指出清水教的發展乃是造成王倫起義的重要原因，隨著清水教組織的發展和勢力日益膨脹，王倫也萌發了奪取政權的思想，登基做皇帝的政治目的，就是他利用清水教舉行起義的重要原因。誠然，把王倫起事稱為農民起義，從階級矛盾的觀點來分析王倫起事的根本原因，不僅失之籠統，而且也不客觀。

原書第七章探討秘密會黨的興起與初步發展。作者指出雍正至乾隆前半期，是秘密會黨興起和初步發展的階段。雍正年間，閩粵等省商品經濟的發展，加速了異姓結拜組織向秘密會黨的轉化。秘密會黨在性質及功能方面，與異姓結拜弟兄的組織，並無本質區別，所不同者，僅在於有了正式的會名。舉凡父母會、一錢會、鐵鞭會、桃園會、子龍會等，都是由異姓結拜組織轉化而來的會黨。乾隆前半期，秘密會黨又有進一步發展，其中福建地區尤甚。作者分析福建社會經濟背景後指出，福建人民結盟拜會風氣的盛行，主要原因同商品經濟發展，大量農村人口外出謀生有關。許多農民進入城鎮市圩，或到異地他鄉去謀生，需要借助於秘密會黨的力量，既可彼此間互濟互助，又可團結起來，自衛抗暴。因此，在乾隆前半期秘密會黨有了較大的發展，例如關聖會、小刀會、邊錢會、父母會、鐵尺會、天地會等，名目繁多。其中天地會因為具有較強的反抗精神，所以當天地會的人數漸

多，勢力日強以後，便要求共同反抗清廷的統治。在提喜暗中指使下，於乾隆三十三年、三十五年先後進行兩次重要反抗鬥爭。誠然，閩粵社會經濟的變遷，較有利於秘密會黨的活動。但是，商品經濟的發展，是否加速了異姓結拜組織向秘密會黨的轉化，仍嫌籠統。河南濟遠縣人翟斌如拜潘道人為師，取法名道靜，他素知醫卜，兼習道教。雍正六年（1728），山西澤州與河南濟遠縣交界一帶地方，發生了搶奪當地鄉紳家財產的案件，作者認為這個搶奪團體，就是以翟斌如為首的秘密會黨⑦。作者把翟斌如為首的搶奪案件列入秘密會黨的範疇，並不妥當。

　　原書第八章探討黃天教及其支派。作者指出黃天教又稱黃天道、皇天教，始於明代嘉靖年間，為直隸宣化府萬全縣人法號普明的李賓所創。黃天教創立之初，主要在直隸宣化府和山西大同一帶秘密流傳，後來又傳至京畿一帶。入清以後，在北方黃天教發祥地萬全縣等地，仍稱黃天教，其他地區多以它的支派名稱在民間秘密流傳。康熙年間，黃天教以萬全縣碧天寺為中心，繼續在華北傳播。乾隆二十八年（1763），碧天寺雖被清廷澈底的摧燬，但是，黃天教並未在萬全縣絕跡。光緒初年，信徒又建造了普佛寺，仍供奉普明一家五口的塑像。黃天教傳入浙江後稱為長生教，創始人是黃天教內重要教首普靜的弟子普善即汪長生。他早年在直隸學道，後來定居浙江衢州府西安縣，創建齋堂，勸人吃齋念佛，聲稱可以卻病延年，名為長生教。後因信徒眾多，齋堂增至數百間，雍正、乾隆年間，屢遭官府查禁。江蘇吳江縣縣民金文龍傳習長生教，金文龍被捕後供出長生教令人吃齋念經，以果品供奉，再將供佛果品分送燒香之人，聲稱食此果品者，可以延年益壽，所以長生教又稱果子教。浙江處州府縉雲縣人殷繼南所傳的教派原是黃天教的支派無為教，因自稱羅祖轉世，遂假

冒羅教。雍正年間，查禁無爲教，官府根據教徒供詞，也就把這一支無爲教歸入了羅教。浙江處州府慶元縣人姚文宇模倣殷繼南，詭稱殷繼南轉世，自列門牆，取法名普善，創立龍華會，並沿襲殷繼南假冒羅教的教法，自稱羅教分支，官府根據其徒衆口供，便將龍華會歸入羅教。傳入福建建安、甌寧的老官齋教，尊殷繼南爲祖師，亦屬黃天教。雍正、乾隆年間，姚文宇後裔姚正益，法名普益，傳習龍華會，因甌寧等地稱吃齋之人爲老官，加上教徒皆素食齋戒，所以稱爲老官齋教。雍正七年（1729），官府在浙江查禁羅教時，姚姓子孫爲避免被查拿，而改爲一字教。乾隆十三年（1748），建安、甌寧老官齋教聚衆起事後，官府在福建各地查出一批齋堂，地方官員均以羅教、大乘教名目具奏。清初以來，黃天教多以其支派名稱在民間秘密流傳。作者一方面指出長生教是由黃天教內發展出來的一個分支，傳入浙江後稱爲長生教⑧。一方面又說黃天教傳入南方後，成爲三個分支：一是浙江處州無爲教；一是浙江縉雲縣的龍華會；一是福建甌寧的老官齋教⑨。長生教、無爲教、龍華會、老官齋教旣然都是黃天教的分支，爲何只有三個分支呢？教主盧本師在浙江處州府縉雲縣傳習無爲教，並收縉雲縣人殷繼南爲徒，因此，無爲教當以處州府縉雲縣爲中心。姚文宇是浙江處州府慶元縣人，他在慶元縣創立龍華會，因此，龍華會是以慶元縣爲中心。作者敘述黃天教傳入浙江的分支時，將縉雲縣爲中心的一支稱爲龍華會，是顯然地錯亂。

　　原書第九章探討紅陽教的教義及經卷。紅陽教相傳創自明代萬曆年間的飄高老祖，飄高老祖究竟是何許人？學術界頗有爭議，大致可以歸納爲兩種說法：一種說法認爲飄高老祖是山西洪洞人高揚；另一種說法認爲飄高老祖是直隸廣平府曲周縣人韓太

湖。作者支持後一種說法，認爲飄高老祖便是韓太湖或韓太湖也
就是高揚的說法比較可信。作者對照現存史料後確定韓太湖號弘
陽子，生於明隆慶四年（1570），卒於萬曆二十六年（1598），
萬曆二十二年（1594），悟道，立教開宗。次年，又到北京弘揚
其教，他攀附權貴，勾結宮中太監，以發展其勢力。順治、康熙
年間，弘陽教繼續流傳。乾隆年間的紅陽教是明代弘陽教的繼續
和發展，當時爲了避乾隆皇帝弘曆名諱，官方文件多作紅陽教。
乾隆初年經查禁後，紅陽教仍在直隸，特別是京畿一帶流傳。在
京南大興縣、良鄉縣等地，紅陽教的活動，亦極活躍，良鄉縣張
天佑父子曾將紅陽教改名爲龍天會。乾隆後期，華北一帶仍有紅
陽教繼續流傳，山東德州、山西平遙等地，都有人傳習紅陽教。
乾隆末年，直隸紅陽教中還有一支稱爲邱祖龍門派下混元紅陽
教，供奉紅陽老祖、觀音老母、混元老祖、飄高老祖、念誦《混
元經》，以及「眞空家鄉，無生父母」八字眞言。這個教派一直
在直隸新城縣一帶流傳，嘉慶十八年（1813），天理教起事後，
始畏懼解散。作者指出，紅陽教同其它秘密教門一樣，也主張儒
釋道三教合一，因而在教義中也採取了儒釋道三教所宣揚的倫理
道德觀念。在經卷中推崇儒家的三綱五常，頌揚忠孝節義，又大
力宣揚佛教所主張的因果報應，勸人行善積德。清代京畿一帶紅
陽教在婦女，尤其是寡婦中傳教，以治病爲手段，勸人入教⑩。
誠如作者所言，紅陽教中容納了許多婦女成員，婦女皈依紅陽
教，大多來自家人的影響，以血緣爲紐帶，其中不乏全家習教的
情形，不至於造成家族制度的危機。一般婦女習教，大多基於安
身立命之需，他們在傳教的過程中，發揮了不少正面的社會功
能，其中最顯著的表現，就是關於民俗醫療方面。他們同時也關
懷其他婦女的福利問題，設置菴院收留孤苦無依的婦女，有些女

教首還專門容納守節的寡婦，解決了這些婦女在物質及精神方面
的需求，不僅發揮了極大的社會救助功能，對於穩定社會秩序也
有相當的貢獻⑪，其中紅陽教中的婦女活動，就是研究婦女運動
史不可忽視的問題。

　　原書第十章探討混元教與收元教的活動。乾隆年間，在直
隸、山西、河南、湖北、四川等地流傳著混元教與收元教，並於
乾隆末年、嘉慶初年發動了著名的川陝楚白蓮教大規模起事。作
者指出，混元教有兩個不同淵源的教門：一是雍正年間山西長子
縣張進斗即張冉公的弟子王奉祿、馮進京等人所傳的混元教；另
一個是河南鹿邑人樊明德所傳的混元教。王奉祿、馮進京所傳的
混元教，又稱混沌教。乾隆十八年（1753）七月，混沌教破案，
據馮進京供稱，「小的這教名為混沌教。混者，混然凡氣；沌
者，沌悟明心。男子學成就是混天佛，女人學成就是沌天母。」
乾隆三十九年（1774）起，樊明德傳播混元教。從源流及教義上
看，樊明德所傳混元教是明代弘陽教的餘緒，即屬於紅陽教系
統，通過安徽亳州人張菊等人的傳習，混元教又傳到安徽。乾隆
四十年（1775），樊明德等人被捕，混元教受到嚴重摧殘，此
後，混元教徒又在樊明德的弟子王懷玉、王法僧父子及王懷玉之
徒劉松等人名下，繼續活動。樊明德是在收受《混元點化經》後
便起意倡立混元教名目。周隆庭等人是張進斗之徒，傳習收元
教，到了第五代傳人張仁，於乾隆十八年（1753）將收元教改稱
榮華會，編有《教考五更》等歌詞，聲稱誦習者可以消災。乾隆
二十一年（1756），張仁被捕後，其徒孫士謙等繼續傳習收元
教，並收徐國泰等人為徒。乾隆二十八年（1763），徐國泰復興
舊教，將榮華會改稱收元教，乾隆三十二年（1767），徐國泰開
始把收元教從河南推向湖北。翌年九月，收元教在河南被官府破

獲，徐國泰等人被捕。乾隆三十四年（1769）冬，徐國泰之徒李文振將收元教改稱收元榮華會。乾隆末年，收元教又經過湖北西北房縣一帶傳入四川。清廷在湖北、四川、陝西等省大規模搜捕的白蓮教徒，其實就是收元教、混元教的徒衆。作者討論混元教的源流時認為樊明德所傳混元教是明代弘陽教的緒餘，屬於紅陽教系教，不同於王奉祿所傳混元教，但作者並未說明王奉祿所傳混元教屬於那個系統？樊明德所傳混元教與王奉祿所傳混元教，其最大差異為何？作者亦未說明。周隆庭與王奉祿兩人均拜張進斗為師，為何王奉祿傳的是混元教，而周隆庭傳的則是收元教？周隆庭所傳收元教，與劉佐臣所創立的五葷道收元教有無淵源上的關係？原書亦未交待。樊明德所傳混元教是明代弘陽教的緒餘，作者認為叛逆性內容出現在混元教的教義裡，是反映乾隆中葉以後階級矛盾的日益加深⑫。其實，教義內容具有政治意識，或對現狀的不滿，是否能反映階級的矛盾？它所反映的歷史背景是順治、康熙年間？或乾隆中葉以後？仍待商榷。

　　原書第十一章探討川陝楚白蓮教起事。作者指出在乾隆後期，秘密教門已經發展成一支強大的社會勢力，河南、湖北、陝西、四川等省的混元教與收元教的力量尤為強大。這些秘密教門已不再僅僅以消災祈福，或回歸眞空家鄉相號召，而是加入了許多世俗的政治內容和一些直接涉及下層群衆切身利益的口號。因此，雖然名義上仍然是一次教門的反清鬥爭，而實際上已成了農民和其它下層群衆利用秘密教門現成的組織與力量，進行反抗清王朝統治的武裝起義。嘉慶初年的川陝楚白蓮教起義，實際上是由混元教與收元教所發動，因歷史上均稱之為白蓮教起事，作者亦以白蓮教來稱呼。作者指出，這次起義歷時九年，遍及五省，清廷為了鎮壓起義，耗費了大量人力物力，從而加速了清王朝由

盛轉衰的進程。這次起義，被歷史學家視爲清帝國由強盛轉向衰落的標誌。原書稱呼川陝楚起事後的白蓮教徒衆爲起義軍，作者認爲「川陝楚白蓮教起義的基本群衆是老林地區的廣大貧苦農民，他們反對封建統治階級的剝削與壓迫，是正義的，應該予以充分肯定。」⑬川陝楚秘密宗教起事，反映了官逼民反的地方吏治問題，但是，白蓮教到處裹脅，強迫加入反抗政府的行列，良民被逼入夥後，面刺「白蓮教」字樣，農村凋敝，社會遭受重大破壞，川陝楚白蓮教起事就是典型的宗教叛亂，將他稱爲正義的農民起義，實際上並不客觀。

原書第十二章探討乾嘉道時期秘密教門的零散活動。乾隆年間，有許多規模不大的諸小教門，旋起旋滅。例如清淨無爲教，是由直隸永清縣人高六指子掌教。四正香教，爲直隸宣化府李立榮所創立，後來傳至山西汾州、陝西朝邑等處。陝西境內以李緒唐爲首的拜香教，是直隸灤州石佛口聞香教的一個支派。陝西省城西安丁順等人傳習的大乘門，似屬羅教系統。湖北江夏縣人曠雲章遷居襄陽後傳習彌勒教。福建海澄縣出現祖師教，學習拳棒。山西臨汾縣人胡關氏傳習無爲教，以施茶修橋鋪路爲宗旨，後因官府查禁無爲教而改名橋梁會。浙江杭州府學生員舒敬、江蘇松江人徐筠等傳習天圓教。江蘇贛楡縣還俗僧人牛其祿傳習未來教即三元會。江西南昌人李純估創立未來教，規定每年正月、七月、十月逢十五日做會，稱爲三元會。湖北宏山縣人朱洪，其所居住的廣水地方，與河南信陽州接壤，朱洪因持誦太陽經咒，即以太陽經作爲教派名稱，稱爲太陽經教。河南鹿邑縣趙文世等人傳習青陽經而得名。浙江台州府仙居縣有還俗僧人李鶴皋等傳習皈依無爲教。山東、直隸等地有侯尙安等人進行八卦教的復教活動。劉文煥是混元教老教首劉松之子，王法林之妻王侯氏掌管

混元教，乾隆六十年（1795），劉文煥與王侯氏在河南商邱縣宋家瓦房地方商議混元教不時犯案，無人信從，遂改名爲儒門教。乾隆後期及嘉慶初年，在甘肅河州、陝西寶雞等地出現悄悄會。嘉道年間，除了較大的幾支外，還有一些人數不多，影響不大的諸小教門，例如北京的無爲教；直隸藁城縣的龍天教，又名龍門教或龍天門教；河南滑縣的老天門教；直隸晉州的黃門道；直隸靜海縣的如意門教；直隸獻縣的白陽教即未來教；湖北襄陽一帶的牛八教即揮率教；河南涉縣的白陽教即圓頓教；山西、陝西一帶的圓頓教即油臘教；山東聊城的洪蒙教；直隸靜海縣的未來眞教，亦名天門眞教；山東城武一帶的一炷香教，又稱如意教；安徽阜陽三陽教的復教活動；河南、安徽一帶的混元教，以上各教派規模不大，旋起旋滅，影響不大，但可以反映乾隆後期各地教派林立，對嘉慶初年川陝楚白蓮教的大規模起事，多少有影響，所謂涓涓不塞，終成江河。若將原書第十二章與第十一章的先後順序，互相對調，或將這兩章合併爲一章，按照教案先後敘述。原書第十二章與第十一章的歷史背景，以及後來的餘波。

　　原書第十三章探討清代中葉以後的羅教與大乘教。作者指出，乾隆中葉以後，羅教與大乘教，除了在糧船水手中流傳外，仍在各地繼續傳播，不過，其規模已大不如前。乾隆後期，在江西寧都州有朱文瑞、詹明空等人傳習羅教，湖北應城縣有陳其才等人傳習大乘教，安徽歙縣福惠尼庵內有道士吳昭煜傳習大乘教，都屬於羅教系統。嘉慶年間，內蒙古土默特蒙古王公的莊頭郝得來等人所傳清淨無爲教，則爲羅教的分支。道光年間，羅教繼續在糧船水手中流傳，但由於糧船水手們的水手行幫，在性質上日益向幫會方面轉化，羅教的影響逐漸淡化，糧船水手的行幫組織，逐漸發展成了青幫。嘉道年間的大乘教，流傳甚廣，其名

目雖然相同，但並非同一教門的幾個支派，而是屬於不同的教門
系統。嘉慶年間，湖北孝感一帶流傳的大乘教，教首是孝感人周
添華，這支大乘教即屬於羅教系統。江西貴溪縣人張起坤在鄱陽
縣一帶所傳大乘教，則屬於吳子祥所傳黃天教系統。張起坤的弟
子及其再傳弟子後來又把大乘教由江西傳至江蘇與湖北。貴州丹
江地區龍海燕所習大乘教，也屬於吳子祥所傳黃天教系統。作者
同時指出道光年間在貴州、四川及湖南一帶流傳的青蓮教，與吳
子祥及其弟子所傳的大乘教，有著淵源方面的關係。嘉道年間，
大乘教流傳既廣，而且由於空間上的重疊，羅教系統、黃天教系
統的大乘教，彼此之間，互相影響，各教派所沿襲的傳統，已有
極大的改變，以致黃天教系統的大乘教，也被官府誤認作羅教。
青蓮教雖然是從吳子祥所傳大乘教演化而來，但它卻不完全等同
於大乘教，它具有特定區與時代的風貌⑭。

　　原書第十四章探討會黨從秘密傳播到公開反抗。作者指出，
乾隆後半期台灣小刀會大多是爲了對付營兵而自發結成的自衛抗
暴性的組織，因以小刀作爲武器和標誌而得名，當時天地會尚未
傳入台灣，這支小刀會僅屬一般秘密會黨。嘉慶初年，台灣的小
刀會，是天地會變名，屬於天地會系統。乾隆五十一年
（1786），林爽文起事，學術界從不同角度探討林爽文起事的原
因。有人認爲是地主階級兼併土地所引起的農民起義，有人認爲
是漢族人民的反滿革命。作者認爲林爽文起事，既非一般的農民
起義，亦非反滿革命，而是一次典型的秘密會黨武裝起義，所反
對的主要是清政府的貪官污吏，起義代表了農村小生產者、小私
有者和城市平民下層的利益，其宗旨並非反滿，或反對土地兼
併。林爽文失敗後，台灣彰化有張標等人於乾隆五十六年
（1791）進行復興天地會的活動。乾隆五十七年（1792），福建

泉州同安縣蘇葉、陳蘇老等人也進行復興天地會的活動，並將天地會改名爲釀黟會。乾隆五十九年（1794），台灣鳳山縣地方鄭光彩創立小刀會。乾隆六十年（1795），台灣又爆發了兩次天地會起事：一次由陳光愛所領導；一次由陳周全所領導。嘉慶二年（1797），台灣淡水楊肇等人結拜小刀會。次年，台灣嘉義徐章等人結拜小刀會。同年九月，台灣鳳山縣有汪降等人結拜小刀會。嘉慶五年（1800），台灣嘉義有陳錫宗等人結拜小刀會。嘉慶七年（1802），廣東博羅、歸善、永安一帶爆發了一起規模較大的起事，其影響之大，僅次於台灣林爽文起事。嘉慶八年（1803），在江西廣昌、寧都、石城一帶也出現了天地會的武裝反抗鬥爭。嘉慶九年（1804），台灣鳳山縣有李順等人領導小刀會起事。作者對乾隆後期、嘉慶初期台灣及內地各秘密會黨的活動，進行較詳盡的敘述，對歷史事件的敘述，也頗能掌握時空的分佈，但美中不足之處，是原書第十四章第一小節先行描述台灣及福建內地復興天地會的活動，然後在第二小節始探討台灣林爽文起事過程。其實，林爽文領導天地會起事在前，張標等人復興林爽文的天地會在後，原書的安排，確實本末倒置。作者將林爽文起事稱爲林爽文起義，天地會成員無疑地都被漂白成爲「義民」，那麼廣東庄、泉州庄向來守望相助的義民，究竟又應如何定位呢？林爽文起事的性質，究竟應從那個角度來考察較爲客觀呢？仍待商榷。

原書第十五章探討嘉道年間秘密會黨的發展。作者指出，嘉慶、道光年間，是秘密會黨迅速發展的時期。作者認爲由於天地會的組織迅速發展，被各地官府視爲心腹大患，天地會的首領爲了隱蔽清廷的取締，於是不斷改換名稱，一方面用來迷惑官府，一方面也減少了群眾加入天地會的顧慮，除了乾隆年間已經存在

的天地會、添弟會、小刀會等名目外，又創造了許多新的名目，
譬如嘉慶六年（1801）福建閩清縣地方王光等人結拜雙刀會；嘉
慶七年（1802），福建永定縣張配昌等人結拜和義會；嘉慶八年
（1803），江西天地會首領李凌魁把天地會分爲陽盤教與陰盤教
兩支；嘉慶十年（1805），福建甌寧縣人李于高糾人結拜百子
會；嘉慶十一年（1806），江西會昌人周達濱等人將天地會改爲
三點會；嘉慶十三年（1808），福建永定縣人廖善慶等人改三點
會爲洪蓮會；同年，福建武平人朱德輝等結拜江湖串子會；嘉慶
十六年（1811），廣東順德縣貴邱等人結拜三合會；嘉慶十八年
（1813），熊毛等人在福建寧化縣結拜仁義會；同年，江西人封
老三等人在福建光澤縣結拜仁義雙刀會，隨後封老三又在邵武縣
結拜仁義三仙會；嘉慶十九年（1814），福建長汀縣人曹懷林等
結拜拜香會；福建霞浦縣人歐狼等結拜父母會；福建建寧縣有江
文興等人結拜洪錢會；嘉慶二十一年（1816），福建沙縣人鄧方
布糾人倡立明燈會；嘉慶二十五年（1820），福建甌寧人江亞呦
等結拜平頭會；道光十三年（1833），李江泗等人在福建邵武縣
結拜保家會。以上各會黨都是嘉道年間新出現的天地會系統的秘
密會黨。與同時期其它秘密黨相比，天地會有一個很大特點，
就是它不僅有一套獨特的結盟儀式和隱語暗號，而且也有秘密文
件即會簿作爲結會傳徒的工具，這或許正是天地會能夠歷久不
衰，始終保持自己特色的重要原因。至於廣東陸豐縣的共和義
會，江西的擔子會、邊錢會，湖南的觀音會、兄弟會，廣東新安
縣的守義會、集義會、連兄會，廣東的老表會，廣西恭城縣的忠
義會，湖南龍山縣的公義會，廣西永淳縣的父母會，浙江嵊縣的
鈎刀會，湖北江陵縣的孤老會，江西上饒等縣的花子會即糍粑
會，湖南寧鄉縣的黑會、紅會，湖南東安州的丫叉會等都是天地

會系統以外的一般秘密會黨。有清一代，會黨林立，天地會只是清代諸多會黨之一，不能把所有會黨均視為天地會，閩粵天地會系統的秘密會黨，有其特色，川楚哥老會系統的秘密會黨，也有它的特色，天地會成立以前的秘密會黨，其結盟儀式、暗號等等，對天地會的創立，不無影響，天地會成立以後，閩粵地區的秘密會黨普遍受到天地會或添弟會的影響，作者將廣東的共和義會、守義會等，廣西的忠義會、父母會等，均未歸入天地會系統，是否符合歷史實際？仍待商榷。作者認為嘉道年間的邊錢會、擔子會、孤老會、紅會、黑會及丫叉會等都是天地會系統以外的秘密會黨，而且「皆係乞丐之幫會」⑮。其實，「幫會」包含「幫」與「會」兩個範疇，幫是指幫派或行幫，地緣性的行業組織，稱為行幫；會則指會黨，是異姓結拜弟兄的組織，幫與會不能混為一談。會黨的成員容納了下社會三教九派各種人物，乞丐之間也盛行異姓結拜，他們歃血結盟，乞丐們的異姓弟兄結拜組織，就是丐會，而不是丐幫。

原書第十六章探討天理教與老理會，第十七章探討天理教起義。天理教是嘉慶年間新出現的一支秘密宗教，學術界對天理教的源流，有不同的認識，或謂天理教又名八卦教，或謂天理教乃白蓮教支派八卦教的別名，或謂天理教又名榮華會，或謂天理教是八卦教和紅陽教的混種，或謂天理教是林清、李文成、馮克善將京畿地區的白陽教、坎卦教和直魯豫三省交界地區以震、離二卦為核心的八卦教聯合之後形成的新組織，異說紛紜，莫衷一是。作者從林清、李文成等人創立天理教的過程，進行分析以後，認為嘉慶年間在直隸京畿和河南一帶流傳的天理教，是由京畿一帶的紅陽教與坎卦教，河南八卦教中震卦教等秘密教門融合而成，統一以後的秘密教門，仍然沿用林清在京畿傳教時所使用

的天理教這個名稱。天理教從八卦教、紅陽教中吸取了不少內
容，例如以八卦分支，林清自稱後天祖師等等。嘉慶年間，在直
隸新城、固安、新安一帶流傳的老理會，實際上就是山東單縣劉
姓所傳的八卦教支派。因直隸固安、新城一帶地處山東單縣之
北，在八卦中以坎卦爲北，所以老理會乃八卦教中之坎卦教。老
理會稱新入教者爲「新來的理」，必須拜一名老教徒即「老理」
爲師傅，師傅則向他傳授「眞空家鄉，無生父母」八字眞經，及
盤腿坐功運氣之術。老理教與林清傳習的坎卦教即天理教，有著
密切的關係。嘉慶十八年（1813），天理教起事後，老理教雖然
只有少數人以個人名義加入起事，但是，失敗以後，老理會也受
到鎮壓，主要教首皆被捕，老理會亦隨之消失。明末清初，京畿
等地，由於紅陽教、八卦教極爲活躍，天理教就是承襲八卦教，
並吸收紅陽教信徒而創立的教派，作者的分析，是可以採信的。

　　嘉慶十八年（1813）九、十月間，在河南、直隸、山東三省
交界地帶及京畿地區，爆發了以林青、李文成爲首的天理教起
事，先後攻佔了河南滑縣、直隸長垣、山東定陶、曹縣等地。京
南大興、宛平的一支天理教隊伍，在宮中太監的接應、引導下，
攻入皇宮，血濺紫禁城。這次起事，是繼嘉慶初年川陝楚白蓮教
起事後，規模和影響最大的一次以秘密教門爲旗幟的宗教叛亂。
以往學者分析天理教起事的性質時，看法不同，一些大陸學者爲
了歌頌農民起義，往往對天理教的起事加以理想化和美化。有些
著作稱天理教的性質是農民階級和城市貧民的一個革命組織，是
一個進步的革命團體，具有濃厚的政治革命性質。作者認爲這些
說法，大多由於對秘密教門性質的誤解所致。作者提出他的看法
如下：

　　　　過去有人稱秘密教門是農民的宗教，造反的宗教，被壓迫

階級的宗教。其實，在秘密教門的教義中並無造反或革命的內容，只是在階級矛盾激化時，農民起義首領或教門首領，把秘密教門中某些教義加以引申，並加入諸多與下層群眾切身利益有關的世俗口號。宗教是人民的鴉片，並未分為統治階級的與被壓迫階級的，它總是為維護統治階級對人民群眾的統治服務的，它引導人們嚮往來世的幸福和死後天堂的美好生活，都是能起到麻痺人民革命鬥志的作用。至於秘密教門，從本質上看它是披著宗教信仰外衣的民間秘密結社。參加者大多出於某種政治或經濟的原因，是希望借助於秘密教門的勢力去實現、改善自己地位與處境的目的。因此，它不是宗教信仰而是秘密結社，天理教也同其它秘密教門一樣，並非宗教信仰而是披著宗教信仰外衣的秘密結社，所以不能稱為農民的宗教，或被壓迫階級的宗教⑯。

引文中認為「宗教是人民的鴉片」，既是毒品，則不僅能麻痺人民，同樣也能麻痺統治階層，又如何只能為統治階層服務呢？白蓮教或天理教起事，不就等於鴉片戰爭嗎？官府查禁民間秘密宗教，其實就異於取締鴉片，各教派的創立，並非為維護統治階級對人民群眾的統治服務的。以往有許多論著一方面歌頌白蓮教起事為農民起義，一方面又認為宗教是人民的鴉片，是不能自圓其說的。作者不同意將天理教稱為「農民的宗教」，或「被壓迫階級的宗教」，作者的態度是客觀的。天理教同其它民間秘密宗教一樣，有其教義、教規，也具有正面的社會功能，揭開各教派的神秘面紗以後，各教派的社會功能，仍是值得重視的，作者認為天理教不是宗教信仰，確實有待商榷。

原書第十八章探討清茶門教與收圓教的源流、教規、教儀與

經卷。明萬曆年間直隸灤州石佛口王森創立聞香教，亦稱東大乘
教，後來改名清茶門教。王森故後，其子孫們繼續從事秘密傳教
活動，並且同王森一樣，也企圖利用秘密教門的力量來實現其政
治野心，或躋身於上層社會。自明末到嘉慶二十年（1815）清茶
門教被澈底摧燬爲止，在此期間，王森子孫們形成了一個龐大的
世襲傳教世家，一個以王姓子孫爲骨幹的秘密教門組織和地下王
國。清茶門教在長期流傳過程中，逐漸形成了一套完整的教規、
教儀。清茶門教傳徒時，首先向入教者傳授三皈五戒，其宗旨都
是爲了使教徒虔誠皈教，並且從經濟上對教首作各種奉獻，而教
首則通過傳徒斂錢致富。嘉慶二十年（1815）八月，安徽和州地
方破獲了以方榮升爲首的收圓教圖謀造反一案，從被捕的清茶門
教王姓教首口供中發現安徽和州的收圓教教首原來同清茶門教教
首王秉衡有牽連，從而進一步查明方榮升所傳收圓教係傳自柳有
賢、金悰有的無爲教。柳有賢原籍安徽巢縣，遷居江蘇儀徵縣，
傳習無爲教，收巢縣人金悰有爲徒。金悰有掌教以後，收方榮升
等人爲徒，並將無爲教改名爲收圓教，同時在傳教內容裡加入了
當地的巫術，由方榮升等假藉走陰禱聖，查人前世根基及講神語
等手法招引徒衆。金悰有、方榮升傳習的無爲教、收圓教，在它
發展過程中曾受到過清茶門教的影響，但它並非清茶門教的支
派。各教派聚衆斂錢，教主常因此致富，但並非所有教派都有政
治野心或暴力傾向，清茶門教傳授三皈五戒，其宗旨就是爲了使
信徒虔誠皈教，其宗教信仰十分濃厚，否定民間秘密宗教的宗教
本質，是不客觀的。

　　原書第十九章探討嘉道年間的離卦教及其支派。作者指出嘉
道年間的八卦教，以離卦一支勢力最大。康熙年間，劉佐臣創立
五葷道收元教，按八卦分徒時，便立有離卦教。按照八卦的位

置，離卦在南方，河南商邱縣在地理位置上處於山東單縣之南，所以劉佐臣就讓住在商邱的郜雲龍任離卦卦長。郜姓家族世代掌離卦教，至郜雲龍之孫郜添麟時，於乾隆五十二年（1787）遷居山東聊城縣東關外，改姓名為高道遠。仍住在河南商邱老家的一支，在郜生文掌教時，收直隸清河縣人劉功即劉恭為徒，劉功收清河縣人吳二瓦罐即吳洛興為徒。嘉慶初年，吳二瓦罐在鉅鹿一帶，以按摩治病為名，傳習好話教即離卦教。鉅鹿縣人孫維儉與任縣人劉美奐同拜吳二瓦罐為師，嘉慶六年（1801），孫維儉欲借立教斂錢，以《護道榜文》內有「大乘」字樣，便另立大乘教，從此便脫離了正統的離卦教。後來孫維儉的大乘教日益發展，短短數年之內，竟傳一、二千人。尹老須即尹資源，是直隸清河縣人，乾隆六十年（1795），尹老須拜直隸南宮縣人田蕙忠為師，皈依離卦教，田蕙忠見尹老須工夫純熟，便帶他至清河縣離卦教總當家劉功處領法。他在領法以後，曾傳同縣的韓似水父子等人為徒。嘉慶十八年（1813），劉功因徒弟犯案被牽連，而令尹老須接管教務。嘉慶二十五年（1820），尹老須見教徒眾多，便將教內成員分為南北兩會。其中山東清平、冠縣等處共有教徒一千餘人，稱為南會；高唐、夏津等處教徒稱為北會。直隸清河縣人馬萬良曾拜白陽教即離卦教首劉功為師。嘉慶十九年（1814），劉功犯案後，由吳得榮接掌教務，吳得榮將白陽教即離卦教改名八卦教，按八卦分徒，馬萬良派充乾卦首領。道光三年（1823），吳得榮被捕處死，馬萬良被奉為八卦教教首。同年四月，馬萬良將教首職位傳給其子馬進忠，馬進忠因八卦教屢次犯案，於是將八卦教改名為明天教。直隸清河縣人蕭文登曾拜吳二瓦罐為師，皈依離卦教，後來蕭文登將離卦教改稱無為救苦教，並收孟見順等人為徒。乾隆五十九年（1794），孟見順傳徒

鉅鹿縣人侯岡玉，並把無爲救苦教改爲離卦門下無爲救苦教。嘉慶四年（1799），寄居山西平定州的傅濟拜侯岡玉爲師，皈依離卦教。翌年，傅濟收平定州人葉生寬爲徒。嘉慶二十一年（1816），葉生寬附會《龍華經》內「無生老母立先天，收源結果憑查號」等語，於是倡設先天教，又名收源教。道光十五年（1835），先天教起事失敗。嘉道年間的大乘教、明天教、先天教等教派，規模不大，但確實產生過重要影響，作者對以上教派的影響，未作進一步分析，不能反映嘉道年間離卦教源遠流長的情況。

作者長期從事中國秘密社會史研究，成果豐碩。原書大量利用北京中國第一歷史檔案館典藏的宮中檔硃批奏摺、軍機處檔奏摺錄副等直接史料，對研究明清秘密社會歷史作出了重要的貢獻，原書的研究成果，是作者凝聚長期功力的具體表現，同時也應該歸功於北京中國第一歷史檔案館工作人員長久以來辛勤整理檔案的貢獻，提供了珍貴的檔案資料。近數十年來，台北國立故宮博物院也先後整理出版了大量的宮中檔硃批奏摺，其中也含有相當豐富的民間秘密宗教及秘密會黨資料，作者也能善加利用，對原書的論述，也提供了很有力的證據。

民間秘密宗教的發展，有其長期性、群眾性、複雜性的特點，原書同意「宗教是人民的鴉片」這個觀點。其實，用這種觀點來界定民間秘密宗教的本質是不科學的。秘密社會史的研究，是屬於社會學的縱向研究，以編年體的方法來分析各教派及會黨的階級性和歷史的發展變遷，以重現過去的社會面貌，進而說明秘密社會史發展的規律。至於各教派或各會黨之間的比較研究，則屬於社會的橫向研究。這種方法注意到各教派或各會黨在空間地域上的不同和形式種類的多樣性，從不同教派或會黨的比較來

尋找宗教或會黨的共同本質及意義，以歸納其典型形式和特徵。有清一代，不僅教派林立，會黨也是名目繁多。各教派或各會黨，有的是獨自創生的，有的則是衍生轉化的。文化人類學派解釋人類文化的起源時，也主張文化複源說，深信人類文化依著自然法則演進，不必一定發源於一地，或創自一人。原書注意到社會學的縱向研究，對各教派或各會檔進行了溯源工作，但忽略橫向研究。原書將教門與會黨合爲一書，但對兩者的空間分佈及其互動關係，並未綜合比較，無從反映其生態環境的差異。

　　原書將清代前期秘密社會的歷史劃分爲五個時期，即㈠順治時期（1644-1661），是秘密社會的蕭條時期；㈡康熙年間（1661-1722），是秘密社會復甦時期；㈢雍正初年到乾隆中葉（1723-1765），是秘密社會初步發展時期；㈣乾隆後半期至嘉慶初年（1796-1805），是秘密社會舉行公開武裝反抗鬥爭的時期；㈤嘉道年間（1806-1820），是秘密社會充分發展時期。清代前期的秘密社會史，的確經歷了一個從蕭條、復甦至充分發展的過程⑰。西曆一六六一年，是順治十八年，康熙元年，相當於西曆一六六二年。乾隆後期始自乾隆三十一年（1766），原書一七九六年，當作一七六六。原書前言中已指出本分卷的內容是講述清代前期（1644-1840）的秘密教門與秘密會黨⑱。一八二〇年相當於嘉慶二十五年，分期表中嘉道年間應作一八〇六至一八四〇年。中外史家對清代史的分期，其前期多包含滿洲入關前天命、天聰、崇德時期（1616-1643）。原書分期，將順治元年（1644）至道光年間（1840），稱爲清代前期，共計一九七年，自一八四一年至一九一一年，只有七十一年，其時間分佈頭重腳輕，能否反映分期的意義，仍待商榷。

　　原書在印刷校對方面，頗多錯別字，例如：秘密社會英譯作

"Secret Society"，原書前言頁一誤作"Secrete Society"；原書頁八五謂康熙三十一年王天賜身故，又說王天賜於康熙五十三年到山東賣布。檢查河南巡撫碩色奏摺的記載，得知王天賜卒於康熙六十一年⑲，原書誤作康熙三十一年；河南巡撫石文焯於雍正元年入京陛見，原書頁一一九誤作雍正六年；道心教教首張姓住在福州內布政司後白雲洞，原書頁一二一將布政司誤作「有政司」；拙著《故宮檔案述要》，原書頁九〇、頁一二〇俱誤作《故宮檔案述略》；美籍教授韓書瑞英文爲"Susan Naquin"，原書頁一六四誤作"Susian Naguin"；護理山西巡撫高成齡，原書頁一九七誤作「交成齡」；浙江巡撫熊學鵬，原書頁三一四誤作「熊字鵬」；軍機處奏摺錄副簡稱軍錄，原書頁三一九誤作「早錄」，其餘疏漏，不一一列舉，期盼原書再版時修正。原書有前言、總論，但無結論，對清代前期的秘密社會史未作研究成果的綜合討論，確實是美中不足之處。瑕不掩瑜，作者勤於搜集檔案資料，研究功力深厚，值得肯定。

【註　釋】

① 秦寶琦，《中國地下社會》（北京，學苑出版社，一九九四年一月），頁2。

② 《中國地下社會》，頁9。

③ 《起居注冊》（台北，國立故宮博物院），雍正十三年十二月十五日，諭旨。

④ 戴玄之，〈天地會的源流〉，《大陸雜誌史學叢書》，第三輯（台北，大陸雜誌社，民國五十九年九月），第五冊，頁79。

⑤ 《中國地下社會》，頁123。

⑥ 《大明會典》（台北，新文豐出版社，民國六十五年七月），卷一

六五，頁 3。

⑦ 《中國地下社會》，頁 195。

⑧ 《中國地下社會》，頁 220。

⑨ 《中國地下社會》，頁 225。

⑩ 《中國地下社會》，頁 250。

⑪ 洪美華，《清代民間秘密宗教中的婦女》（台北，國立台灣師範大學歷史研究所碩士論文，民國八十一年六月），頁 264。

⑫ 《中國地下社會》，頁 262。

⑬ 《中國地下社會》，頁 307。

⑭ 馬西沙、韓秉方著：《中國民間宗教史》（上海，上海人民出版社，一九九二年十二月），頁 1121。

⑮ 《中國地下社會》，頁 478。

⑯ 《中國地下社會》，頁 504。

⑰ 《中國地下社會》，頁 101。

⑱ 《中國地下社會》，前言，頁 1。

⑲ 《史料旬刊》，第三〇期，頁 101，碩色奏摺。